Paru dans Le Livre de Poche :

MORDOC

PATRICIA CORNWELL

Mordoc

ROMAN TRADUIT DE L'ANGLAIS PAR HÉLÈNE NARBONNE

CALMANN-LÉVY

Titre original :

UNNATURAL EXPOSURE
G. P. Putnam's sons, New York, 1997

A Esther Newberg
Vision, nulle crainte

*« Puis vint vers moi un des sept anges qui
tenaient les sept coupes remplies des sept
derniers fléaux... »*

APOCALYPSE, 21-9

1

La nuit était tombée sur Dublin, limpide et froide. Le mugissement du vent par-delà les murs de ma chambre ressemblait à l'écho de milliers de cornemuses, et les rafales qui secouaient les battants des vieilles fenêtres résonnaient comme une chevauchée de fantômes. J'arrangeai une nouvelle fois mes oreillers, puis me rallongeai sur le dos dans un enchevêtrement de draps de lin irlandais. Mais le sommeil me fuyait, et des images de la journée me revinrent. J'eus la vision de corps démembrés et décapités, et me redressai en sueur.

J'allumai les lampes et me retrouvai soudain au Shelburne Hotel, environnée par le chaud reflet de magnifiques vieilles boiseries et de tentures écossaises d'un rouge profond. J'enfilai une robe de chambre, et mon regard s'attarda sur le téléphone près du lit, dont les draps défaits témoignaient de mon sommeil agité. Il était presque deux heures du matin. Il y avait cinq heures de décalage horaire avec Richmond, en Virginie, et Pete Marino, commandant de la brigade criminelle de la police municipale, ne dormait probablement pas. Il devait regarder la télévision, en fumant ou en mangeant quelque chose de mauvais pour sa santé, à moins qu'il ne soit sur le terrain.

Je composai son numéro, et il répondit immédiatement, comme s'il s'était trouvé juste à côté du combiné.

— Des bonbons ou je me venge ! clama-t-il, prouvant qu'il était en bonne voie pour la cuite.

— C'est un peu tôt pour Halloween, rétorquai-je, regrettant déjà mon coup de téléphone. Vous êtes en avance de deux semaines.

— Doc ?

Il s'interrompit, confus.

— C'est vous ? Vous êtes rentrée à Richmond ?

— Je suis toujours à Dublin. Qu'est-ce que c'est que tout ce bazar ?

— Oh, c'est juste moi et quelques types tellement laids qu'ils n'ont pas besoin de mettre des masques. C'est Halloween tous les jours, pour nous. Hé ! Bubba bluffe ! hurla-t-il.

— Tu crois toujours que tout le monde bluffe, répliqua une voix. C'est parce que ça fait trop longtemps que tu fourres ton nez de flic partout.

— Qu'est-ce que tu racontes ? Marino est même pas capable de détecter sa propre odeur !

Des rires tonitruants résonnèrent en arrière-plan, tandis que continuaient les commentaires moqueurs et alcoolisés.

— On joue au poker, m'informa Marino. Bon Dieu, quelle heure il est là-bas ?

— Encore plus tard que vous ne pensez. J'ai des nouvelles préoccupantes, mais je crois que le moment est mal choisi pour en discuter.

— Non, non, attendez, quittez pas. Je vais déplacer le téléphone. Merde, je déteste quand le fil s'entortille comme ça. Vous voyez ce que je veux dire ?

Je perçus son pas lourd, et le grincement d'une chaise qu'on déplaçait.

— OK, Doc. Alors, qu'est-ce que vous vouliez me dire ?

— J'ai passé presque toute la journée à discuter avec le médecin légiste d'Etat des divers cas des décharges. J'ai de plus en plus le sentiment que les démembrements en série qui ont eu lieu en Irlande sont l'œuvre de l'individu auquel nous avons affaire en Virginie.

Il éleva la voix :

— Les mecs, fermez-la un peu !

Je l'entendis s'éloigner encore davantage de ses copains, et remontai la couette autour de moi. Je tendis la main pour attraper le verre de Black Bush que j'avais emporté au lit et en déguster les dernières gorgées.

— Le docteur Foley a travaillé sur les cinq cas de Dublin, continuai-je. Je les ai tous étudiés. Il s'agit de torses. Les épines dorsales ont été découpées horizontalement à travers la face caudale de la cinquième vertèbre cervicale. Les bras et les jambes ont tous été sectionnés au niveau des articulations, ainsi que je l'avais déjà souligné. Les victimes sont de races différentes, et la fourchette d'estimation de l'âge se situe entre dix-huit et trente-cinq ans. Les sujets n'ont pas été identifiés, et leurs décès ont été classés comme homicides perpétrés par des moyens indéterminés. Les têtes et les membres n'ont été retrouvés dans aucun des cas, et ce qu'il restait des corps a été découvert dans des décharges privées.

— Bon sang, j'ai déjà entendu ça quelque part.

— Il existe des détails supplémentaires. Mais dans l'ensemble, oui, on peut dire que les similitudes sont considérables.

— Donc, le cinglé est peut-être maintenant aux Etats-Unis. Après tout, c'est une foutue bonne idée que vous avez eue d'aller là-bas.

Pourtant, Dieu sait qu'il avait pensé le contraire, au début. Lui comme tout le monde. J'étais le médecin expert général de l'Etat de Virginie, et lorsque l'Académie royale de chirurgie m'avait invitée à donner une série de conférences à la faculté de médecine de Trinity College, je n'avais pas voulu laisser passer l'occasion d'enquêter sur les crimes de Dublin. Marino trouvait que c'était une perte de temps, tandis que le FBI s'était dit que la recherche ne présenterait guère d'autre intérêt que statistique.

Leurs doutes étaient compréhensibles. Les homicides commis en Irlande remontaient à plus de dix ans, et à l'instar des cas de Virginie, nous disposions de très peu d'éléments d'investigation. Il n'y avait pas d'empreintes, ni de dentures, ou de configurations de sinus, et pas de témoins pour aider à l'identification. Nous ne disposions pas d'échantillons biologiques de disparus permettant une comparaison avec l'ADN des victimes. Nous ignorions les causes de la mort. Il était donc très difficile d'établir quoi que ce fût au sujet du tueur. J'étais pourtant convaincue qu'il était expert dans le maniement de la scie à viande, et qu'il en utilisait, ou en avait sans doute utilisé une professionnellement à un moment ou à un autre.

Je poursuivis :

— Le dernier cas dont nous ayons eu connaissance en Irlande remonte à dix ans. Nous en avons répertorié quatre en Virginie au cours des deux dernières années.

— Et donc, vous croyez qu'il s'est arrêté pendant huit ans ? Pourquoi ? Il était peut-être en prison pour un autre crime ?

— Je ne sais pas. Il a peut-être aussi tué ailleurs, sans qu'un lien n'ait été établi entre les diverses affaires, répliquai-je tandis que le vent continuait de mugir de façon lugubre.

Il réfléchit tout haut et suggéra d'une voix pâteuse :

— Il y a ces meurtres en série en Afrique du Sud. Et puis à Florence, en Allemagne, en Russie, en Australie. Merde, quand on y pense, il y en a partout ! Hé, cria-t-il avant de poser la main sur le combiné, où tu te crois ? A la putain d'aide sociale ? Fume tes propres clopes !

Un chahut de voix masculines résonnait en bruit de fond, et quelqu'un avait mis un disque de Randy Travis.

— Vous avez l'air de bien vous amuser, remarquai-je d'un ton sec. Surtout, ne m'invitez pas non plus l'année prochaine.

— Tous des animaux, marmonna-t-il. Me demandez pas pourquoi je fais ça. A chaque fois, ils me descendent tout ce qu'il y a à boire à la maison, et ils trichent aux cartes.

— Le modus operandi est très particulier dans tous les cas, dis-je d'un ton destiné à le modérer.

— OK. Alors, si ce type a commencé à Dublin, il faut peut-être chercher un Irlandais. Je crois que vous devriez rentrer vite fait. (Il rota.) A mon avis, il faut qu'on aille à Quantico se pencher là-dessus. Vous en avez déjà parlé à Benton ?

Benton Wesley dirigeait l'unité du FBI chargée des tueurs en série d'enfants, la CASKU (Child Abduction Serial Killer Unit), pour laquelle Marino et moi étions consultants.

— Je n'en ai pas encore eu l'occasion, répondis-je avec hésitation. Vous pouvez peut-être lui faire un premier topo. Je rentrerai dès que possible.

— Demain, ce serait bien.

— Je n'en ai pas terminé avec les conférences, ici.

— Y'a pas un endroit de la planète qui vous réclame pas pour des conférences. Vous pourriez même sûrement passer votre temps à ça, continua-t-il.

Je savais que j'étais bonne pour un sermon.

— Nous exportons notre violence dans les autres pays, rétorquai-je. Le moins que nous puissions faire, c'est leur apprendre ce que nous savons, ce que nous avons appris après des années d'études de ces crimes...

Il m'interrompit, et j'entendis le bruit caractéristique d'une canette qu'on ouvre :

— C'est pas à cause des conférences que vous restez au pays des farfadets, Doc. C'est pas pour ça, et vous le savez.

— Marino, ça suffit, dis-je d'un ton menaçant.

Mais il continua.

— Depuis que Wesley est divorcé, vous vous êtes toujours trouvé une bonne raison de vous tirer d'ici, et de ne pas rester en ville. Et à vous entendre maintenant, je sais que vous ne voulez pas rentrer, parce que vous ne voulez pas faire la donne, regarder ce que vous avez en main, et tenter le coup. Laissez-moi vous dire un truc. Il y a un moment où il faut se décider à faire une annonce, ou passer la main...

Je coupai doucement court à ses bonnes intentions éthyliques :

— Reçu cinq sur cinq, Marino. Ne veillez pas jusqu'à demain matin.

Le Bureau du Coroner se trouvait non loin des docks de la Liffey, de l'autre côté des Douanes et du terminus des autocars, au numéro 3 de Store Street. Les grandes lettres blanches du mot MORGUE ressortaient sur le lourd portail noir qui barrait l'entrée de l'allée menant derrière le vieux bâtiment de brique. Je grimpai les marches jusqu'à la porte de style Géorgien, sonnai et attendis dans le brouillard.

Il faisait frais, en ce mardi matin, et les arbres commençaient à revêtir des couleurs automnales. Mon manque de sommeil se faisait sentir. Les yeux me piquaient, j'avais la tête lourde, et ce que Marino m'avait dit avant que je ne lui raccroche pratiquement au nez m'avait perturbée.

L'administrateur m'accueillit avec entrain :

— Bonjour ! Comment allons-nous ce matin, docteur Scarpetta ?

Il s'appelait Jimmy Shaw. Très jeune, il avait tout de l'Irlandais, avec une chevelure aussi flamboyante que de la vigne rouge, et des yeux d'un bleu d'azur.

— Je me suis déjà sentie mieux, confessai-je.

— Eh bien, j'étais en train de faire du thé, dit-il en refermant la porte sur un couloir étroit et mal éclairé, que nous suivîmes en direction de son bureau. Je crois qu'une tasse vous ferait du bien.

— Ce serait très gentil, Jimmy.

— Quant au bon docteur, elle est en train de terminer une enquête.

Il consulta sa montre tandis que nous pénétrions dans son petit réduit encombré.

— Elle ne devrait pas tarder.

Un énorme registre des Enquêtes du Coroner, relié d'épais cuir noir, dominait son bureau. Avant mon arrivée, il était en train de lire une biographie de Steve McQueen en mangeant un toast. Il déposa devant moi une tasse de thé, sans me demander comment je le prenais, car il le savait déjà.

— Un petit toast avec de la confiture ? proposa-t-il comme tous les matins.

Et comme tous les matins, je lui répondis tandis qu'il s'asseyait derrière son bureau :

— Non merci, j'ai mangé à l'hôtel.

— Ce n'est pas ça qui m'empêcherait de manger à nouveau, dit-il avec un sourire en chaussant ses lunettes. Bien, je vais passer en revue votre emploi du temps. Vous donnez une conférence à onze heures ce matin, puis de nouveau à treize heures. Toutes les deux à l'université, dans le vieux bâtiment de pathologie. Vous pouvez compter sur environ soixante-quinze étudiants pour chacune d'entre elles, mais il peut y en avoir davantage, je ne sais pas. Vous êtes très populaire par ici, docteur Scarpetta, ajouta-t-il chaleureusement. Ou alors, peut-être est-ce parce que toute cette violence américaine nous paraît très exotique.

— A ceci près que ce serait comme de qualifier un fléau d'« exotique ».

— Eh bien, on ne peut pas s'empêcher d'être fasciné par ce que vous voyez.

— C'est bien ce qui m'inquiète, dis-je d'un ton amical mais sinistre. Ne soyez pas trop fasciné.

Nous fûmes interrompus par le téléphone, qu'il décrocha du geste impatient de celui qui y répond trop souvent.

Il écouta un moment son interlocuteur, puis dit brusquement :

— D'accord, d'accord, mais on ne peut pas passer une commande comme ça, tout de suite. Je vous rappellerai.

Il raccrocha.

— Je réclame des ordinateurs depuis des années,

se plaignit-il. Mais il n'y a pas de foutu fric quand vous êtes le socialiste de service.

— Il n'y aura jamais assez d'argent, de toute façon. Les morts ne votent pas.

— Et comment. Alors, quel est votre sujet du jour ? demanda-t-il avec curiosité.

— Les homicides à caractère sexuel, et plus particulièrement le rôle que peut jouer l'ADN.

— Ces démembrements qui vous intéressent tant, vous croyez qu'ils sont à caractère sexuel ? demanda-t-il en sirotant son thé. Je veux dire, est-ce que c'est la motivation de la personne qui fait ces choses-là ? ajouta-t-il avec un vif intérêt dans le regard.

— C'est un élément qui entre certainement en jeu.

— Mais comment pouvez-vous le savoir alors qu'aucune des victimes n'a jamais été identifiée ? Ça ne pourrait pas être quelqu'un qui tue simplement pour le plaisir ? Comme votre Fils de Sam, par exemple ?

— Il existait un élément sexuel dans les actes du Fils de Sam.

Je me retournai, en quête de mon amie légiste.

— Vous savez si elle en a encore pour longtemps ? J'ai peur d'être un peu pressée.

Il consulta de nouveau sa montre.

— Vous pouvez aller vérifier à la salle d'audience. Ou bien elle peut s'être rendue à la morgue. Nous attendons un cas. Un jeune homme, une présomption de suicide.

— Je vais voir si je la trouve.

Je me levai.

La salle d'audience du coroner donnait dans le couloir près de l'entrée ; c'est là que les enquêtes préliminaires sur les morts non naturelles se déroulaient devant un jury. Celles-ci incluaient les accidents de la circulation, les accidents industriels, les homicides et les suicides. Les débats se déroulaient à huis clos, car en Irlande, la presse n'était pas autorisée à divulguer beaucoup de détails. Je plongeai dans une pièce glaciale et austère, aux murs nus et aux bancs de bois vernis. Plusieurs hommes rangeaient des papiers dans leurs serviettes.

— Je cherche le coroner.

— Elle s'est esquivée il y a environ vingt minutes. Je crois qu'elle devait procéder à un examen, répondit l'un d'entre eux.

Je quittai le bâtiment par la porte de derrière, puis traversai un petit parking, et me dirigeai vers la morgue. Au même moment, un vieil homme en sortit, l'air désorienté. Il regarda autour de lui, hébété, presque titubant. Il me fixa l'espace d'un instant comme si je pouvais apporter une réponse à ses questions, et j'en eus le cœur serré pour lui. Rien de bon ne pouvait l'avoir amené jusqu'ici. Tandis que je l'observais se dirigeant vers le portail, le docteur Margaret Foley surgit à sa suite, préoccupée, les cheveux gris en bataille.

— Seigneur ! s'exclama-t-elle en manquant me percuter. J'ai à peine eu le temps de tourner le dos qu'il avait fichu le camp !

L'homme s'enfuit presque, ouvrant le battant du portail à toute volée. Margaret Foley traversa le parking d'un pas pressé pour le refermer au loquet derrière lui. Lorsqu'elle me rejoignit, elle était hors d'haleine, et faillit trébucher sur un pavé mal ajusté.

— Vous êtes matinale, Kay.

— Un parent ? demandai-je.

— Le père. Il est parti sans l'identifier, avant même que j'aie pu remonter le drap. Voilà qui me fiche le reste de ma journée en l'air.

Elle me guida à l'intérieur de la morgue, avec ses tables d'autopsie en porcelaine blanche qui auraient probablement été plus à leur place dans un musée d'histoire de la médecine, en compagnie du vieux poêle en fonte qui ne chauffait plus rien. L'air conditionné était glacial, et à l'exception de scies d'autopsie électriques, il n'y avait aucun équipement moderne. Une faible lumière grise filtrait à travers des lucarnes opaques, et éclairait à peine le drap de papier blanc qui recouvrait le corps qu'un père n'avait pas supporté de voir.

— C'est toujours le plus dur, dit-elle. Personne ne devrait être obligé de regarder quelqu'un ici.

Je la suivis dans une petite réserve et l'aidai à transporter des boîtes neuves de seringues, de masques et de gants.

— Il s'est pendu aux chevrons de la grange, expliqua-t-elle tandis que nous travaillions. Il était soigné pour alcoolisme et dépression. Toujours la même chose. Le chômage, les femmes, la drogue. Ils se pendent ou se balancent du haut d'un pont.

Elle me jeta un coup d'œil tandis que nous garnissions un chariot de chirurgie.

— Dieu merci, nous n'avons pas d'armes. D'autant plus que je n'ai pas d'appareil de radiographie.

Margaret Foley était une femme frêle, qui avait un penchant pour les vêtements de tweed et arborait d'épaisses lunettes démodées. Nous avions fait connaissance des années auparavant, à Vienne, lors d'un congrès international de médecine légale, à une époque où les femmes médecins légistes étaient une espèce rare, surtout à l'étranger. Nous étions rapidement devenues amies.

— Margaret, je vais devoir rentrer aux Etats-Unis plus tôt que prévu.

Je pris une profonde inspiration et mon regard fit distraitement le tour de la pièce.

— Je n'ai pas fermé l'œil de la nuit.

Elle alluma une cigarette et me dévisagea.

— Je peux vous avoir des copies de tout ce que vous désirez. Pour quand les voulez-vous ? Il nous faut quelques jours pour les photos, mais on peut les envoyer.

— Lorsqu'un individu de cette sorte est lâché dans la nature, il y a toujours un sentiment d'urgence.

— Je suis désolée que vous l'ayez maintenant sur les bras. Et j'avais espéré qu'après toutes ces fichues années, il avait fini par s'arrêter.

Elle tapota avec impatience la cendre de sa cigarette, et exhala la fumée à l'odeur forte de tabac anglais.

— Allons faire une petite pause. Mes chaussures me serrent déjà, j'ai les pieds enflés. C'est un calvaire de vieillir sur ces foutus sols durs.

La salle de repos consistait en deux petites chaises de bois dans un coin, où Margaret Foley gardait un cendrier sur une civière roulante. Elle s'installa les pieds sur un carton et s'adonna à son vice.

Puis elle se remit à parler de ces meurtres en série.

— Je ne pourrai jamais oublier ces pauvres gens. Quand le premier est arrivé, j'ai cru que c'était l'IRA. Je n'avais jamais vu de gens en morceaux comme ça, ailleurs que dans des attentats à la bombe.

Ses paroles m'évoquèrent Mark tel que je ne voulais pas me souvenir de lui, et mes pensées dérivèrent à l'époque où il était vivant et où nous étions amoureux. Je le revis soudain, souriant, les yeux pleins de cette lueur espiègle qui devenait magnétique lorsqu'il riait et se moquait de quelque chose. Les années passées à la faculté de droit de Georgetown avaient été remplies de cela : des rires, des disputes, des nuits blanches, et la faim, impossible à rassasier, que nous éprouvions l'un pour l'autre. Au fil du temps, nous avions épousé d'autres gens, nous avions divorcé, refait une tentative. Il était mon leitmotiv, un jour là, le lendemain parti, puis de nouveau au bout du fil ou sur le pas de ma porte, pour me briser le cœur et chambouler mon lit.

Je ne pouvais pas le rayer de ma vie. Aujourd'hui encore, il me paraissait impossible qu'un attentat dans une gare à Londres ait finalement pu mettre un terme aux tempêtes de notre relation. Je ne l'imaginais pas mort. Je ne parvenais pas à l'envisager, car je n'avais aucune dernière image de lui qui puisse m'apaiser. Je n'avais jamais vu son corps. J'avais fui toute possibilité de le voir, comme le vieil homme de Dublin incapable de regarder son fils. Je réalisai que Margaret s'adressait à moi.

— Je suis désolée, répéta-t-elle, le regard triste, car

elle connaissait bien mon histoire. Je ne voulais pas évoquer de mauvais souvenirs. Vous m'avez l'air suffisamment cafardeuse ce matin.

Je rappelai à moi mon courage.

— Vous avez soulevé un point intéressant. A mon avis, le tueur que nous cherchons ressemble beaucoup à un terroriste. Il se fiche de ses victimes. Celles-ci sont dépourvues de visages ou de noms. Elles ne sont que les symboles de son credo intime et diabolique.

— Cela vous ennuierait-il beaucoup que je vous pose une question à propos de Mark ?

— Demandez-moi ce que vous voulez, dis-je avec un sourire. Vous le feriez de toute façon.

— Etes-vous allée où cela s'est produit, avez-vous visité l'endroit où il est mort ?

— Je ne sais pas où cela s'est passé, répondis-je vivement.

Elle me regarda tout en tirant sur sa cigarette.

Je demeurai évasive, et bafouillai presque :

— Je veux dire, je ne sais pas où exactement, dans la gare.

Elle demeura silencieuse, et écrasa son mégot sous son talon.

Je continuai :

— D'ailleurs, je ne crois pas avoir revu Victoria Station depuis sa mort. Je n'ai pas eu l'occasion de prendre un train là-bas. Ni d'y arriver. Je crois que la dernière gare dans laquelle je me sois rendue, c'est Waterloo.

— La seule scène du crime que le grand docteur Scarpetta ne veuille pas examiner.

Elle fit sortir une autre Consulate de son paquet d'un tapotement du doigt.

— Vous en voulez une ?

— Dieu sait que j'en aimerais une, mais je ne peux pas.

Elle soupira.

— Je me souviens de Vienne. Tous ces hommes, et nous deux, qui fumions plus qu'eux tous réunis.

— C'est probablement à cause de tous ces hommes que nous fumions autant.

— Peut-être, mais j'ai l'impression que dans mon cas il n'existe aucun remède. Ce qui prouve bien que ce que nous faisons n'a rien à voir avec ce que nous savons, et que nos émotions n'ont pas de cerveau. (Elle éteignit son allumette.) J'ai vu des poumons de fumeurs, et j'ai vu mon content de foies stéatosés.

— Mes poumons se portent mieux depuis que je ne fume plus. Quant à mon foie, je ne jurerais de rien. Je n'ai pas encore renoncé au whisky.

— Par pitié, ne renoncez pas. Vous ne seriez plus drôle du tout.

Elle s'interrompit, et ajouta sarcastiquement :

— Bien entendu, on peut canaliser, éduquer ses émotions, pour que celles-ci ne conspirent pas contre nous.

J'en revins à mon idée de départ :

— Je partirai probablement demain.

— Vous devez d'abord vous rendre à Londres pour changer d'avion. (Elle croisa mon regard.) Vous devriez passer la journée là-bas.

— Pardon ?

— C'est une affaire à laquelle il manque une conclusion, Kay, et je le pense depuis longtemps. Vous avez besoin d'enterrer Mark James.

— Mais qu'est-ce qui a déclenché cela, tout d'un coup, Margaret ? demandai-je en bafouillant de nouveau.

— Je sens toujours lorsque quelqu'un est en position de fuite. Et vous l'êtes, tout autant que ce tueur.

Je ne tenais pas du tout à avoir cette conversation, et répliquai :

— Eh bien, voilà qui est réconfortant.

Mais cette fois-ci, elle n'avait pas l'intention de me laisser m'en tirer.

— Vous l'êtes pour des raisons à la fois très différentes et très semblables. Il est diab... et vous ne l'êtes pas. Mais vous ne voulez qu'on vous mette la main dessus.

Elle avait percé mes défenses, et en était consciente.

— Et à votre avis, qui diable veut me mettre la main dessus — ou quoi ? rétorquai-je d'un ton léger, tout en sentant les larmes me monter aux yeux.

— Pour le moment, je crois que c'est Benton Wesley.

Je fixai le vide, par-delà la civière. La lumière qui tombait des lucarnes se déplaçait de quelques degrés lorsque les nuages dissimulaient le soleil, et l'odeur de mort incrustée dans la pierre et le carrelage était vieille d'un siècle.

— Que voulez-vous faire, Kay ? me demanda-t-elle avec bonté tandis que je m'essuyais les yeux.

— Il veut m'épouser.

Je rentrai chez moi à Richmond. Les jours se transformèrent en semaines, et le temps se rafraîchit. Les matins se glacèrent de givre, et je passai mes soirées devant le feu, à boire et me tourmenter. Tant de choses demeuraient non résolues, non dites. Je les affrontais comme je l'avais toujours fait, en me plongeant toujours plus profondément dans le labyrinthe de ma profession, jusqu'à ne plus pouvoir trouver de porte de sortie. Ma secrétaire en était malade.

— Docteur Scarpetta ?

Ses pas vifs résonnèrent avec force sur le sol carrelé de la salle d'autopsie.

— Ici, dis-je en élevant la voix pour couvrir le bruit de l'eau du robinet.

Nous étions le 30 octobre. J'étais dans le vestiaire de la morgue, en train de me laver avec du savon bactériologique.

— Où étiez-vous ? demanda Rose en entrant.

— Je travaillais sur un cerveau. La mort subite de l'autre jour.

Elle brandissait mon agenda, dont elle tournait les pages. Sa chevelure grise était soigneusement rame-
elle portait un tailleur dont la cou-
semblait assortie à son humeur.

Rose était très en colère contre moi, et cela depuis le jour où j'étais partie pour Dublin sans lui dire au revoir. De surcroît, j'avais oublié son anniversaire à mon retour. J'arrêtai l'eau et m'essuyai les mains.

— Tuméfaction, avec élargissement du corps godronné et rétrécissement du sillon, tout est en concordance avec une encéphalopathie ischémique provoquée par une sévère hypotension générale, récitai-je.

— Je vous ai cherchée partout, dit-elle, à bout de patience.

— Qu'est-ce que j'ai encore fait ? demandai-je en levant les bras au ciel.

— Vous étiez censée déjeuner au Skull and Bones avec Jon.

— Oh, mon Dieu, grommelai-je en pensant à lui et à tous les étudiants de la faculté de médecine que j'avais si peu le temps de voir.

— Je vous l'ai rappelé ce matin. Et vous l'avez déjà oublié la semaine dernière. Il a vraiment besoin de vous parler de son internat et de la Clinique Cleveland.

— Je sais, je sais.

J'étais honteuse et regardai ma montre.

— Il est une heure et demie. Il peut peut-être venir prendre le café dans mon bureau ?

Rose détailla sa liste :

— Vous avez une déposition à deux heures, une réunion sur le cas Norfolk-Southern à trois. A quatre heures, une conférence sur les blessures par balle à l'Académie de médecine légale, et à cinq heures, un rendez-vous avec l'enquêteur Ring, de la police d'Etat.

Je n'aimais pas Ring, ni sa façon agressive de s'approprier les affaires. Lorsque le second torse avait été découvert, il s'était immiscé dans l'enquête, l'air convaincu d'en savoir plus que le FBI.

— Je peux me passer de Ring, dis-je d'un ton sec.

Ma secrétaire me dévisagea un long moment. Des

bruits d'eau et de frottements d'éponge provenaient
de la salle d'autopsie voisine.

— Je vais le décommander, et vous verrez Jon à sa
place, décréta-t-elle en me regardant avec sévérité
par-dessus ses lunettes comme une directrice d'école.
Ensuite, vous allez vous reposer, c'est un ordre.
Demain, c'est vendredi. Ne venez pas, docteur Scarpetta. Que je ne vous voie pas franchir cette porte.

J'ouvris la bouche pour protester, mais elle m'interrompit :

— Ce n'est même pas la peine de discuter, asséna-
t-elle fermement. Vous avez besoin d'un jour de
congé pour votre santé mentale, et d'un long week-
end. Et je ne plaisante pas.

Elle avait raison ; mon humeur s'allégea à la pensée d'une journée consacrée à moi-même.

— Il n'y a pas un rendez-vous que je ne puisse
reporter. En plus, ajouta-t-elle dans un sourire, on
annonce une petite vague d'été indien avec un temps
magnifique, un grand ciel bleu et dans les 25 °C. Les
feuilles ne vont pas tarder à tomber, les peupliers
sont d'un jaune quasi parfait, et les érables ont l'air
en feu. Sans oublier que c'est Halloween. Vous pouvez aussi sculpter une citrouille.

Je sortis ma veste et mes chaussures de mon vestiaire.

— Vous auriez dû être avocate, commentai-je.

2

Le lendemain, le temps fut ainsi que Rose l'avait
prédit, et je m'éveillai pleine d'excitation. A l'ouverture des magasins, j'entrepris de faire des courses
pour le dîner et pour les visiteurs de Halloween, et
me rendis en voiture jusqu'à ma jardinerie préférée
sur Hull Street. Les plantations d'été dans mon jar-

din étaient depuis longtemps fanées, et je ne supportais plus de voir les tiges mortes dans leurs pots. Après déjeuner, je transportai des sacs de terreau, des cageots de plants et un arrosoir sur ma véranda.

Je laissai la porte ouverte afin d'entendre la musique de Mozart que j'avais choisie, et entrepris de planter doucement des pensées d'hiver dans leur riche et nouvelle plate-bande. Le pain montait dans le four, un ragoût maison mijotait sur la cuisinière, et des effluves d'ail et de vin se mêlaient à l'odeur de la terre grasse que je travaillais.

Marino venait dîner, et nous allions distribuer du chocolat à mes petits voisins déguisés en fantômes. Il faisait bon vivre sur cette terre, jusqu'à ce que mon Pager vibre contre ma taille, à trois heures trente-cinq.

— Bon sang ! m'exclamai-je en constatant qu'il affichait le numéro de mon service de messagerie.

Je rentrai à toute vitesse, me lavai les mains et attrapai le téléphone. Le service me donna le numéro d'un détective Grigg, du Bureau du shérif de Sussex County. Je l'appelai immédiatement.

— Grigg, répondit un homme à la voix grave.

Je fixai d'un air lugubre, à travers les fenêtres, les grands pots de terre cuite sur la terrasse, et les hibiscus morts qu'ils contenaient.

— Ici le docteur Scarpetta.

— Oh, merci de me rappeler aussi vite. Là, je vous parle sur un portable, je ne veux pas en dire trop.

Il s'exprimait avec l'accent du vieux Sud, et prenait son temps.

Je demandai :

— Et où est-ce exactement, *là* ?

— Atlantic Waste Landfill, une décharge sur Reeves Road, qui donne dans la 460 East. Ils ont trouvé quelque chose et je crois que cela devrait vous intéresser.

— La même sorte de chose que celles découvertes dans des endroits similaires ? demandai-je de façon cryptique tandis que le jour paraissait s'assombrir.

25

— J'en ai bien peur.

— Donnez-moi l'itinéraire, et je me mets en route.

Je portais des treillis sales et un T-shirt du FBI que m'avait donné ma nièce Lucy, mais n'avais pas le temps de me changer. Si je ne récupérais pas le corps avant la nuit, il devrait rester là jusqu'au matin, ce qui était inacceptable. Je m'emparai de ma trousse et sortis, abandonnant éparpillés sur la véranda terreau, géraniums et plants de choux ornementaux. Bien entendu, il n'y avait plus beaucoup d'essence dans ma Mercedes noire. Je m'arrêtai tout de suite à une station, fis le plein, puis pris la route.

Le trajet aurait dû me prendre une heure, mais je roulai vite. Le jour déclinant illuminait de blanc le dessous des feuilles, et dans les fermes et les jardins, les rangées de maïs étaient brunes. Des océans de soja vert faisaient onduler les champs, et des chèvres en liberté broutaient dans les cours de vieilles maisons. Des paratonnerres criards ornés de boules de couleur se dressaient en haut de tous les toits, et je me demandais toujours quel représentant baratineur avait pu s'abattre sur la région, jouant sur la peur afin de convaincre les gens d'en acheter toujours plus.

Je distinguai, bientôt, les silos à grain que Grigg avait mentionnés. Je tournai dans Reeves Road, et dépassai de minuscules maisons de brique, des caravanes, des camionnettes et des chiens sans collier. Dépassant des panneaux publicitaires, la voiture cahota sur des rails de chemin de fer, et une poussière rouge semblable à de la fumée s'éleva de mes pneus en ondoyant. Plus loin devant, sur la route, des busards déchiquetaient les créatures que leur lenteur avait perdues, comme un présage morbide.

Une fois devant l'entrée d'Atlantic Waste Landfill, j'arrêtai la voiture et contemplai une étendue lunaire et désolée sur laquelle le soleil se couchait comme une planète en feu. Des camions de déchets à plate-forme rampaient le long de la crête d'une montagne d'ordures toujours plus grande, et brillaient de leurs chromes. Des pelleteuses à chenilles jaunes ressemblaient à des scorpions prêts à piquer. J'observai un laborieux tourbillon de poussière qui s'éloignait à grande vitesse de la décharge, brinquebalant dans les ornières. Lorsqu'il arriva à ma hauteur, je me rendis compte qu'il s'agissait en réalité d'un 4 × 4 Ford Explorer conduit par un jeune homme qui avait l'air ici chez lui.

— M'dame, je peux vous aider ? demanda-t-il avec un accent traînant du Sud.

Il avait l'air excité et inquiet.

Je sortis la plaque de métal protégée de son petit étui de cuir noir que je montrais toujours sur les scènes de crime où je ne connaissais personne.

— Je suis le docteur Kay Scarpetta.

Il étudia mes papiers, puis posa sur moi son regard noir. Il transpirait dans sa chemise de jean, et les cheveux sur sa nuque et ses tempes étaient humides.

— Ils ont dit que le médecin légiste allait arriver, et que je devais l'attendre, m'informa-t-il.

— Eh bien, c'est moi, dis-je d'un ton aimable.

— Oh, d'accord, m'dame. Je voulais pas dire...

Il laissa tomber, tandis que son regard s'attardait sur ma Mercedes, recouverte d'une poussière si fine et tenace que rien ne pouvait l'empêcher de se déposer. Puis il ajouta :

— Je vous conseille de laisser votre voiture ici et de venir avec moi.

Je fixai le sommet de la décharge, avec ses bulldozers immobiles, aux lames et aux godets impressionnants. Deux voitures de police banalisées et une ambulance m'attendaient là où se trouvait le problème. Les policiers n'étaient que de petites silhouettes réunies à l'arrière du hayon d'un camion plus petit que les autres. Tout près de là, quelqu'un fouillait la terre avec un bâton, et je me sentis de plus en plus impatiente de voir le corps.

— D'accord. Allons-y.

Je garai ma voiture, sortis du coffre ma trousse et mes vêtements de travail. Le jeune homme m'observa dans un silence plein de curiosité tandis que je m'asseyais sur le siège du conducteur. La portière grande ouverte, je chaussai des bottes en caoutchouc ternes et abîmées à force de patauger depuis des années dans les bois et les rivières à la recherche de victimes assassinées et noyées. J'enfilai ensuite, par-dessus mes vêtements, une grande chemise de jean délavée que j'avais récupérée de mon mari, Tony, à une époque qui me paraissait maintenant irréelle. Puis je grimpai dans l'Explorer et me protégeai les mains de deux paires de gants. Je passai par-dessus ma tête un masque chirurgical et le laissai pendre autour de mon cou.

— Vous faites bien, me dit mon chauffeur. L'odeur est plutôt rude, ça je peux vous le dire.

— Ce n'est pas pour l'odeur. Ce sont les micro-organismes qui me préoccupent.

— Mince, dit-il d'un air inquiet. Je devrais peut-être porter un de ces trucs.

— Vous ne devriez pas vous approcher au point que ce soit un problème.

Il ne répondit pas, et je ne doutai pas qu'il s'était déjà trop approché. Jeter un œil représentait une tentation trop grande pour la plupart des gens, et la chose était d'autant plus vraie que le spectacle était horrible.

— Je suis vraiment désolé pour la poussière, remarqua-t-il tandis que nous traversions les verges d'or emmêlées entourant un bassin de protection contre les incendies peuplé de canards. Vous voyez qu'on a recouvert le sol d'éclats de pneu un peu partout pour la contenir, et une balayeuse l'asperge régulièrement, mais rien de tout ça n'a l'air de faire beaucoup d'effet.

Il s'interrompit avec nervosité avant de continuer :

— On traite trois mille tonnes de déchets par jour, ici.

— Qui viennent d'où ?

— De Littleton, Caroline du Nord, jusqu'à Chicago.

— Et Boston ? demandai-je, car l'on pensait que

les quatre premiers corps pouvaient venir d'aussi loin.

Il secoua la tête.

— Non, m'dame. Un de ces jours, peut-être. On est beaucoup moins chers à la tonne ici. Vingt-cinq dollars au lieu de soixante-neuf dans le New Jersey ou quatre-vingts à New York. En plus, on recycle, on recherche les déchets toxiques, et on récupère le méthane des ordures en décomposition.

— Quels sont vos horaires ?

— Nous sommes ouverts vingt-quatre heures sur vingt-quatre, sept jours par semaine, dit-il avec orgueil.

— Et vous avez un moyen de retrouver l'origine des camions qui arrivent ?

— Nous avons un système de maillage par satellite sur le site. Nous pouvons au moins vous dire quels sont les camions qui ont déchargé des ordures sur une période donnée dans la zone où a été retrouvé le corps.

Nous traversâmes, dans une gerbe d'éclaboussures, une grande flaque près des toilettes, et cahotâmes en longeant la station de lavage où les camions étaient passés au jet avant de repartir.

— Je ne crois pas qu'il nous soit jamais arrivé un truc pareil, remarqua-t-il. A la décharge Shoosmith, ils ont déjà eu des morceaux de cadavres, en tout cas c'est ce que dit la rumeur.

Il me jeta un coup d'œil, certain que je connaîtrais la véracité d'une telle rumeur. Mais je ne confirmai pas ses paroles, tandis que l'Explorer pataugeait dans une boue mêlée d'éclats de pneus, et que les effluves âcres des ordures en décomposition nous parvenaient. J'avais l'œil rivé sur le petit camion que j'avais observé depuis mon arrivée, et mes réflexions partaient dans tous les sens.

— A propos, je m'appelle Keith Pleasants.

Il essuya une main sur son pantalon avant de me la tendre.

— Ravi de faire votre connaissance.

Ma main gantée serra maladroitement la sienne. Des hommes qui se bouchaient le nez avec des mouchoirs ou des chiffons nous regardèrent tourner dans leur direction.

Ils étaient quatre, réunis derrière ce que je parvins enfin à identifier : un conditionneur hydraulique, utilisé pour vider les bennes et compacter les déchets. Sur ses portières était inscrit *Cole Trucking Co.*

Pleasants me dit :

— Le type qui fouille dans les ordures avec un bâton, c'est le détective de la police de Sussex County.

C'était un homme d'un certain âge en bras de chemise, le revolver à la hanche. J'éprouvai le sentiment de l'avoir déjà vu quelque part.

— Grigg ? suggérai-je, faisant référence à celui que j'avais eu au téléphone.

— C'est ça.

La sueur dégoulinait sur le visage de Pleasants, et je le sentais de plus en plus tendu.

— Vous savez, je n'ai jamais eu affaire au Bureau du shérif, j'ai même jamais eu de contravention pour excès de vitesse.

Nous nous arrêtâmes. J'avais du mal à distinguer quoi que ce soit à travers la poussière brûlante. Pleasants tendit la main vers la poignée de sa portière.

Je lui enjoignis :

— Restez assis une seconde.

J'attendis que la poussière retombe, scrutant l'extérieur à travers le pare-brise, passant les alentours en revue ainsi que je le faisais toujours en débarquant sur la scène d'un crime. Le godet de la pelleteuse était immobilisé en l'air, au milieu de sa course, et le conditionneur en dessous était pratiquement plein. Tout autour, la décharge résonnait d'agitation et du bruit des moteurs diesel. Il n'y avait qu'ici que le travail s'était arrêté. Je regardai de nouveau les gigantesques camions blancs remonter la colline en grondant, les bulldozers racler et soulever, les compacteurs fouler le sol de leurs pneus à ailettes.

Le corps allait être transporté en ambulance. Les infirmiers assis à l'abri de l'air conditionné me regardèrent derrière leurs vitres poussiéreuses, attendant de voir ce que j'allais faire. Lorsqu'ils me virent ajuster mon masque sur mon nez et ma bouche et ouvrir ma portière, ils descendirent également. Les portières claquèrent. Le détective se dirigea immédiatement vers moi.

— Détective Grigg, du Bureau du shérif de Sussex County. C'est moi qui vous ai appelé.

— Vous êtes là depuis le début ?

— Depuis que nous avons été prévenus, à environ treize heures. Oui, m'dame, je n'ai pas bougé d'ici pour être sûr qu'on ne touchait à rien.

Un des infirmiers intervint :

— Excusez-moi. Vous allez avoir besoin de nous tout de suite ?

— Dans un quart d'heure, environ. Quelqu'un viendra vous chercher.

Ils se pressèrent de regagner leur ambulance, et je m'adressai au reste de l'assistance :

— J'ai besoin d'espace.

Ils reculèrent tous dans des crissements de souliers, et ce qu'ils avaient gardé et contemplé apparut. La pâleur de la chair était anormale dans le jour tombant de cet après-midi d'automne. Le torse, semblable à un moignon monstrueux, était tombé d'une pelletée d'ordures et avait atterri sur le dos. Je me dis que la victime devait être de race caucasienne, mais je n'en étais pas sûre, et les asticots qui grouillaient sur les parties génitales rendaient une identification du sexe difficile au premier coup d'œil. J'étais même incapable de déterminer avec certitude si la victime était pré ou postpubescente. La couverture adipeuse corporelle était anormalement faible, et les côtes saillaient sous des seins plats dont je ne pouvais assurer qu'ils avaient été féminins.

Je m'accroupis à côté et ouvris ma trousse. Je

recueillis des asticots dans un bocal à l'aide d'une paire de pinces, pour les soumettre plus tard à l'examen de l'entomologiste, et jugeai après une inspection un peu plus poussée que la victime était bien une femme. Elle avait été décapitée très bas sur la colonne vertébrale, et ses quatre membres tranchés. Le temps avait assombri et séché les moignons, et je sus tout de suite que ce cas était différent des autres.

On n'avait pas démembré cette femme en sectionnant ses articulations, mais en coupant au travers de la masse osseuse des fémurs et des humérus. Je sortis un scalpel. Tandis que je pratiquais une incision d'un centimètre sur le côté droit du torse, puis insérais un long thermomètre, je sentais les hommes me regarder fixement. Je déposai un second thermomètre sur mon sac.

— Qu'est-ce que vous faites ? me demanda un homme en chemise écossaise et casquette de baseball, qui semblait sur le point de vomir.

— J'ai besoin de la température du corps, pour m'aider à déterminer l'heure de la mort.

J'expliquai patiemment :

— C'est la température au cœur du foie qui est la plus précise. Et j'ai également besoin de la température extérieure.

— Il fait une chaleur à crever, ça c'est sûr, intervint un autre homme. Alors, je suppose que c'est une femme ?

— Il est encore trop tôt pour le dire. C'est votre conditionneur, ça ?

— Ouais.

C'était un homme jeune aux yeux sombres et aux dents très blanches. Il arborait sur les doigts des tatouages que j'associais généralement aux anciens détenus. Il portait un bandana trempé de sueur noué derrière la tête, et paraissait incapable de regarder le torse sans détourner rapidement le regard.

Il secoua la tête avec hostilité :

— Toujours au mauvais endroit au mauvais moment.

Grigg le regarda :

— Qu'est-ce que vous voulez dire ?

— Y vient pas de mon camion, ça j'en suis sûr, dit-il comme si c'était là l'affirmation la plus importante qu'il ferait jamais de sa vie. La pelleteuse l'a ramené pendant qu'elle étalait mon chargement.

Je les dévisageai tous tour à tour :

— Alors, on ne sait pas quand il a été jeté ici ?

Ce fut Pleasants qui répondit en regardant le conditionneur :

— Vingt-trois camions ont déchargé ici depuis ce matin dix heures, sans compter celui-ci.

— Pourquoi dix heures ? demandai-je, car cela me paraissait une heure bien arbitraire pour se mettre à compter les camions.

— Parce que c'est à ce moment-là qu'on dépose la dernière couche d'éclats de pneus. Il n'a donc pas pu être balancé avant, expliqua-t-il en fixant le corps. Et puis de toute façon, à mon avis, il ne pouvait pas être là depuis très longtemps. Si un compacteur de cinquante tonnes avec des pneus à ailettes lui était passé dessus, ou bien des camions ou cette benne, il ne ressemblerait pas vraiment à ça.

Son regard se perdit en direction d'autres sites où des déchets compactés étaient vidés des camions tandis que d'énormes tracteurs en écrasaient et éparpillaient d'autres. Le chauffeur du conditionneur s'agitait et s'énervait de plus en plus.

— On a des grosses machines partout ici, ajouta Pleasants, et elles ne s'arrêtent presque jamais.

Je regardai le conditionneur, et la pelleteuse jaune vif avec sa cabine vide. Un lambeau de sac poubelle noir tourbillonnait au bord du godet relevé.

— Où est le chauffeur de la pelleteuse ? demandai-je.

Pleasants hésita avant de répondre :

— Eh bien, c'est moi en quelque sorte. On avait quelqu'un en arrêt maladie. On m'a demandé de travailler sur la colline.

Grigg se rapprocha de la pelleteuse, levant les yeux

pour examiner ce qui restait du sac poubelle s'agitant dans l'air chaud et sec.

— Racontez-moi ce que vous avez vu, dis-je à Pleasants.

— Pas grand-chose. J'étais en train de décharger sa benne, dit-il avec un hochement de tête en direction du chauffeur. Mon godet a accroché le sac poubelle, celui que vous voyez là. Il s'est déchiré, et le corps est tombé exactement là où il est maintenant.

Il s'interrompit et s'essuya le visage sur sa manche en chassant les mouches.

— Mais vous ne pouvez pas être sûr de sa provenance, insistai-je.

Grigg écoutait, bien qu'il ait déjà probablement pris leurs diverses dépositions.

— J'aurais pu le déterrer, concéda Pleasants. Je ne dis pas que ce soit impossible. Simplement, je ne pense pas.

— C'est juste parce que tu veux pas y penser ! intervint le chauffeur en le foudroyant du regard.

Pleasants ne broncha pas.

— Je sais ce que je pense. Le godet l'a ramassé dans ton conditionneur quand j'étais en train de le vider.

Le chauffeur aboya :

— Tu ne peux pas être *sûr* qu'il venait de chez moi.

— Non, je ne peux pas en être sûr, c'est un fait. Mais ça paraît logique, c'est tout.

— A toi, peut-être, rétorqua le chauffeur d'un air menaçant.

— Les gars, je crois que ça suffit, intervint Grigg, qui se rapprocha, leur rappelant par sa présence qu'il était fort et armé.

— Et comment, dit le chauffeur. J'en ai marre de ces conneries. Quand est-ce que je peux partir ? Je suis déjà en retard.

Grigg le regarda avec fermeté :

— Une affaire comme ça dérange tout le monde.

Le chauffeur leva les yeux au ciel et jura, puis il s'écarta et alluma une cigarette.

Je retirai le thermomètre du corps, et le brandis pour le déchiffrer. Il indiquait trente et un degrés, une température similaire à la température ambiante. Je retournai le torse pour voir s'il y avait quoi que ce soit d'autre, et remarquai une curieuse série de vésicules pleines de liquide sur le bas de fesses. Après un examen plus approfondi, j'en détectai d'autres au niveau des épaules et des cuisses, au bord des profondes coupures.

— Mettez-la dans une double enveloppe, demandai-je. J'ai besoin du sac poubelle dans lequel elle se trouvait, ainsi que du lambeau pris là-haut sur le godet. Je veux également les ordures qui se trouvaient tout autour et en dessous. Vous les enverrez pour examen.

Grigg déplia un sac poubelle de soixante-quinze litres et le secoua pour l'ouvrir. Il sortit des gants de sa poche, s'accroupit et entreprit de ramasser les ordures par poignées, tandis que les infirmiers ouvraient l'arrière de l'ambulance. Le conducteur du conditionneur se tenait appuyé contre la cabine de son véhicule, et je sentais sa colère irradier.

— D'où venait votre conditionneur ? lui demandai-je.

Il répliqua d'un ton maussade :

— Vous n'avez qu'à regarder les étiquettes.

Je refusai de me laisser rembarrer :

— D'où, en Virginie ?

Ce fut Pleasants qui répondit :

— De la région de Tidewater, m'dame. Le conditionneur nous appartient. On en a plein qu'on loue.

La direction administrative de la décharge surplombait le bassin de protection contre les incendies, et détonait de façon pittoresque avec les alentours bruyants et poussiéreux. Le bâtiment était en stuc couleur pêche pâle. Des jardinières fleuries égayaient les fenêtres, et des buissons sculptés bordaient l'allée d'accès. Les volets étaient crème, et la porte d'entrée ornée d'un heurtoir de bronze en forme d'ananas.

Un air frais et pur m'accueillit à l'intérieur, comme un énorme soulagement, et je compris pourquoi l'enquêteur Percy Ring avait choisi de mener ici ses interrogatoires. Je pariai qu'il ne s'était même pas rendu sur la scène du crime.

Il se trouvait dans la salle de repos, assis en compagnie d'un homme âgé en manches de chemise. Il buvait du Coca light en examinant des schémas informatiques imprimés.

— Voici le docteur Scarpetta. Désolé, ajouta Pleasants en s'adressant à Ring, je ne connais pas votre prénom.

Ring me lança un clin d'œil accompagné d'un grand sourire.

— Le Doc et moi, on est de vieilles connaissances.

Il était blond, vêtu d'un costume bleu apprêté. Il se dégageait de lui une innocence enfantine bien trompeuse. Mais je ne m'étais jamais laissé abuser. C'était un beau parleur, un charmeur et c'était surtout un paresseux. De surcroît, je n'avais pas été sans remarquer que nous avions déploré de nombreuses fuites dans la presse dès l'instant où il s'était trouvé mêlé à ces enquêtes.

— Et voici M. Kitchen, me dit Pleasants. Le propriétaire de la décharge.

Simplement vêtu de jeans et de boots Timberland, le regard gris et triste, il me tendit une grande main rude.

— Asseyez-vous, offrit-il en rapprochant un siège. C'est une bien mauvaise journée. Surtout pour celui ou celle qui se trouve là-bas.

— La mauvaise journée de cette personne s'est passée il y a quelque temps, intervint Ring. Maintenant, elle ne souffre plus.

Je lui demandai :

— Vous êtes allé là-haut ?

— Je suis arrivé il y a à peine une heure. Et puis, ce n'est pas la scène du crime à proprement parler, juste l'endroit où le corps a atterri. Le numéro cinq, dit-il en déchirant l'enveloppe d'une barre de Juicy

Fruit. Il n'attend plus aussi longtemps. Il ne s'est écoulé que deux mois entre les deux, cette fois-ci.

Une vague d'irritation familière me submergea. Ring adorait tirer des conclusions hâtives et les énoncer de vive voix avec ce côté péremptoire de ceux qui n'en savent pas assez pour comprendre qu'ils peuvent se tromper. Ceci était, pour une part, dû au fait qu'il voulait obtenir des résultats sans avoir à travailler.

— Je n'ai pas encore examiné le corps ou vérifié le sexe, dis-je en espérant qu'il se souviendrait que nous n'étions pas seuls. Ce n'est pas le moment idéal pour émettre des suppositions.

— Eh bien, je vais vous laisser, dit Pleasants avec nervosité tout en regagnant la porte.

Ring lui rappela d'une voix forte :

— J'ai besoin de vous ici dans une heure pour prendre votre déposition.

Kitchen demeurait silencieux, absorbé dans l'étude de ses schémas, lorsque Grigg entra, nous salua d'un signe de tête puis s'assit.

— Je ne pense pas qu'il soit risqué d'affirmer que nous sommes en présence d'un homicide, me dit Ring.

Je soutins son regard :

— Cela, nous pouvons le dire sans craindre de nous tromper.

— Et que c'est comme pour tous les autres.

— Ça, vous ne pouvez pas le dire sans craindre de vous tromper. Je n'ai pas encore examiné le corps, répliquai-je.

Gêné, Kitchen remua sur son siège.

— Quelqu'un veut un soda ? Un café ? Nous avons des toilettes dans le couloir.

— C'est la même chose, me dit Ring comme s'il le savait de source sûre. Un autre torse dans une décharge.

Grigg nous observait, impavide, et tapotait son carnet de notes avec nervosité. Il fit cliqueter deux fois son stylo, puis dit à Ring :

— Je suis d'accord avec le docteur Scarpetta. On ne devrait pas relier tout de suite ce cas à autre chose. Et surtout pas publiquement.

— Dieu du Ciel ! Je n'ai pas besoin de ce genre de publicité, dit Kitchen avec un grand soupir. Vous savez, quand on est dans un boulot comme celui-ci, on accepte ce genre de risque, surtout quand on récupère les déchets de coins comme New York, le New Jersey, ou Chicago. Mais, en fait, on ne pense jamais que ça va vous tomber dessus. (Il regarda Grigg.) J'offre une récompense pour aider à arrêter le responsable d'une chose aussi horrible. Dix mille dollars pour toute information pouvant conduire à l'arrestation.

— Voilà qui est très généreux, remarqua Grigg, impressionné.

— Y compris les enquêteurs ? demanda Ring avec un sourire.

— Je me fiche de savoir qui trouve la solution.

Kitchen ne souriait pas lorsqu'il se tourna vers moi :

— Maintenant, dites-moi ce que je peux faire pour vous aider, m'dame.

— J'ai cru comprendre que vous utilisiez un système de surveillance par satellite. Ce sont ces schémas ?

— J'étais en train de les commenter, dit-il en en glissant quelques-uns dans ma direction.

La disposition des lignes tremblées, soulignées par des coordonnées, ressemblait à la coupe transversale d'une géode.

— Voici une vue de la décharge, expliqua-t-il. Nous pouvons faire un relevé horaire, journalier, hebdomadaire, n'importe quand, pour trouver d'où viennent les déchets et où ils ont été déposés. En utilisant ces coordonnées, on peut repérer les emplacements sur la carte. (Il tapota le papier.) C'est un peu similaire à la construction d'un graphique en géométrie ou en algèbre. Je suppose que vous avez dû souffrir sur ce genre de chose à l'école, ajouta-t-il en me regardant.

Je souris.

— Souffrir est le terme qui convient. Ce qui veut dire que vous pouvez comparer ces vues pour voir comment le chantier évolue entre les déchargements ?

Il eut un hochement de tête.

— Oui, m'dame. En résumé, c'est ça.

— Et qu'avez-vous pu déterminer ?

Il plaça huit diagrammes côte à côte. Les lignes tremblées étaient différentes sur chacun d'entre eux, comme des rides différentes sur un même visage.

— En fait, chaque ligne représente une épaisseur. Nous pouvons donc à peu près savoir quel camion correspond à quelle couche.

Ring vida son Coca et jeta la canette dans la poubelle. Puis il feuilleta son carnet comme s'il cherchait quelque chose.

— Ce corps ne pouvait être enterré profondément, déclarai-je. Compte tenu des circonstances, il est très propre. Il ne porte pas de blessures postmortem, et d'après ce que j'ai pu observer, les pelleteuses arrachent les balles des camions puis les réduisent en bouillie. Elles étalent les déchets sur le sol pour que le compacteur puisse les déblayer avec sa lame, les déchiqueter et les compresser.

— C'est à peu près ça.

Kitchen me regarda avec intérêt :

— Vous cherchez du boulot ?

Des visions de machines monstrueuses semblables à des dinosaures robotisés me traversèrent l'esprit, avec leurs griffes déchirant le plastique qui entourait les balles d'ordures sur les camions. Dans les cas précédents, où les restes humains avaient été broyés et lacérés, je connaissais sur le bout des doigts la nature des blessures infligées. Mais, si l'on excluait ce qui était l'œuvre du tueur, cette victime-ci était intacte.

— C'est difficile de trouver des femmes compétentes, disait Kitchen.

— Et comment, mon vieux ! dit Ring.

Grigg le regarda avec un dégoût grandissant.

— Ça me paraît un point intéressant, remarqua-t-il. Si ce corps avait séjourné là ne serait-ce qu'un moment, il serait dans un sale état.

— Ce n'était pas le cas des quatre premiers, intervint Ring. Aussi charcutés que du steak haché. Celui-là a l'air compacté ? demanda-t-il en me regardant.

— Le corps ne semble pas avoir été broyé.

— Voilà qui est intéressant, murmura-t-il d'un ton rêveur. Et pourquoi cela ?

— Il ne venait pas d'une station de transfert où il aurait été compacté et mis en ballots, expliqua Kitchen. Il vient d'une benne qui a été vidée par le conditionneur.

— Et le conditionneur ne conditionne pas ? rétorqua Ring d'un ton tragique. Je croyais que c'était pour ça qu'on les appelait *conditionneurs*.

Il haussa les épaules et me lança un sourire.

— Tout dépend de l'endroit où le corps s'est trouvé par rapport au reste des ordures au moment du compactage, dis-je. Tout dépend de beaucoup de choses.

— Ou même s'il a été compacté. Ça dépend du niveau de remplissage du camion, remarqua Kitchen. Si on considère les coordonnées exactes de l'endroit où le corps a été retrouvé, je pense qu'il se trouvait dans le conditionneur, ou tout au plus dans l'un des deux camions qui l'ont précédé.

— Je crois que je vais avoir besoin des noms de ces camions, et de leur provenance, dit Ring. Il faudra interroger les chauffeurs.

Grigg s'adressa à lui avec froideur :

— Alors, vous considérez les chauffeurs comme des suspects. Je vous tire mon chapeau, j'avoue que c'est original. A ce que moi j'ai cru comprendre, les déchets ne proviennent pas d'eux, mais de ceux qui les ont placés dans les bennes. A mon avis, c'est un de ces types-là qu'il faut retrouver.

Ring ne parut pas troublé le moins du monde.

— J'aimerais entendre ce que les chauffeurs ont à

nous raconter. On ne sait jamais. Ce serait un bon plan. Vous balancez le corps à un endroit qui se trouve sur votre itinéraire, et vous vous assurez vous-même de la livraison. Putain, vous pouvez même le charger dans votre propre camion. Personne ne va vous soupçonner, non ?

Grigg repoussa sa chaise, desserra son col et actionna sa mâchoire comme si elle lui faisait mal. Il fit craquer son cou, puis ses articulations. Enfin, il posa son carnet sur la table avec un claquement sec, et tout le monde le fixa tandis qu'il foudroyait Ring du regard.

Il s'adressa au jeune enquêteur.

— Ça ne vous ennuie pas si je m'occupe de tout ça ? Ça m'embêterait beaucoup de ne pas faire ce pourquoi le comté m'a embauché. Et je crois que cette affaire est sous ma responsabilité, et non la vôtre.

— Moi, je suis juste là pour aider, dit tranquillement Ring avec un nouveau haussement d'épaules.

— Je ne savais pas que j'avais besoin d'aide, répliqua Grigg.

— La police d'Etat a constitué une force pluri-juridictionnelle pour s'occuper de ces homicides quand le second torse est apparu dans un comté différent du premier. Vous arrivez un peu tard sur ce coup, mon petit vieux, dit Ring. J'ai l'impression que vous auriez bien besoin d'informations de la part de quelqu'un qui était déjà en piste.

Mais Grigg lui avait coupé le sifflet, et il s'adressa à Kitchen pour ajouter :

— J'aimerais également ces informations sur les véhicules.

— Et si je recueillais les détails sur les cinq derniers camions à s'être rendus là-haut, pour être sûrs ? répondit celui-ci en s'adressant à nous tous.

— Cela nous serait d'un grand secours, dis-je en me levant. Et le plus tôt sera le mieux.

Ring demeura assis, comme s'il avait tout le temps

devant lui, et bien peu de choses à faire, et me demanda :

— A quelle heure vous allez travailler dessus demain ?

— Vous parlez de l'autopsie ?

— Et comment.

— Il est possible que je ne l'examine pas avant plusieurs jours.

— Pourquoi ça ?

— C'est l'examen externe la partie la plus importante. Je vais passer beaucoup de temps là-dessus.

Je constatai que son intérêt s'évanouissait.

— Je vais devoir passer en revue les déchets, chercher des traces, ôter la graisse et la peau des os, rencontrer un entomologiste et dater les asticots, pour voir si je peux avoir une idée du moment où le corps a été abandonné, etc.

— Il vaut peut-être mieux que vous m'informiez simplement de ce que vous découvrirez, alors, décréta-t-il.

Grigg me suivit lorsque je sortis, et secoua la tête en déclarant à sa manière calme et lente :

— Il y a bien longtemps, quand j'ai quitté l'armée, je voulais entrer dans la police d'Etat. Je ne peux pas croire qu'ils aient là-bas des clowns dans son genre.

— Heureusement, ils ne sont pas tous comme lui.

Nous sortîmes dans le soleil, tandis que l'ambulance descendait lentement la colline au milieu de nuages de poussière. Des camions haletants faisaient la queue en attendant d'être lavés, tandis qu'une couche supplémentaire de l'Amérique moderne réduite en miettes s'ajoutait à la montagne. Lorsque nous atteignîmes nos voitures, l'obscurité était tombée. Grigg s'arrêta près de la mienne et l'examina.

— Je me suis demandé à qui elle était, dit-il avec admiration. Un de ces jours, je me paierai une virée avec une comme ça. Juste une fois.

Je lui souris en déverrouillant ma portière.

— Il lui manque le plus important, les sirènes et les gyrophares.

Il rit.

— Vous savez, Marino et moi, on fait partie de la même fédération de bowling. Son équipe, c'est les *Balls of Fire*, et la mienne, les *Lucky Strike*. Ce vieux filou est le plus mauvais perdant que j'aie jamais connu. Il s'empiffre, il boit de la bière, et après, il croit que tout le monde triche. La dernière fois, il a amené une fille. (Il secoua la tête.) Elle jouait à peu près comme les Pierrafeu, quand ils lancent leurs cailloux ; elle s'habillait pareil, aussi, avec un truc genre peau de léopard. Il lui manquait qu'un os dans les cheveux. Allez, dites-lui qu'on discutera de tout ça.

Il s'éloigna en faisant cliqueter ses clés.

— Merci pour votre aide, détective Grigg.

Il m'adressa un hochement de tête et monta dans sa Caprice.

Lorsque j'avais conçu ma maison, j'avais pris soin de prévoir une buanderie donnant directement sur le garage, car après avoir travaillé sur ce genre de scènes du crime, je ne voulais pas que la mort traverse les appartements de ma vie privée. Quelques minutes après être sortie de ma voiture, mes vêtements se trouvaient dans la machine à laver, et mes chaussures et mes bottes dans un évier industriel, où je les frottai au détergent et à la brosse dure.

J'enfilai ensuite une robe de chambre qui restait suspendue derrière la porte, puis me rendis dans la grande chambre, où je pris une longue douche brûlante. J'étais épuisée et découragée. A cet instant, je manquais de l'énergie nécessaire pour l'imaginer, elle, pour imaginer son nom, qui elle avait pu être, et je chassai de mon esprit les images et les odeurs. Je me préparai un verre et une salade, et fixai d'un air désolé le grand bol de bonbons que j'avais préparé pour Halloween, tout en pensant aux plantes qui attendaient d'être mises en pot sur la véranda. Puis j'appelai Marino.

— Ecoutez, lui dis-je lorsqu'il répondit, je crois que Benton devrait être là demain matin pour cette histoire.

Il y eut un long silence.

— D'accord. Ça veut dire que vous voulez que moi, je lui dise de ramener ses fesses à Richmond. Au lieu que ce soit vous.

— Si ça ne vous dérange pas. Je suis lessivée.

— Pas de problème. A quelle heure je lui dis ?

— Quand il veut. Je serai là-bas toute la journée.

Je me rendis ensuite dans mon bureau pour vérifier ma messagerie électronique avant de me coucher. Lucy appelait rarement puisqu'elle pouvait utiliser l'ordinateur pour me donner de ses nouvelles. Ma nièce était agent du FBI, conseiller technique pour le HRT, leur brigade d'intervention pour la libération des otages. D'une seconde à l'autre, on pouvait l'expédier à l'autre bout du monde.

En bonne mère poule, je vérifiais souvent s'il y avait des messages de sa part, redoutant le jour où son Pager se déclencherait lui commandant de se rendre, avec les garçons de la brigade, à la base d'Andrews, et de monter à bord d'un avion cargo C-141. Evitant les piles de journaux qui attendaient d'être lus, et les épais ouvrages de médecine que j'avais achetés récemment et pas encore rangés sur les étagères, je m'installai à mon bureau. C'était la pièce où je passais le plus de temps, et je l'avais conçue avec une cheminée et une large baie vitrée surplombant un coude rocailleux de la James River.

Je me connectai sur America Online, ou AOL, et fus accueillie par une voix artificielle masculine, qui m'annonça que j'avais du courrier. Des e-mail au sujet de diverses affaires en cours, de procès, des rendez-vous professionnels et des articles de revues scientifiques, ainsi qu'un message de quelqu'un que je n'identifiai pas. Son nom d'utilisateur était *mordoc*. Je me sentis immédiatement mal à l'aise. Il n'y avait aucune description de ce que cette personne m'avait envoyé, et lorsque j'ouvris, le message disait simplement *dix*.

Un document graphique était associé au message. Je le chargeai puis le décompressai. Une image commença à se matérialiser sur mon écran, se déroulant en couleurs, une ligne de pixels après l'autre. Je compris que je contemplais la photo d'un mur couleur mastic, et le bord d'une table recouverte d'une sorte de couverture bleue, souillée et imbibée d'une substance rouge sombre. Puis une blessure rouge, béante et déchiquetée, se peignit sur l'écran, suivie de tons couleur chair qui se révélèrent être des moignons et des seins ensanglantés.

Je contemplai cette horreur absolue avec incrédulité, puis me jetai sur le téléphone.

— Marino, je crois que vous devriez venir.

— Que se passe-t-il ? demanda-t-il avec inquiétude.

— Il y a ici quelque chose que vous devez voir.

— Vous, ça va ?

— Je ne sais pas.

Il prit les choses en main.

— Bougez pas, Doc. Je viens.

J'imprimai le fichier et en fis une sauvegarde sur mon disque dur, craignant que d'une façon ou d'une autre, il ne s'évanouisse devant mes yeux. En attendant Marino, je baissai la lumière dans mon bureau pour accentuer les détails et les couleurs. Mes idées tournoyaient en un cercle infernal tandis que je fixais la boucherie, et l'ignoble tableau ensanglanté qui m'était d'ordinaire plutôt familier. Médecins, chercheurs, avocats et policiers m'envoyaient fréquemment des photos de ce genre par Internet. On me demandait régulièrement, par l'intermédiaire de la messagerie électronique, d'examiner des scènes de crime, des organes, des blessures, des diagrammes, et même des reconstitutions animées avant qu'elles ne soient soumises au tribunal.

Cette photo aurait très bien pu être expédiée par un détective, un collègue. Elle aurait pu provenir d'un attorney du Commonwealth, ou de la CASKU. Mais de toute évidence, un détail clochait ici. Dans ce cas présent, nous n'avions pas de véritable scène du crime, uniquement une décharge où la victime avait été abandonnée, des déchets et le sac déchiré qui l'accompagnaient. Seul le tueur, ou quelqu'un d'autre mêlé au crime, avait pu m'adresser ce fichier.

Un quart d'heure plus tard, presque à minuit, ma sonnette retentit, et je bondis de mon siège. Je traversai le couloir en courant pour ouvrir à Marino.

— Alors, qu'est-ce qui se passe, maintenant ? demanda-t-il de but en blanc.

Il transpirait dans son T-shirt gris étriqué de la police de Richmond qui moulait son grand corps et son ventre proéminent, son short ample, ses tennis et ses chaussettes remontées jusqu'aux mollets. Il sentait la cigarette et la vieille sueur.

— Entrez.

Il me suivit jusque dans mon bureau, et à la vue de ce qui s'affichait sur l'écran de l'ordinateur, se laissa tomber sur mon fauteuil avec une grimace.

Il demanda :

— Merde, est-ce que c'est ce que je pense ?

— On dirait que la photo a été prise à l'endroit où le corps a été démembré.

Je n'étais pas habituée à ce que quelqu'un pénètre dans le sanctuaire où je travaillais, et je sentais mon angoisse monter.

— C'est ce que vous avez retrouvé aujourd'hui ?

— Ce que vous regardez a été pris peu de temps après la mort, mais effectivement, c'est le torse qui provient de la décharge.

— Comment le savez-vous ?

Les yeux toujours vrillés sur l'écran, il régla mon siège à sa taille, puis, lorsqu'il s'installa plus confortablement, ses grands pieds envoyèrent promener des livres sur le sol. Lorsqu'il souleva des dossiers et les déplaça dans un autre coin de mon bureau, c'en fut trop.

Je lui fis remarquer d'un ton lourd de sous-entendu en remettant les dossiers en désordre là où ils se trouvaient :

— Je mets les choses à l'endroit où j'ai besoin d'elles.

— Hé, calmez-vous, Doc, dit-il comme si cela n'avait aucune importance. Comment est-ce qu'on sait que ce truc n'est pas un canular ?

Il écarta de nouveau les dossiers, ce qui fit encore monter d'un cran mon irritation.

— Marino, vous allez devoir vous lever. Je ne laisse jamais personne s'asseoir à mon bureau. Vous me rendez dingue.

Il me jeta un regard noir et se leva.

— Dites donc, vous voulez bien me rendre un service ? La prochaine fois que vous avez des ennuis, vous appelez quelqu'un d'autre.

— Essayez d'être compréhensif...

Il m'interrompit, perdant son sang-froid :

— Non, c'est vous qui allez tâcher d'être compréhensive, et arrêter de vous conduire comme une foutue enquiquineuse ! C'est pas étonnant que Wesley et vous ayez des problèmes !

— Marino, dis-je d'un ton menaçant, vous venez de franchir une limite, et vous feriez mieux de vous arrêter là tout de suite.

Il demeura muet et regarda autour de lui en transpirant.

Je m'assis sur mon fauteuil et le réajustai à ma taille.

— Revenons à nos moutons. Je ne crois pas qu'il s'agisse d'un mauvais plaisant, et je suis persuadée qu'il s'agit du torse de la décharge.

— Pourquoi ?

Les mains dans les poches, il refusait de me regarder en face.

Je touchai l'écran du doigt pour lui montrer :

— Les bras et les jambes ont été sectionnés à travers les os, et non les articulations. Il y a encore d'autres similitudes. Non, c'est bien elle, à moins qu'une autre victime avec les mêmes caractéristiques corporelles ait été tuée et démembrée à l'identique, et que nous ne l'ayons pas encore découverte. De plus, je ne vois pas comment quelqu'un pourrait faire ce genre de canular sans connaître la façon dont la victime a été démembrée. Sans parler du fait que ce cas n'a pas encore été annoncé dans la presse.

Marino était devenu écarlate.

— Merde. Il y a quelque chose comme une adresse d'expéditeur ?

— Oui. Quelqu'un sur AOL du nom de M-O-R-D-O-C.

Suffisamment intrigué pour oublier sa mauvaise humeur, il demanda :

— Comme dans *Mort — Doc* ?

— Je ne peux que le supposer. Le message tenait en un mot : *dix*.

— C'est tout ?

— En lettres minuscules.

Il réfléchit en me regardant.

— Si vous comptez ceux retrouvés en Irlande, celui-ci est le numéro dix. Vous avez une copie de ce truc ?

— Oui. Et le lien éventuel entre les quatre premières affaires ici et celles de Dublin a été évoqué dans la presse.

Je lui tendis une copie du fichier imprimé en ajoutant :

— N'importe qui pouvait être au courant.

— Aucune importance. Si on suppose qu'il s'agit du même tueur et qu'il vient de frapper de nouveau, il sait fichtrement bien combien il en a tué. Mais ce que je ne comprends pas, c'est comment il savait où vous envoyer le message ?

— Mon adresse sur America Online n'est pas difficile à trouver. C'est juste mon nom.

Il explosa de nouveau :

— Bon Dieu, je peux pas croire que vous fassiez des trucs pareils ! C'est comme d'utiliser votre date de naissance pour le code de votre système d'alarme.

— Je me sers du e-mail presque exclusivement

pour communiquer avec des médecins légistes, des fonctionnaires du ministère de la Santé, la police. Ils ont besoin d'une adresse facile à retenir.

Il continuait de me foudroyer du regard, et j'ajoutai :

— Et puis, je n'ai jamais eu de problème.

— Eh bien, maintenant, vous en avez un sacré sur les bras ! rétorqua-t-il en regardant le tirage papier. La bonne nouvelle, c'est qu'on trouvera peut-être là-dedans un détail pour nous aider. Il a peut-être laissé une trace dans l'ordinateur.

— Sur le Web, rectifiai-je.

— Ouais, appelez ça comme vous voulez. Vous devriez peut-être contacter Lucy.

Je lui rappelai :

— C'est Benton qui devrait faire cela. Je ne peux pas demander son aide à Lucy simplement parce que je suis sa tante.

— J'en déduis donc que je dois appeler Benton pour ça aussi.

Il se fraya un chemin dans mon désordre, et se dirigea vers la porte.

— J'espère que vous avez de la bière dans cette taule.

Il s'arrêta et se retourna :

— Vous savez, Doc, c'est pas mes affaires, mais vous allez bien être obligée de lui parler un jour.

— Comme vous le dites, Marino, ce ne sont pas vos affaires.

3

Lorsque je m'éveillai le lendemain, une pluie battante tambourinait sur le toit, et mon réveil sonnait avec insistance. Il était tôt pour un samedi où j'étais censée me reposer, et je réalisai que le mois de novembre venait de commencer. L'hiver n'était pas loin, une année encore venait de s'écouler. J'ouvris les volets et contemplai le temps. Les pétales de mes roses jonchaient le sol, et les rochers, contournés par les flots grossis de la rivière, paraissaient noirs.

Je me sentais coupable vis-à-vis de Marino. Je m'étais montrée impatiente à son égard, et l'avais renvoyé hier soir sans même lui offrir une bière. Mais je me refusais à discuter avec lui de problèmes qu'il ne comprendrait pas. Pour lui, c'était simple. J'étais divorcée, la femme de Benton Wesley l'avait quitté pour un autre homme, nous avions une liaison, et donc nous ferions aussi bien de nous marier. J'avais pendant un moment suivi ce plan. L'automne et l'hiver précédent, Wesley et moi étions allés skier, pratiquer la plongée sous-marine. Nous avions fait les courses ensemble, cuisiné, et même travaillé dans mon jardin. Et nous ne nous étions pas du tout entendu.

A dire la vérité, je ne voulais pas plus de Wesley chez moi que de Marino dans mon fauteuil. A chaque fois qu'il déplaçait un meuble, ou même rangeait la vaisselle dans le mauvais placard et l'argenterie dans le mauvais tiroir, je ressentais une secrète exaspération qui me surprenait et me consternait. Du temps de son mariage, j'avais toujours été convaincue que notre relation était inopportune, et pourtant, nous nous étions bien mieux entendu à cette époque-là, surtout au lit. Je craignais que le fait de ne pas ressentir ce que je pensais adéquat ne traduise un trait de caractère que je ne supportais pas d'affronter.

Je pris la voiture pour me rendre à mon bureau, dans le battement acharné des essuie-glaces et le roulement incessant de la pluie sur le toit. Il était à peine sept heures et il n'y avait guère de circulation. Le brouillard humide me dévoila progressivement la ligne des gratte-ciel du centre de Richmond. Je repensai à la photographie, et la revis s'afficher lentement sur mon écran. Un frisson me parcourut, et j'en eus la chair de poule. Lorsqu'il me vint pour la première fois à l'idée que je connaissais peut-être la personne qui me l'avait envoyée, un indéfinissable malaise m'envahit.

Je pris la sortie de la 7e Rue, et contournai le Shockoe Slip pavé de galets humides. Ses restaurants chics étaient fermés à cette heure. Je dépassai des parkings qui commençaient à peine à se remplir, et m'engageai sur celui qui se trouvait derrière mon bâtiment de trois étages orné de stuc. Je n'en crus pas mes yeux, en découvrant sur ma place de parking, clairement désignée par un panneau qui portait la mention « Médecin expert général », un van des informations télévisées. L'équipe savait qu'à force d'attendre là, elle finirait bien par me voir débarquer.

Je me rapprochai et leur fis signe de se déplacer, tandis que les portières du van s'ouvraient. Un cameraman revêtu d'un ciré sauta et se précipita vers moi, une journaliste armée d'un micro à sa suite. Je baissai ma vitre de quelques centimètres.

— Sortez de là, dis-je d'un ton peu affable. Vous êtes sur mon emplacement de parking.

Mais ils n'en avaient rien à faire et quelqu'un d'autre sortit avec des projecteurs. Je restai assise là, les yeux dans le vide, pétrifiée de colère. La journaliste bloquait ma portière, son micro fourré dans l'interstice de ma vitre.

Elle demanda d'une voix forte, tandis que la caméra tournait et que les projecteurs brûlaient :

— Docteur Scarpetta, pouvez-vous nous confirmer que le Boucher a de nouveau frappé ?

Je les regardai fixement, elle et la caméra, et répondis d'un ton calme et tranchant :

— Déplacez votre van.

— C'est bien un torse qui a été retrouvé ?

La pluie dégoulinait de sa capuche tandis qu'elle tendait encore plus son micro à l'intérieur.

— Je vais vous demander une dernière fois de dégager votre van de ma place de parking, dis-je du ton solennel d'un juge qui s'apprête à brandir l'outrage à magistrat. C'est une violation de propriété.

Le cameraman trouva un nouvel angle de prise de vue, zooma, et les projecteurs m'éblouirent.

— Etait-il démembré comme les autres... ?

Je remontai ma vitre, et elle retira son micro juste à temps. Je passai la marche arrière, entrepris de reculer. L'équipe battit en retraite et s'écarta de mon chemin tandis que j'effectuais un virage à trois cent soixante degrés. Les pneus crissèrent, dérapèrent, et je me garai derrière le van, le coinçant entre l'immeuble et ma Mercedes.

— Attendez !

— Hé ! Vous ne pouvez pas faire ça !

Je descendis devant leurs yeux incrédules, et sans m'embarrasser d'un parapluie, courus jusqu'à la porte d'entrée, que je déverrouillai.

Les protestations continuèrent de plus belle :

— Hé ! On ne peut pas sortir !

A l'intérieur de la baie de déchargement était garé un gros break marron dont le toit était noyé de pluie, et l'eau dégoulinait sur le ciment. J'ouvris une autre porte et pénétrai dans le couloir, cherchant avec curiosité qui d'autre se trouvait là. Le carrelage blanc était immaculé, l'air était lourd de l'odeur du puissant désodorisant industriel, et lorsque je me dirigeai vers le bureau de la morgue, la porte en acier massif de la chambre froide s'ouvrit avec un bruit de ventouse.

Wingo m'accueillit avec un sourire surpris :

— Bonjour ! Vous êtes matinale.

— Merci d'avoir mis le break à l'abri de la pluie.

— A ma connaissance, il ne devait plus y avoir d'arrivées, alors je me suis dit que ce ne serait pas grave de le garer là.

— Vous avez vu quelqu'un dehors quand vous l'avez garé ?

Il eut l'air surpris.

— Non. Mais c'était il y a environ une heure.

Wingo était le seul membre de mon personnel qui arrivait régulièrement avant moi au bureau. Séduisant, agile, il avait de beaux traits, et une chevelure brune hirsute. Obsessionnel compulsif, il repassait ses blouses, lavait le break et les camionnettes de matériel anatomique plusieurs fois par semaine, et passait son temps à faire reluire l'acier jusqu'à ce qu'il brille comme un miroir. Son travail consistait à gérer la morgue, et il le faisait avec la précision et la fierté d'un chef militaire. Ici, aucun d'entre nous ne tolérait la négligence ou l'insensibilité, et personne ne se permettait de se débarrasser sans soin de déchets dangereux, ou de faire des blagues de carabin à propos des morts.

Wingo m'annonça :

— Le cas de la décharge est toujours au frigo. Vous voulez que je le sorte ?

— Attendons que la réunion du personnel soit terminée. Plus elle sera réfrigérée, mieux cela vaudra, et je ne veux pas qu'on vienne se promener par ici pour y jeter un œil.

— Cela ne se produira pas, répondit-il comme si je venais de sous-entendre qu'il pouvait manquer à ses devoirs.

— Je ne veux même pas qu'un membre du personnel puisse venir par curiosité.

— Oh, dit-il avec un éclair de colère dans le regard. Décidément, je ne comprendrai jamais les gens.

Il ne les comprendrait jamais pour la bonne raison qu'il n'était pas comme eux.

— Je vous laisse alerter la sécurité, lui dis-je. Les médias sont déjà sur le parking.

— Vous plaisantez ? A cette heure-ci ?

— Lorsque je suis arrivée, Channel 8 m'attendait. Je lui tendis la clé de ma voiture.

— Donnez-leur encore cinq minutes, puis laissez-les partir.

— Comment ça, les laisser partir ?

Il fronçait les sourcils en regardant ma clé dans sa main.

— Ils sont sur ma place de parking.

Je me dirigeai vers l'ascenseur.

— Ils sont quoi ?

— Vous verrez, dis-je en pénétrant dans la cabine. Si jamais ils effleurent ma voiture, ne serait-ce que d'un cheveu, je les poursuis pour violation de propriété et dommages intentionnels. Puis je demanderai au bureau de l'administrateur général d'appeler le directeur général de la station.

Je lui souris tandis que les portes se refermaient :

— Je pourrais même leur faire un procès.

Mon bureau se trouvait au premier étage du bâtiment Consolated Lab, construit dans les années soixante-dix, et que nous devions bientôt abandonner, pour nous installer dans des locaux spacieux, dans le nouveau Biotech Park, sur Broad Street, non loin du Marriott et du Coliseum.

Les travaux étaient en cours, et je passais bien trop de temps à discuter de détails, de plans et de budgets. Ce que j'avais considéré comme ma maison depuis des années était aujourd'hui en désordre, des piles de cartons s'entassaient le long des couloirs, et les employés refusaient d'archiver, puisque de toute façon, tout devrait être emballé. Je détournai le regard des piles de cartons toujours plus importantes, et empruntai le couloir jusqu'à mon bureau, où ma table de travail croulait sous l'avalanche habituelle de documents.

Je vérifiai une fois encore ma messagerie électronique, m'attendant presque à découvrir un nouveau fichier anonyme semblable au précédent, mais je n'y trouvai que les mêmes messages, que je passai rapidement en revue, renvoyant de brèves réponses. *Mordoc* attendait tranquillement dans ma boîte aux lettres, et je ne pus résister à la tentation d'ouvrir le fichier contenant la photographie. J'étais tellement concentrée que je n'entendis pas entrer Rose.

— Noé devrait bâtir une autre arche, annonça-t-elle.

Je sursautai, et la découvris qui se tenait sur le pas de la porte communicante entre nos deux bureaux. Elle était en train d'ôter son imperméable, l'air inquiet.

— Je ne voulais pas vous faire peur.

Elle hésita, puis s'avança en me scrutant :

— Je savais bien que je vous trouverais ici, malgré mes conseils. On dirait que vous venez de voir un fantôme.

— Que faites-vous là un samedi ?

— J'étais sûre que vous alliez être débordée. Vous avez vu les journaux, ce matin ? ajouta-t-elle en enlevant sa veste.

— Pas encore.

Elle ouvrit son sac et en sortit ses lunettes.

— Toutes ces histoires de Boucher, vous imaginez les rumeurs. Dans la voiture, j'ai entendu aux informations que depuis le début de ces affaires, il s'était vendu plus d'armes de poing qu'on ne peut en compter. Quelquefois, je me demande si les armuriers ne sont pas derrière des trucs comme ça. S'ils ne nous flanquent pas une trouille bleue pour que nous nous précipitions tous sur le premier 38 venu, ou le premier pistolet semi-automatique.

Rose avait les traits fins, une chevelure gris acier qu'elle portait toujours relevée en chignon. Elle avait tout vu, dans sa vie, et n'avait peur de personne. Je connaissais son âge, et la perspective de sa retraite m'inquiétait. Elle n'était pas obligée de travailler pour moi, et ne restait que parce qu'elle nous était attachée, et qu'elle n'avait personne à la maison.

Je repoussai ma chaise.

— Regardez.

Elle passa de mon côté du bureau et se tint si près que je distinguai l'odeur de White Musk, le parfum de Body Shop, cette société de cosmétiques qui réprouve toute expérimentation animale. Rose avait récemment adopté son cinquième lévrier retiré de la course, élevait des chats abyssins, entretenait plusieurs aquariums, et n'était pas loin de pouvoir se montrer violente vis-à-vis de quiconque portait de la fourrure. Elle fixa l'écran de mon ordinateur, sans paraître comprendre ce qu'elle voyait. Puis je la sentis se raidir.

— Mon Dieu, murmura-t-elle en me regardant par-dessus ses lunettes à double foyer, c'est ce qui se trouve en bas ?

— A un stade antérieur, je pense. La photo m'a été adressée par AOL.

Elle demeura muette, et je continuai :

— Inutile de préciser que je vous fais confiance pour surveiller cet endroit d'un regard d'aigle lorsque je serai descendue. Je veux que la sécurité intercepte quiconque pénétrant dans le hall et que nous ne connaissons ou n'attendons pas. Et il est hors de question que vous songiez une seconde à aller demander ce qu'elle veut à cette personne, ajoutai-je d'un ton chargé de menace, car je la connaissais bien.

— Vous croyez qu'il viendrait jusqu'ici ? énonça-t-elle d'un ton neutre.

— Je ne sais que croire, sinon qu'il ressentait clairement le besoin d'entrer en contact avec moi. Et qu'il l'a fait, dis-je en fermant le fichier avant de me lever.

Il n'était pas tout à fait huit heures et demie lorsque Wingo fit rouler le corps sur l'aire de pesage et que nous entamâmes un examen dont je savais qu'il serait très long et pénible. Le torse pesait vingt kilos huit, et mesurait cinquante-trois centimètres. La lividité cadavérique était légère sur la face postérieure, ce qui signifiait que lorsque sa circulation avait été interrompue, le sang s'était stabilisé conformément à la pesanteur, et qu'elle était restée sur le dos pendant des heures et des jours après sa mort. Je ne pouvais regarder ce torse sans songer à l'image déchiquetée sur mon écran, et j'étais persuadée qu'ils ne faisaient qu'un.

Wingo fit glisser le chariot parallèlement à la première des tables d'autopsie, et me lança un coup d'œil :

— Quelle était sa taille, à votre avis ?

— Nous allons utiliser la dimension des vertèbres lombaires pour faire une estimation de sa taille, puisque nous n'avons pas de tibias ou de fémurs.

Je nouai un tablier de plastique par-dessus ma blouse.

— Mais elle m'a l'air petite, et même frêle.

Quelques minutes plus tard, les radios étaient développées, et il les suspendait aux tableaux lumineux. Ce que je distinguai me parut incompréhensible. Les faces de la symphyse pubienne, c'est-à-dire les surfaces où s'articulent entre eux les deux os du pubis, n'étaient plus striées et inégales, comme elles le sont dans la jeunesse. Au contraire, l'os était considérablement érodé, les bords irréguliers et épaissis. D'autres radios montraient des excroissances osseuses, elles aussi irrégulières, à l'extrémité des côtes, l'os était très mince avec des arêtes acérées. Les sacrées avaient également été le siège de processus dégénératifs.

Wingo n'était pas anthropologiste, mais lui aussi se rendit à l'évidence.

— Si je n'étais pas certain du contraire, je dirais que ses radios ont été interverties avec celles de quelqu'un d'autre.

— Cette femme est vieille, dis-je.

— Vous diriez quel âge, comme ça ?

— Je n'aime pas dire les choses « comme ça », rétorquai-je en examinant les radios. Mais *a priori*, au moins soixante-dix ans. Ou pour être sûr de ne pas se tromper, entre soixante-cinq et quatre-vingts. Venez. Allons mettre le nez un moment dans les ordures.

Nous occupâmes les deux heures qui suivirent à passer au crible un grand sac poubelle empli de déchets ramassés immédiatement dessous ou autour du corps. Le sac dans lequel je pensais qu'on avait enveloppé la victime était noir, d'une contenance de soixante-quinze litres, avec un lien de plastique jaune. Armés de masques et de gants, Wingo et moi fouillâmes les lanières de pneu et le duvet de rembourrage de meubles utilisés pour tasser les couches d'ordures sur la décharge. Nous examinâmes d'innombrables lambeaux de plastique et de papier visqueux, ramassant les asticots et les mouches mortes pour les mettre dans un carton.

Notre récolte fut maigre : un bouton bleu probablement sans aucun rapport avec l'affaire, et bizarrement, une dent d'enfant, dont j'imaginai qu'on l'avait jetée après qu'elle eut valu à son propriétaire une pièce glissée sous un oreiller. Nous trouvâmes un peigne édenté, une pile aplatie, plusieurs éclats de porcelaine brisée, un cintre en métal tordu, et le bouchon d'un stylo Bic. Mais l'essentiel se composait de caoutchouc, de duvet, de plastique noir déchiré et de papier détrempé que nous jetâmes à la poubelle. Puis nous disposâmes de puissants projecteurs autour de la table, et installâmes la victime sur un drap blanc propre.

A l'aide d'une loupe, je l'examinai centimètre par centimètre. Sa peau était à elle seule une décharge de débris microscopiques, et je ramassai avec une pince des fibres pâles déposées sur la section noire ensanglantée qui avait été son cou. Je trouvai également sur l'arrière trois cheveux gris-blanc, d'environ trente-cinq centimètres, qui adhéraient au sang séché.

— J'ai besoin d'une autre enveloppe, dis-je à Wingo, à l'instant où je découvrais encore quelque chose d'inattendu.

Enfoncés dans les extrémités de chaque humérus, l'os supérieur du bras, et également dans les rebords des muscles autour, se trouvaient d'autres fibres et des fragments minuscules d'un matériau qui semblait bleu pâle, ce qui signifiait que la scie avait dû le couper lui aussi.

— Elle a été démembrée à travers ses vêtements, ou ce dans quoi elle était enveloppée, déclarai-je avec surprise.

Wingo s'interrompit et me regarda :

— Ce n'était pas le cas des autres, remarqua-t-il.

Celles-ci semblaient en effet avoir été nues lorsqu'elles avaient été amputées. Il continua de prendre des notes tandis que je poursuivais mon examen à la loupe.

Je regardai plus attentivement :

— Il y a également des fibres et des morceaux de tissu dans chaque fémur.

— Alors, le bas de son corps était lui aussi recouvert ?

— On le dirait bien.

— Quelqu'un l'a donc démembrée avant de lui ôter ses vêtements ?

Il leva les yeux sur moi, et je vis l'émotion dans son regard tandis qu'il visionnait la scène.

— Il ne voulait pas que nous trouvions les vêtements. Ceux-ci pouvaient receler trop d'informations.

— Alors pourquoi n'a-t-il pas commencé par la déshabiller ou la désenvelopper ?

— Peut-être ne voulait-il pas la regarder pendant qu'il la démembrait.

— Ah bon, il devient sensible, maintenant, remarqua Wingo comme s'il le haïssait.

— Notez les mesures, lui dis-je. La colonne vertébrale est sectionnée au niveau de la cinquième vertèbre cervicale. A droite, ce qui reste du fémur mesure 5,08 centimètres sous le trochantin, et à gauche, 6,35 centimètres, avec des marques de scie visibles. Les segments gauche et droit de l'humérus mesurent 2,54 centimètres, avec marques de scie visibles. Sur la partie supérieure de la hanche droite, nous avons une vieille cicatrice de vaccination de 1,9 centimètre.

— Et ça ? demanda-t-il en faisant référence aux nombreuses vésicules pleines de liquide qui constellaient les fesses, les épaules et le haut des cuisses.

Je pris une seringue.

— Je ne sais pas. Le virus zostérien, peut-être.

Wingo fit un bond en arrière, effrayé.

— Ouh là ! Vous auriez pu me le dire plus tôt.

— Un zona, dis-je en étiquetant un tube à essais. Peut-être. Je dois avouer que c'est un peu bizarre.

— Qu'est-ce que vous voulez dire ? insista-t-il, de plus en plus inquiet.

— Dans un zona, expliquai-je, le virus s'attaque aux nerfs sensibles. L'éruption de vésicules est localisée au trajet des nerfs, sous une côte, par exemple. Et les vésicules sont d'âges différents. Mais cette éruption est généralisée, et les vésicules sont de même ancienneté.

— Qu'est-ce que ça pourrait être d'autre ? La varicelle ?

— C'est le même virus. Les enfants attrapent la varicelle, et les adultes un zona.

— Et si je l'attrape ?

— Vous avez eu la varicelle étant enfant ?

— Aucune idée.

— Et le vaccin contre l'herpès virus varicellae ? Vous l'avez eu ?

— Non.

— Eh bien, si vous n'avez pas d'anticorps contre ce virus, vous devriez vous faire vacciner. Je levai les yeux sur lui.

— Vous êtes immunodéprimé ?

Il ne répondit rien et se dirigea vers un chariot. Il ôta d'un geste ses gants de latex et les jeta violemment dans la poubelle rouge destinée aux déchets biologiques dangereux. Bouleversé, il prit une paire neuve de gants Nitrile bleus plus épais. J'interrompis mon examen, et l'observai tandis qu'il revenait à la table d'autopsie.

— Je trouve simplement que vous auriez pu m'avertir avant, dit-il comme s'il allait éclater en larmes. Dieu sait qu'on peut prendre toutes les précautions, ici, se faire vacciner. Alors, je m'en remets toujours à vous pour que vous me préveniez quand c'est nécessaire.

— Calmez-vous, lui dis-je avec douceur.

Wingo était beaucoup trop sensible, et c'était le seul problème que j'avais jamais eu avec lui.

— Cette femme ne pourrait vous contaminer et vous transmettre la varicelle ou un zona que s'il y avait échange de fluides corporels. Tant que vous portez des gants et travaillez comme d'habitude, tant que vous n'avez pas de coupure ou de piqûre d'aiguille, vous ne courez aucun risque d'exposition au virus.

Son regard brilla l'espace d'un instant, et il détourna vivement les yeux.

— Je commence à prendre les photos, dit-il.

4

Lorsque Marino et Benton Wesley firent leur apparition au milieu de l'après-midi, l'autopsie était bien avancée. Je ne pouvais guère faire plus en matière d'examen externe, Wingo était parti déjeuner tard, et j'étais seule. Le regard de Wesley se posa sur moi lorsqu'il franchit la porte, et je constatai, à son imperméable mouillé, qu'il pleuvait encore.

— Juste histoire de vous mettre au courant, attaqua Marino, qu'il y a un avis d'inondation.

Etant donné l'absence de fenêtres dans la morgue, je ne savais jamais le temps qu'il faisait à l'extérieur.

— L'avertissement est sérieux ? demandai-je tandis que Wesley s'était rapproché du torse, et le regardait.

— Au point que si ça continue comme ça, il va falloir commencer à entasser les sacs de sable, répliqua-t-il en rangeant son parapluie dans un coin.

Mon bâtiment se trouvait à quelques pâtés de maison de la James River, et des années auparavant, le sous-sol avait été inondé. Les bacs dans lesquels trempaient les corps donnés à la science avaient débordé, l'eau toxique rose de formol se répandant dans la morgue et sur le parking à l'arrière.

Je demandai avec préoccupation :

— A quel point dois-je m'inquiéter ?

— Cela va s'arrêter, intervint Wesley, comme s'il était capable de déterminer le profil du temps tout autant que celui d'un tueur.

Il ôta son imperméable. Il était vêtu d'un costume bleu sombre presque noir, d'une chemise blanche amidonnée et d'une cravate de soie très traditionnelle. Il portait ses cheveux argentés un peu plus longs que d'habitude, mais bien coupés. Ses traits anguleux lui donnaient l'air encore plus tranchant et intimidant qu'il ne l'était en réalité, mais aujourd'hui, il paraissait lugubre, et pas seulement à cause de moi. Marino et lui s'approchèrent d'un chariot pour enfiler des masques et des gants.

Tandis que je continuais de travailler, Wesley me dit :

— Désolé d'être en retard. A chaque fois que j'essayais de quitter la maison, le téléphone sonnait. Cette affaire est un réel problème.

— Pour elle, sans aucun doute, répliquai-je.

Marino contempla ce qui restait d'un être humain.

— Merde. Comment peut-on faire un truc pareil ?

Je répondis, tout en découpant des sections de rate :

— Je vais vous dire comment. D'abord, vous prenez une vieille femme, vous faites en sorte qu'elle ne puisse pas boire ou se nourrir convenablement, et quand elle tombe malade, vous ne vous préoccupez pas de soins médicaux. Puis, vous lui tirez une balle dans la tête, ou bien vous lui fracassez le crâne.

Je levai les yeux sur eux.

— Je parie qu'elle avait une fracture du crâne, ou un traumatisme quelconque.

Marino avait l'air stupéfait.

— Mais elle n'a pas de tête. Comment pouvez-vous dire ça ?

— Parce qu'elle a du sang dans les voies respiratoires.

Ils se rapprochèrent pour voir ce dont je parlais, et je continuai :

— Cela peut s'expliquer si elle a eu une fracture du crâne basilaire. Le sang a coulé à l'intérieur de la gorge, et elle l'a inspiré.

Wesley contempla soigneusement le corps avec l'attitude de quelqu'un qui a été témoin de la mort et de la mutilation des milliers de fois. Il fixa l'endroit où aurait dû se trouver sa tête comme s'il pouvait la voir.

— Il y a des traces d'hémorragie dans les tissus musculaires.

Je m'interrompis pour qu'ils comprennent ce que je venais de dire.

— Elle était vivante lorsque le démembrement a commencé.

— Seigneur Jésus, ne me dites pas un truc pareil ! s'exclama Marino avec dégoût en allumant une cigarette.

J'ajoutai :

— Je ne dis pas qu'elle était consciente. C'était probablement à peu près à l'instant de sa mort. Mais aussi faible qu'elle ait été, la pression artérielle existait toujours, en tout cas dans la région du cou. Pas dans les bras et les jambes.

— Alors, il lui a d'abord tranché la tête, me dit Wesley.

— Oui.

Il examina les radios au mur.

— Voilà qui ne correspond pas à la typologie des autres victimes. Pas du tout.

— Rien ne correspond dans ce cas, répliquai-je. Sinon qu'une fois encore, il s'est servi d'une scie. J'ai également trouvé sur l'os des lacérations qui peuvent correspondre à un couteau.

— Qu'est-ce que tu peux nous dire d'autre ? demanda-t-il.

Je laissai tomber une autre section d'organe dans le bocal de formol, et sentis son regard posé sur moi.

— Elle a une sorte d'éruption qui pourrait être un zona, et deux cicatrices sur le rein droit qui pourraient indiquer une pyélonéphrite, ou une infection rénale. Le col de l'utérus est allongé et en étoile, ce qui peut laisser penser qu'elle a eu des enfants. Le myocarde, la partie musculaire du cœur, est mou.

— Ce qui signifie ?

— C'est l'œuvre des toxines. Des toxines produites par des micro-organismes. Comme je l'ai dit, elle était malade, ajoutai-je en le regardant.

Marino se déplaçait, examinant le torse sous des angles différents.

— Et vous savez de quoi ?

— D'après les sécrétions de ses poumons, elle avait une bronchite. Je ne sais pas grand-chose d'autre pour l'instant, sinon que son foie est dans un état plutôt lamentable.

— L'alcool, intervint Wesley.

— Il est jaune, plein de nodules. Oui, c'est cela. Et je dirais qu'elle a fumé à une époque.

Marino remarqua :

— Elle n'a que la peau sur les os.

— Elle ne mangeait pas. Son estomac est tubulaire, vide et propre, dis-je en le leur montrant.

Wesley se dirigea vers un bureau proche et tira une chaise sur laquelle il s'installa, perdu dans ses pensées. Je déroulai le fil électrique d'un rouleau suspendu et branchai la scie Stryker. C'était la partie que Marino appréciait le moins, et il s'éloigna de la table. Personne ne dit mot, tandis que je sciais les extrémités des bras et des jambes. Une poussière d'os s'éleva dans l'air, et le grincement de la machine était plus fort que celui d'une roulette de dentiste. Je plaçai chaque section dans un carton étiqueté, et finis par exprimer mon opinion à voix haute :

— Je ne crois pas que nous ayons affaire au même tueur, cette fois-ci.

— Je ne sais pas quoi penser, dit Marino. Mais on a deux gros points en commun. Un torse, un torse qui a été abandonné dans le centre de la Virginie.

Wesley avait baissé son masque, qui pendait autour de son cou.

— La typologie des victimes a toujours été variée, remarqua-t-il. Trois femmes, une noire, deux blanches, ainsi qu'un homme noir. Les cinq de Dublin étaient également divers. Mais une fois encore, ils étaient tous jeunes.

Je lui demandai :

— Justement. Penses-tu qu'il pourrait avoir jeté son dévolu sur une vieille femme ?

— Franchement, non. Mais l'étude de ces gens n'est pas une science exacte, Kay. Nous avons affaire à quelqu'un qui fait ce que bon lui semble, et quand ça lui chante.

— Le démembrement n'a pas été opéré de la même façon, c'est-à-dire au niveau des articulations. Et je crois qu'elle a été enveloppée ou entortillée dans quelque chose, leur dis-je.

Wesley retira son masque et le laissa tomber sur le bureau.

— Peut-être que celle-ci le gênait plus. La pulsion qui le pousse à tuer a peut-être été irrésistible, et elle était une proie facile. (Il contempla le torse.) Il la tue, mais modifie son modus operandi parce que le genre de la victime a changé brutalement, et qu'il n'aime pas vraiment ça. Il la laisse habillée ou en partie couverte parce que violer et tuer une vieille femme n'est pas ce qui l'excite. Et il lui tranche d'abord la tête parce qu'il ne veut pas avoir à la regarder.

Marino me demanda :

— Vous avez constaté des traces de viol ?

— Il est très rare de pouvoir en constater. J'en ai presque fini ici. Elle va atterrir comme les autres en chambre froide, dans l'espoir d'une éventuelle identification. J'ai des échantillons de tissus et de la moelle pour l'ADN, si jamais nous pouvons le comparer à celui d'une personne disparue.

Mon découragement était visible. Wesley reprit son imperméable, qu'il avait accroché derrière une porte, laissant une petite flaque sur le sol.

Il me dit :

— J'aimerais voir la photo que tu as reçue par e-mail.

— Ça non plus ne correspond pas au modus operandi, remarquai-je en entamant la suture de l'incision en Y. Il ne m'avait rien envoyé, dans les cas précédents.

Marino avait l'air pressé, comme s'il avait mieux à faire ailleurs, et se dirigea vers la porte :

— Je vais dans le Sussex County. Je dois voir Ring, le Justicier Solitaire, pour qu'il m'apprenne à mener une enquête criminelle.

Il nous quitta vivement, et je savais pourquoi. Bien qu'il s'obstinât à prêcher en faveur du mariage, au fond de lui-même, ma liaison avec Wesley le tourmentait, et il en serait toujours jaloux.

Je lavai le corps au jet et à l'aide d'une éponge, et dis à Wesley :

— Rose peut te montrer la photo. Elle sait ouvrir ma messagerie.

Avant qu'il n'ait le temps de le dissimuler, un éclair de déception brilla dans ses yeux. Je transportai les cartons contenant les os sur une paillasse éloignée. Ils seraient plus tard bouillis dans une solution très diluée d'eau de javel, ceci afin d'ôter complètement la chair et la graisse. Wesley demeura sans bouger, et attendit le regard fixé sur moi que je revienne. Je ne tenais pas à ce qu'il s'en aille, mais je ne savais plus quoi faire de lui.

— Est-ce qu'on peut parler, Kay ? dit-il enfin. Je t'ai à peine vue depuis des mois. Je sais que nous sommes très occupés tous les deux, et que le moment est mal choisi, mais...

Je l'interrompis avec émotion :

— Pas ici, Benton.

— Bien sûr. Je ne suggérais pas de discuter ici.

— De toute façon, ce sera pour dire toujours la même chose.

— Je te promets que non.

Il regarda l'heure à l'horloge sur le mur.

— Ecoute, il est déjà tard. Je pourrais rester en ville, et nous irions dîner.

J'hésitai, le cerveau tiraillé entre deux extrêmes : j'avais peur de le voir, et peur de ne pas le voir. Puis je cédai :

— D'accord. Chez moi à sept heures. Je nous préparerai quelque chose. Mais ne t'attends pas à un vrai dîner.

— Je peux t'emmener quelque part. Je ne veux pas t'embêter.

— S'il y a bien une chose dont je n'ai pas envie à cet instant, c'est d'être en public.

Son regard s'attarda sur moi pendant que j'étiquetais des tubes à essais et divers genres de récipients. Lorsqu'il sortit, l'écho de ses pas résonna vivement sur le carrelage, et je l'entendis parler à quelqu'un tandis que les portes de l'ascenseur s'ouvraient dans le couloir. Quelques secondes plus tard, Wingo entra.

Il se dirigea vers un chariot et entreprit de remettre des protège-chaussures, des gants et un masque tout en s'excusant :

— J'aurais pu revenir plus tôt, mais c'est la foire, là-haut.

Je dénouai ma blouse tandis qu'il en enfilait une propre et demandai :

— Qu'est-ce que vous voulez dire par là ?

Il enfila un masque de protection et me regarda à travers le plastique immaculé :

— Les journalistes. Dans le hall, et qui entourent le bâtiment avec leurs vans de télévision. Désolé d'avoir à vous dire ça, continua-t-il d'un ton tendu, mais maintenant, c'est Channel 8 qui vous a coincée.

Leur van est garé juste derrière votre voiture pour vous empêcher de sortir, et le véhicule est vide.

La colère me submergea comme une vague de chaleur.

— Appelez la police et faites embarquer le van, lançai-je depuis le vestiaire. Finissez ici, je vais m'occuper de cela là-haut.

Je jetai avec rage ma blouse roulée en boule dans le panier à linge, arrachai mes gants, mes protège-chaussures et ma coiffe. Je me frottai vigoureusement au savon antibactérien, et ouvris vivement mon vestiaire, soudain maladroite. J'étais bouleversée, tout cela me portait sur les nerfs, l'affaire, la presse, Wesley.

— Docteur Scarpetta ?

Wingo se tenait sur le seuil, tandis que je boutonnais mon chemisier. Le fait qu'il pénètre là pendant que je m'habillais n'avait rien d'exceptionnel, et cela ne nous dérangeait ni l'un ni l'autre, car j'étais aussi à l'aise avec lui que je l'aurais été avec une femme.

Il hésita :

— Je me demandais si vous aviez le temps... Enfin, je sais que vous êtes occupée, aujourd'hui.

Je jetai mes Reebok tachées de sang dans le placard, enfilai les chaussures que j'avais mises pour venir, puis mis ma blouse de labo. Je contins ma colère pour ne pas m'en prendre à lui :

— Cela tombe bien, j'aimerais vous parler aussi. Quand vous en aurez fini ici, venez me voir dans mon bureau.

Il n'avait pas besoin de me dire quoi que ce soit, je crois que je le savais déjà. Je pris l'ascenseur pour monter, l'humeur de plus en plus sombre, comme une tempête prête à éclater. Wesley se trouvait encore dans mon bureau, où il examinait la photo sur mon ordinateur. Je continuai mon chemin et passai sans ralentir mon allure devant mon bureau. Je cherchais Rose. Lorsque j'atteignis le bureau situé sur la façade de l'immeuble, j'y trouvai des employés qui répondaient frénétiquement à des téléphones n'arrêtant pas de sonner. Ma secrétaire et mon administrateur se tenaient face à une fenêtre donnant sur le parking.

La pluie, toujours incessante, n'avait de toute évidence pas découragé tout ce que la ville comptait de journalistes, de cameramen ou de photographes. Ils avaient l'air déchaînés, comme si le fait que tout le monde brave le déluge impliquait que cette affaire était d'une énorme importance.

Je demandai où se trouvaient Fielding et Grant, mon assistant et l'étudiant boursier de cette année.

L'administrateur, un shérif à la retraite qui adorait l'eau de Cologne et les costumes voyants, s'écarta de la fenêtre tandis que Rose continuait de regarder à l'extérieur.

— Le docteur Fielding est au tribunal, expliqua-t-il. Et le docteur Grant a dû partir parce que son appartement est inondé.

Rose se retourna avec l'attitude de quelqu'un prêt à se défendre contre l'invasion de son nid.

— J'ai mis Jess dans la salle des archives, annonça-t-elle en parlant de la réceptionniste.

— Alors, il n'y a personne devant, dis-je en regardant en direction du hall d'entrée.

— Oh pour y avoir du monde, ça, il y en a, rétorqua-t-elle d'un ton exaspéré tandis que les téléphones continuaient de retentir. Je ne voulais pas qu'il y ait quelqu'un là-bas tout seul face à ces vautours, même avec la vitre pare-balles.

— Combien y a-t-il de journalistes dans le hall ?

— La dernière fois que j'ai regardé, une quinzaine, peut-être même une vingtaine, répondit l'administrateur. J'y suis allé une fois pour leur demander de sortir. Ils ont dit qu'ils ne partiraient pas tant que vous n'auriez pas fait une déclaration. J'ai pensé que nous pourrions écrire quelque chose et...

Je l'interrompis d'un ton hargneux :

— Eh bien, si c'est une déclaration qu'ils veulent, je vais leur en faire une !

Rose me retint par le bras.

— Docteur Scarpetta, je ne suis pas sûre que ce soit une bonne idée...

Je l'interrompis, elle aussi :

— Laissez-moi faire.

Le hall d'entrée était petit, et la vitre de séparation en verre épais empêchait toute personne non autorisée de pénétrer. Lorsque je tournai le coin, je fus stupéfaite de découvrir la foule entassée dans la pièce au sol dégoûtant, plein de flaques et d'empreintes boueuses. A mon arrivée, les projecteurs s'illuminèrent, et les journalistes se mirent à hurler en me fourrant sous le nez micros et magnétophones, dans les crépitements des flashes.

— Silence, s'il vous plaît ! dis-je en haussant la voix.

— Docteur Scarpetta...

Je fixai à l'aveuglette des gens agressifs dont je ne distinguais pas les traits, et criai plus fort :

— Silence ! Je vais vous demander poliment de vous retirer.

Une voix féminine s'éleva au-dessus des autres :

— C'est de nouveau le Boucher ?

— Tout est en attente d'investigations plus poussées.

— Docteur Scarpetta !

Je reconnus avec peine Patty Denver, la journaliste de télévision dont le joli visage s'étalait sur tous les panneaux d'affichage de la ville.

— Des sources bien informées prétendent que vous considérez celle-ci comme une nouvelle victime de ces meurtres en série. Pouvez-vous le confirmer ?

Je ne répondis pas, mais à ma grande consternation, elle continua :

— Est-il exact que la victime soit asiatique, probablement prépubère, et provienne d'un camion benne de la région ? Devons-nous en conclure que le tueur se trouve peut-être maintenant en Virginie ?

— Le Boucher tue-t-il maintenant en Virginie ?

— Est-il possible qu'il se soit volontairement débarrassé des autres corps ici ?

Je levai la main pour ramener le calme.

— L'heure n'est pas aux suppositions. Je puis seulement vous dire que cette affaire est traitée comme un homicide. La victime est une femme blanche non identifiée. Elle n'est pas prépubère, mais adulte et plutôt âgée, et nous encourageons toute personne qui disposerait de renseignements susceptibles de nous aider à appeler ce bureau ou celui du shérif de Sussex County.

— Et le FBI ?

— Le FBI participe à cette enquête.

— Donc vous la traitez comme une autre victime du Boucher...

Je me retournai, entrai un code sur un clavier, et la serrure s'ouvrit avec un cliquetis. Je refermai la porte derrière moi, ignorant les récriminations, et descendis rapidement le couloir, les nerfs vibrants de tension. Lorsque je pénétrai dans mon bureau, Wesley était parti, et je m'assis à ma table. Je composai le numéro du Pager de Marino, qui me rappela immédiatement.

Je m'exclamai sans préambule :

— Ces fuites à la presse doivent cesser, bon sang !

— Nous savons foutrement bien qui est responsable, rétorqua-t-il avec irritation.

— Ring.

Je n'avais aucun doute sur la question, mais ne pouvais le prouver.

— Ce crétin était censé me retrouver à la décharge il y a bientôt une heure, continua Marino.

— Apparemment, la presse n'a eu aucun mal à le trouver, elle.

Je lui racontai ce que des « sources bien informées » avaient divulgué à une équipe de télévision.

— Quel imbécile !

— Trouvez-le et dites-lui de la boucler ! La presse nous a quasiment empêché de travailler aujourd'hui, et maintenant, la population va croire qu'il y a un serial killer qui se promène dans le coin.

— Ouais, ben, malheureusement, ça se pourrait bien, ça.

Ma colère ne faisait que grandir.

— C'est invraisemblable ! Je suis obligée de donner des informations pour corriger la désinformation. Marino, je ne peux pas tolérer que l'on me mette dans cette situation.

— Ne vous inquiétez pas, je vais m'occuper de ça, et de bien d'autres choses encore, promit-il. Je suppose que vous n'êtes pas au courant.

— Au courant de quoi ?

— La rumeur veut que Ring sorte avec Patty Denver.

Je la revis telle qu'elle m'était apparue quelques instants auparavant.

— Je croyais qu'elle était mariée.

— Elle l'est.

Je tentai ensuite de me concentrer en lisant mes notes et me mis à dicter au magnétophone les détails du cas 1930-97.

— Le corps a été réceptionné dans une poche scellée, récitai-je en rangeant des papiers tachés du sang provenant des gants de Wingo. La peau est terreuse. Les seins sont petits, atrophiés et ridés. L'abdomen porte des plis de peau suggérant une perte de poids récente...

— Docteur Scarpetta ?

Wingo venait de passer la tête à la porte de mon bureau.

— Oh, pardon, s'excusa-t-il lorsqu'il comprit ce que j'étais en train de faire. Je suppose que le moment est mal choisi.

— Entrez, dis-je avec un sourire las. Fermez la porte.

Il ferma également celle qui communiquait avec le bureau de Rose, puis tira une chaise près de mon bureau avec nervosité. Il évitait soigneusement mon regard.

— Ne dites rien, laissez-moi parler, lui dis-je d'un ton ferme mais doux. Je vous connais depuis de nombreuses années, et votre vie n'est pas un secret pour moi. Je ne porte aucun jugement, je n'étiquette personne. Pour moi, il n'existe que deux catégories de gens en ce monde : ceux qui sont bons, et ceux qui ne le sont pas. Mais je m'inquiète pour vous, parce que votre choix de vie vous fait courir des risques plus grands.

Il hocha la tête.

— Je sais, dit-il, les yeux brillants de larmes.

— Si vous êtes immunodéprimé, continuai-je, il faut me le dire. Vous ne devriez pas vous trouver à la morgue, au moins pour certains cas.

— Je suis séropositif.

Sa voix tremblait, et il se mit à pleurer.

Je le laissai un moment ainsi, le visage caché dans ses bras, comme s'il ne supportait pas qu'on puisse le voir. Les épaules secouées de sanglots, il avait le nez qui coulait, et les larmes tachaient son pyjama de protection vert. Je me levai, pris une boîte de mouchoirs en papier et m'approchai.

— Tenez, dis-je en posant la boîte à côté de lui. Ça va aller.

Je l'entourai de mon bras et le laissai pleurer.

— Wingo, je veux que vous vous repreniez, pour que nous puissions parler de cela, d'accord ?

Il hocha la tête, se moucha et s'essuya les yeux. Il enfouit un moment sa tête dans mon cou, et je l'étreignis comme un enfant, lui laissant un peu de temps. Puis je le regardai dans les yeux, et l'agrippai par les épaules.

— L'heure est venue d'être courageux, Wingo. Voyons ce que nous pouvons faire pour combattre cette chose.

Il suffoqua :

— Je ne peux pas le dire à ma famille. De toute façon, mon père me déteste, et quand ma mère essaye d'être gentille, il se déchaîne. Contre elle. Vous comprenez ?

Je rapprochai une chaise.

— Et votre ami ?

— Nous avons rompu.

— Mais il est au courant ?

— Je ne l'ai découvert qu'il y a deux semaines.

— Vous devez le lui dire, à lui, et à tous ceux avec qui vous avez eu des rapports. Ce n'est que justice. Si quelqu'un l'avait fait pour vous, vous ne seriez peut-être pas assis là à pleurer.

Il demeura silencieux, le regard fixé sur ses propres mains. Puis il prit une profonde inspiration :

— Je vais mourir, n'est-ce pas ?

— Nous allons tous mourir un jour, lui dis-je avec gentillesse.

— Pas comme ça.

— Ce pourrait être comme ça. A chaque visite médicale, je passe le test de séropositivité. Vous savez à quoi je suis exposée. Ce que vous traversez, je pourrais le traverser aussi.

Il me regarda, les joues et les yeux brûlants.

— Si j'attrape le sida, je me tuerai.

— Non, vous ne vous tuerez pas.

Il se remit à pleurer.

— Je ne le supporterai pas, docteur Scarpetta ! Je ne veux pas finir dans un de ces endroits, dans un hospice, à la Fan Free Clinic, dans un lit à côté d'autres mourants que je ne connais pas !

Les larmes roulaient sur son visage à la fois tragique et plein de défi.

— Je resterai seul, comme je l'ai toujours été.

— Ecoutez.

J'attendis qu'il se soit calmé.

— Vous ne supporterez pas cela tout seul. Je suis là.

Il fondit de nouveau en larmes et se couvrit le visage. Ses sanglots étaient si violents que j'étais sûre qu'on pouvait l'entendre depuis le couloir.

Je me levai et lui promis :

— Je prendrai soin de vous. Maintenant, je veux que vous rentriez chez vous. Je veux que vous fassiez ce que vous devez faire, et que vous préveniez vos amis. Nous en reparlerons demain, et nous verrons

74

quelle est la meilleure façon de gérer ça. J'ai besoin du nom de votre médecin, et de l'autorisation de lui parler, à elle ou lui.

— Le docteur Alan Riley, au Medical College of Virginia.

— Je le connais, dis-je avec un hochement de tête. Appelez-le demain à la première heure. Dites-lui que je vais le contacter, et qu'il peut me parler.

— D'accord.

Il me lança un regard furtif.

— Mais vous... Vous ne le direz à personne, n'est-ce pas ?

— Bien sûr que non, répliquai-je avec sincérité.

— Je veux que personne ici ne le sache. Et Marino non plus. Je ne veux pas que Marino soit au courant.

— Personne ne saura. En tout cas, pas par moi.

Il se leva lentement et se dirigea vers la porte du pas hésitant de quelqu'un qui est ivre ou hébété. La main sur la poignée de la porte, il me regarda de ses yeux rougis et demanda :

— Vous n'allez pas me licencier, n'est-ce pas ?

— Pour l'amour du ciel, Wingo, dis-je avec une émotion contenue. J'ose espérer que vous avez de moi une meilleure opinion que cela.

Il ouvrit la porte.

— J'ai de vous une meilleure opinion que de n'importe qui d'autre.

Les larmes roulèrent de nouveau sur ses joues. Il les essuya d'un revers de main sur son pyjama, révélant un ventre plat et nu.

— Depuis toujours.

Ses pas résonnèrent dans le couloir avec vivacité, comme s'il courait presque, et la porte de l'ascenseur tinta. Je l'écoutai quitter le bâtiment pour rejoindre un monde qui se fichait pas mal de lui. Je posai mon front sur mon poing, fermai les yeux et murmurai :

— Seigneur, aidez-nous.

5

La pluie tombait encore avec violence lorsque je rentrai chez moi. A cause d'un accident sur l'auto-route 64 qui condamnait des voies dans les deux sens, la circulation était épouvantable. Il y avait des camions de pompiers et des ambulances, des sauve-teurs essayaient d'ouvrir des portières ou se pres-saient avec des civières. Du verre brisé luisait sur la chaussée mouillée, et les automobilistes ralentis-saient pour regarder les blessés. Un véhicule avait fait plusieurs tonneaux avant de prendre feu. Je vis du sang sur le pare-brise d'une autre voiture, dont l'axe de direction était tordu. Je savais ce que cela signifiait, et fis une prière pour les inconnus qui s'étaient trouvés là. J'espérai ne pas les voir dans ma morgue.

Dans Carytown, je m'arrêtai chez *P. T. Hasting's*, à la façade décorée de flotteurs et de filets de pêche, et qui vendait les meilleurs fruits de mer de la ville. Lorsque j'y pénétrai, l'odeur forte et piquante du poisson et de l'océan flottait dans l'air, et sur les éta-lages recouverts de glace, les filets avaient l'air bien frais et charnus. Des homards aux pinces liées qui n'avaient rien à craindre de moi rampaient dans leur aquarium. J'étais incapable de faire bouillir quoi que ce soit de vivant, et n'aurais jamais pu toucher à un morceau de viande si on m'avait d'abord amené à ma table le bœuf ou le porc. Je ne pouvais même pas pêcher du poisson sans le remettre à l'eau.

J'étais en train de réfléchir à ce que je voulais lorsque Bev émergea de l'arrière-boutique.

Je demandai :

— Qu'est-ce que vous avez de bon, aujourd'hui ?

— Eh bien, ça alors ! s'exclama-t-elle avec chaleur, en s'essuyant les mains sur son tablier. Vous êtes à peu près la seule à avoir bravé la pluie, alors vous avez tout le choix.

— Je n'ai pas beaucoup de temps, il me faut quelque chose de léger et de facile à cuisiner.

Une ombre passa sur son visage tandis qu'elle ouvrait un bocal de raifort.

— Je crois que je sais à quoi vous avez passé votre journée, remarqua-t-elle. C'était aux informations. Vous devez être épuisée, dit-elle en hochant la tête. Je ne sais pas comment vous faites pour dormir. Je vais vous dire ce que vous allez vous préparer ce soir.

Elle se dirigea vers un étal de crabes bleus réfrigérés, et sans rien demander, choisit une livre de chair décortiquée qu'elle déposa dans une petite boîte en carton.

— Tout frais, ça vient droit de Tangier Island. Je les ai ramassés moi-même, vous me direz si vous trouvez une ombre de cartilage ou de coquille. Vous n'allez pas manger seule, n'est-ce pas ?

— Non.

— Eh bien, ça fait plaisir, dit-elle avec un clin d'œil.

J'avais déjà amené Wesley auparavant.

Elle choisit ensuite six crevettes géantes épluchées et déveinées, et les enveloppa. Puis elle posa un pot de sauce maison sur le comptoir près de la caisse.

— J'y suis allée un peu fort sur le raifort, vous aurez les yeux qui pleurent, mais c'est bon.

Elle se mit à compter les achats.

— Vous faites sauter les crevettes, mais le cul doit à peine toucher la poêle, d'accord ? Puis vous les refroidissez, et vous avez un hors-d'œuvre. A propos, la sauce et ça, c'est aux frais de la maison.

— C'est gentil, mais...

Elle me coupa d'un geste de la main.

— Pour le crabe, écoutez, ma belle. Un œuf légèrement battu, une demi-cuillerée à café de moutarde forte, une ou deux giclées de sauce Worcestershire, quatre crackers sans sel, réduits en poudre. Epluchez un oignon, un Vidalia si vous en avez gardé de cet été. Un poivron vert, découpé en morceaux. Une ou deux cuillerées de persil, du sel, du poivre pour donner du goût.

— Ça m'a l'air fabuleux, dis-je avec reconnaissance. Qu'est-ce que je ferais sans vous, Bev ?

— Ensuite, vous mélangez tout ça gentiment, et vous moulez en forme de petits pâtés, expliqua-t-elle en joignant le geste à la parole. Vous faites sauter à l'huile à feu moyen jusqu'à ce qu'ils brunissent légèrement. Et puis, vous pouvez lui préparer une salade, ou un peu de mon coleslaw. Voilà. Et pour ce qui est de dorloter un homme, je n'en ferais pas plus.

Et je n'en fis pas plus. Dès que je rentrai, je m'y attelai, et les crevettes rafraîchissaient lorsque je mis de la musique et plongeai dans un bain. J'y versai des sels aromatisés qui étaient censés réduire le stress, et fermai les yeux, laissant la vapeur chargée de senteurs apaisantes envahir mes pores et mes sinus. Je pensai à Wingo. Mon cœur se serra, je le sentis perdre son rythme comme un oiseau affolé, et je fondis en larmes un bon moment. Wingo avait commencé à travailler avec moi dans cette ville, puis il était parti continuer ses études. Aujourd'hui, il était de retour, et il allait mourir. Cela m'était insupportable.

A sept heures, je me trouvais de nouveau dans la cuisine, et la BMW grise de Wesley, toujours ponctuel, glissa lentement dans mon allée. Il portait encore le costume que je lui avais vu plus tôt dans la journée, et tenait d'une main une bouteille de chardonnay Cakebread, et de l'autre un quart de whisky irlandais Black Bush. La pluie avait enfin cessé, et les nuages s'étaient éloignés vers d'autres cieux.

— Salut, dit-il lorsque j'ouvris la porte.

Je l'embrassai.

— Ton étude de la météo était bonne.

— Ce n'est pas pour rien que j'ai un gros salaire.

— L'agent que tu as vient de ta famille, rétorquai-je.

Je souris tandis qu'il me suivait à l'intérieur.

— Je sais combien te paye le Bureau.

— Si j'étais aussi doué que toi avec l'argent, je n'aurais pas besoin de celui de ma famille.

Je passai derrière le bar qui se trouvait dans le salon. Je savais ce qu'il désirait boire, mais m'en assurai néanmoins :

— Un Black Bush ?

— Si c'est toi qui sers. Tu es une bonne dealeuse, tu as réussi à me rendre accro.

— Tant que tu l'apporteras en douce de Washington, je t'en servirai autant que tu voudras.

Je nous préparai deux whiskies avec des glaçons et une giclée d'eau de Seltz. Puis nous nous rendîmes dans la cuisine et nous installâmes confortablement à une table devant la baie vitrée qui dominait la rivière et mon jardin boisé. J'aurais aimé lui parler de Wingo et des sentiments que cela faisait naître en moi, mais je ne pouvais rompre ma promesse de confidentialité.

Wesley ôta sa veste et la suspendit sur le dossier d'une chaise.

— Je peux parler un peu de travail, pour commencer ? demanda-t-il.

— Moi aussi, j'ai à te parler travail.

— Alors, toi d'abord, dit-il en sirotant son verre, les yeux fixés sur moi.

Je lui parlai des fuites à la presse, en ajoutant :

— Ring constitue un problème qui ne fait qu'empirer.

— Si c'est bien lui l'auteur de ces fuites, et je n'en sais strictement rien. La difficulté, c'est d'en obtenir la preuve.

— Pour moi, cela ne fait aucun doute.

— Mais cela ne suffit pas, Kay. On ne peut pas écarter quelqu'un de l'enquête en se basant sur une intuition.

— Marino a entendu des rumeurs, selon lesquelles Ring a une liaison avec une journaliste locale bien connue. Elle travaille sur la chaîne qui a eu les mauvais tuyaux sur l'affaire, ceux qui laissaient entendre que la victime était asiatique.

Il ne répondit pas. Je savais qu'il pensait de nouveau à la nécessité d'avoir des preuves, et il avait raison. Alors même que je mentionnais ces détails, je savais bien qu'il ne s'agissait que d'éléments indirects.

— Ce type est très malin, dit-il enfin. Tu sais d'où il vient ?

— Je ne connais rien de lui, répliquai-je.

— Diplômé avec mention de William and Mary. Il a décroché une spécialisation en psychologie et l'autre en administration publique. Son oncle est secrétaire d'Etat à la sécurité publique, continua-t-il en accumulant les mauvaises nouvelles. Il s'agit de Harlow Dershin, qui est, par ailleurs, un type tout à fait honorable. Mais il va sans dire que ce n'est pas la situation idéale pour lancer des accusations, à moins d'être sûre de toi à cent pour cent.

Le secrétaire d'Etat à la sécurité publique de Virginie était le supérieur hiérarchique immédiat du superintendant de la police d'Etat. A l'exception du gouverneur, c'était l'homme le plus puissant de l'Etat.

— Tu es donc en train de me dire que Ring est intouchable.

— Ce que je dis, c'est que son cursus universitaire et ses origines familiales indiquent clairement qu'il a de grandes ambitions. Les types comme lui veulent devenir directeurs de la police, politiciens. Etre flic, ça ne les intéresse pas.

— Les types comme lui ne s'intéressent qu'à eux-mêmes, rétorquai-je avec impatience. Ring se fiche pas mal des victimes, ou des vivants qui se demandent ce qui est arrivé à ceux qu'ils chérissaient. Et il se fiche pas mal qu'il y ait encore d'autres victimes.

Il me rappela à l'ordre :

— Il faut des preuves. Et pour être juste, il y a des tas de gens — y compris ceux qui travaillent à la décharge — qui auraient pu laisser filtrer des informations à la presse.

Je n'avais aucun argument valable à lui opposer, mais rien ne pouvait ébranler mes soupçons. Il continua :

— La seule chose qui importe, c'est d'élucider ces affaires, et la meilleure façon d'y arriver, c'est de nous consacrer tous à notre boulot sans lui prêter attention, exactement comme le font Marino et Grigg. Nous devons suivre chaque piste, et contourner les obstacles.

Son regard presque ambré sous la lumière s'adoucit en croisant le mien.

Je repoussai ma chaise :

— Il faut mettre le couvert.

Il sortit les assiettes et ouvrit la bouteille de vin tandis que je préparais les crevettes et versais dans un saladier la sauce baptisée *Sauce cocktail de Bev à réveiller un mort*. Je coupai en deux des citrons, les enveloppai dans de la gaze, et confectionnai les pâtés de crabe. Tandis que la nuit tombait et déployait son ombre à l'est, Wesley et moi partageâmes les crevettes.

— Tout ça m'a manqué, remarqua-t-il. Tu ne veux peut-être pas l'entendre, mais c'est vrai.

Je ne relevai pas car je ne voulais pas m'engager dans un grand débat qui durerait des heures et nous laisserait tous les deux épuisés.

— Enfin, merci, dit-il en posant poliment sa fourchette dans son assiette lorsqu'il eut terminé. Docteur Scarpetta, vous m'avez manqué, remarqua-t-il avec un sourire.

— Je suis heureuse de votre présence, agent spécial Wesley.

Je lui rendis son sourire en me levant. J'allumai la cuisinière et fis chauffer de l'huile tandis qu'il débarrassait les assiettes.

— Il faut que je te dise ce que je pense de la photo que tu as reçue, continua-t-il. Nous devons d'abord établir avec certitude qu'il s'agit de la victime sur laquelle tu as travaillé aujourd'hui.

— C'est ce que je ferai lundi.

— Si nous partons du principe qu'il s'agit bien d'elle, nous avons là un changement radical dans le modus operandi du tueur.

Les pâtés de crabe jetés dans la poêle commencèrent à rissoler, et j'ajoutai :

— Sans compter tout le reste.

— Exact, dit-il en servant le coleslaw. Il s'est vraiment exhibé, cette fois-ci, et il veut nous mettre le nez dedans. Et puis, bien entendu, le type de la victime ne va pas du tout. Ça a l'air bon, ajouta-t-il en regardant ce que je faisais cuire.

Une fois que nous fûmes de nouveau installés à table, je dis avec assurance :

— Benton, ce n'est pas le même individu.

Il hésita avant de répondre :

— A la vérité, je ne le crois pas non plus. Mais je ne suis pas prêt à l'éliminer complètement de nos hypothèses. Nous ne savons pas à quoi il peut bien jouer maintenant.

La déception m'envahit de nouveau. Nous ne pouvions rien prouver, mais mon intuition, mon instinct, tout me criait que j'avais raison.

— Moi, je ne crois pas que le meurtre de cette vieille femme ait un rapport quelconque avec les affaires précédentes, ici ou en Irlande. Quelqu'un cherche à nous convaincre du contraire, et je pense que nous avons affaire à un tueur qui imite les cas précédents.

— Nous en discuterons avec tout le monde jeudi. Je crois que c'est le jour que nous avons fixé.

Il goûta un pâté au crabe.

— Qu'est-ce que c'est bon. Ouh ! s'exclama-t-il tandis que ses yeux s'emplissaient de larmes, ça c'est ce que j'appelle de la sauce.

— Il s'agit d'une mise en scène. De déguiser un crime commis pour une tout autre raison. Et je ne mérite pas beaucoup de compliments, ajoutai-je. C'est la recette de Bev.

— La photographie m'ennuie beaucoup.

— Et moi donc.

— J'en ai parlé à Lucy.

Là, il avait véritablement éveillé mon intérêt.

— Dis-moi quand tu veux qu'elle vienne, précisa-t-il en prenant son verre de vin.

— Le plus tôt sera le mieux.

Je m'interrompis, puis ajoutai :

— Comment va-t-elle ? Je sais ce qu'elle me dit, mais j'aimerais entendre ta version.

Je me rappelai que nous manquions d'eau, et me levai pour aller en chercher. Lorsque je regagnai la table, il m'observait fixement en silence. Il m'était quelquefois difficile de le dévisager, et mes émotions se bousculèrent, comme des mélodies sans aucun rapport entre elles. J'aimais son nez finement ciselé, à l'arête bien droite, son regard, capable de m'entraîner dans des profondeurs que je n'avais jamais connues, et sa bouche à la lèvre inférieure sensuelle. Je regardai par la fenêtre. L'obscurité me cachait la rivière.

— Nous parlions de Lucy, lui rappelai-je. Fais donc un rapport d'évaluation à sa tante.

— Personne ne regrette de l'avoir engagée, commenta-t-il, pince-sans-rire, alors que tout le monde savait que nous avions affaire à un génie. C'est probablement la litote du siècle. Elle est tout simplement fantastique. La plupart des agents la respectent énormément maintenant, et recherchent son aide. Je ne dis pas qu'il n'y ait pas de problèmes. Tout le monde n'apprécie pas qu'il y ait une femme au HRT.

— Je continue à m'inquiéter, parce que je sais qu'elle essaiera toujours d'aller encore plus loin.

— Elle est dans une forme physique parfaite, ça c'est sûr. Je ne me risquerais pas à l'affronter.

— C'est exactement ce que je veux dire. Elle veut se placer à leur niveau, alors que c'est impossible. Tu la connais, dis-je en le regardant de nouveau. Il faut toujours qu'elle fasse ses preuves. Quand les hommes font de la descente en rappel ou cavalent à travers la montagne avec des paquetages de trente kilos, elle croit devoir en faire autant, alors qu'elle devrait se contenter de ses capacités techniques, s'en tenir à ses robots et à tout le reste.

— Tu oublies sa motivation essentielle, son principal démon.

— C'est-à-dire ?

— Toi. Elle est persuadée que c'est à tes yeux qu'elle doit faire ses preuves, Kay.

Sa réflexion me glaça.

— Mais elle n'a aucune raison de croire cela ! Je refuse de penser que c'est à cause de moi qu'elle risque sa vie dans tous ces trucs dangereux qu'elle se croit obligée de faire.

Il se leva.

— Ce problème n'a rien à voir avec la culpabilité, mais avec la nature humaine. Lucy t'adore, tu es la seule figure maternelle convenable qu'elle ait jamais eue. Elle veut te ressembler. Elle pense que les gens la comparent à toi, ce qui n'est pas peu dire. Et elle veut également que tu l'admires, Kay.

— Mais, bon sang, évidemment, que je l'admire !

Je me levai à mon tour, et nous débarrassâmes.

— Maintenant, je suis définitivement inquiète.

Il rinça les assiettes, que je rangeai dans le lave-vaisselle.

— Et tu fais bien, rétorqua-t-il en me lançant un coup d'œil. Je vais te dire une chose : elle fait partie de ces perfectionnistes qui n'écoutent rien ni personne. A part toi, c'est l'être humain le plus obstiné que j'aie jamais rencontré.

— Merci bien.

Il sourit et m'enlaça, sans se soucier de ses mains mouillées. Son visage, son corps tout proches du mien, il demanda :

— On peut s'asseoir et parler un peu ? Après, il faut que je reprenne la route.

— Et ensuite ?

— Demain matin, je dois parler à Marino, puis demain après-midi, j'ai une autre affaire, en Arizona. Je sais que c'est dimanche, mais ça ne peut pas attendre.

Il continua de parler tandis que nous emportions nos verres dans le salon.

— Une petite fille de douze ans a été enlevée sur le chemin du retour de l'école, et le corps abandonné dans le désert de Sonora. Nous pensons que le type a déjà tué trois autres gamins.

Tandis que nous nous installions sur le canapé, j'observai amèrement :

— Difficile d'être très optimiste, n'est-ce pas ? Cela n'a jamais de fin.

— Non, et je crois qu'il n'y aura jamais de fin, tant qu'il y aura des gens sur la planète. Que vas-tu faire de ce qui reste du week-end ?

— De la paperasserie.

Une baie vitrée aux portes coulissantes occupait un pan de mur entier de mon salon. Au-delà, le voisinage était plongé dans l'obscurité. La pleine lune brillait comme de l'or, et les nuages défilaient, semblables à un ruban de gaze.

— Pourquoi es-tu si en colère contre moi ?

Il avait posé la question d'une voix douce, mais qui me laissait comprendre qu'il était blessé.

— Je ne sais pas.

Je demeurai incapable de le regarder en face.

— Tu le sais très bien.

Il prit ma main et se mit à la caresser de son pouce.

— J'adore tes mains. On dirait des mains de pianiste, mais plus fortes encore, comme si ce que tu faisais était un art.

— Mais c'est un art, dis-je simplement. Je crois que tu es fétichiste, ajoutai-je, car il parlait souvent de mes mains. Tu fais une fixation sur mes mains. En tant que profileur, je crois que tu devrais te poser des questions.

Il rit, et m'embrassa les doigts et les jointures, comme il le faisait souvent.

— Il n'y a pas que sur tes mains que je fais une fixation, tu peux me croire.

Je le regardai :

85

— Benton, je suis en colère contre toi parce que tu démolis ma vie.

Il demeura pétrifié, bouleversé.

Je me levai du canapé pour faire les cent pas.

— J'avais bâti ma vie comme je l'entendais, expliquai-je tandis que mon émotion allait crescendo. Je suis en train de construire un nouveau bureau. Oui, j'ai utilisé mon argent à bon escient, fait assez d'investissements judicieux pour pouvoir me payer tout cela, dis-je en balayant la pièce du regard. Ma maison à moi, que j'ai conçue. Pour moi, tout était bien à sa place, là où je le voulais, jusqu'à ce que tu...

— Vraiment ? intervint-il d'un ton blessé et furieux, tout en me fixant avec intensité. Tu préférais lorsque j'étais marié et que nous nous sentions tous les deux coupables ? Lorsque nous avions une liaison et que nous passions notre temps à mentir à tout le monde ?

Je m'exclamai :

— Bien sûr que non ! J'aimais simplement que ma vie m'appartienne.

— Ton problème, c'est que tu as peur de t'engager. C'est ça, le nœud de l'histoire. Combien de fois dois-je te le rappeler ? Je crois vraiment que tu devrais discuter de ça avec quelqu'un. Le docteur Zenner, peut-être. Vous êtes amies, je sais que tu lui fais confiance.

— Ce n'est pas moi qui ai besoin d'un psychiatre, rétorquai-je en regrettant mes paroles à l'instant même où je les prononçais.

Il se leva avec colère, comme s'il se préparait à partir. Il n'était même pas encore neuf heures.

— Seigneur, je suis trop vieille et trop fatiguée pour ce genre de chose, murmurai-je. Pardon, Benton, je n'aurais pas dû dire cela. S'il te plaît, assieds-toi.

Il demeura debout devant les portes coulissantes, me tournant le dos.

— Kay, je n'essaye pas de te faire du mal, tu sais. Je ne viens pas ici voir à quel point j'ai foutu ta vie en l'air. Bon Dieu, j'admire tout ce que tu fais. Tout ce que je voudrais, c'est que tu me laisses un peu plus de place dans ta vie.

— Je sais. Pardonne-moi. S'il te plaît, ne t'en va pas.

Je refoulai mes larmes et me rassis en fixant le plafond aux poutres apparentes. Les coups de truelle étaient visibles sur le plâtre. Il n'y avait pas un détail de cette maison que je n'avais mis au point. Je fermai un moment les yeux, et les larmes roulèrent sur mes joues. Je ne m'essuyai pas le visage. Wesley, qui savait quand demeurer silencieux et ne pas me toucher, s'assit doucement à côté de moi.

Ma voix tremblait lorsque je lui dis :

— Je suis une femme d'une quarantaine d'années à la vie bien réglée. Je n'y peux rien. Tout ce que j'ai, c'est ce que j'ai construit. Je n'ai pas d'enfants. Je ne supporte pas mon unique sœur, et elle me le rend bien. Durant toute mon enfance, je n'ai connu mon père que couché et agonisant, puis il est mort lorsque j'avais douze ans. Ma mère est insupportable, et elle est en train de mourir d'emphysème. Je ne peux pas être ce que tu voudrais, c'est-à-dire une bonne épouse. Bon Dieu, je ne sais même pas ce que cela signifie ! La seule chose que je sache bien être, c'est Kay, et ce n'est pas aller chez un foutu psychiatre qui va y changer quoi que ce soit.

— Et moi, je suis amoureux de toi et je veux t'épouser, et je ne peux rien y faire non plus.

Je ne répondis pas.

— Et je croyais que tu étais amoureuse de moi, ajouta-t-il.

Je demeurai toujours incapable de répondre.

— Du moins, tu l'étais, continua-t-il d'une voix que la douleur submergeait. Je m'en vais.

Il voulut se relever, mais je posai la main sur son bras.

— Pas comme ça, dis-je en le regardant. Ne me fais pas ça.

— C'est moi qui te fais ça, à toi ? répéta-t-il, incrédule.

Je baissai la lumière jusqu'à ce que nous soyons plongés dans une obscurité quasi totale. La lune se détachait comme une pièce de monnaie brillante sur un ciel noir limpide parsemé d'étoiles. Je ramenai du vin, et allumai le feu, tandis qu'il m'observait avec attention.

— Assieds-toi près de moi, lui dis-je.

Il obéit, et cette fois-ci, ce fut moi qui lui pris les mains.

— Patience, Benton. Ne me presse pas, s'il te plaît. Je ne suis pas comme Connie. Je ne suis pas comme les autres.

— Mais je ne te demande pas d'être comme les autres, je n'y tiens pas du tout. Moi non plus, je ne suis pas comme les autres. Nous savons tous deux ce dont nous sommes témoins tous les jours. Les autres ne pourraient pas comprendre. Je n'ai jamais pu raconter ce que je faisais à Connie, mais toi, je peux t'en parler.

Il m'embrassa légèrement, puis nos baisers se firent plus profonds. Les visages, les langues se mêlèrent, nous nous pressâmes de nous dévêtir, de faire ce que nous faisions autrefois le mieux. Ses mains, sa bouche me serrèrent contre lui, et nous demeurâmes sur le canapé jusqu'à l'aube, jusqu'à ce que la lumière de la lune pâlisse et refroidisse. Lorsqu'il reprit sa voiture pour rentrer, je fis les cent pas dans ma maison, un verre de vin à la main, traversant toutes les pièces, où la musique se déversait de tous les haut-parleurs. Je finis par atterrir dans mon bureau, où je m'attardai, l'esprit en pleine confusion.

J'entrepris de feuilleter des revues scientifiques, de déchirer les articles qui avaient besoin d'être archivés, puis me mis à travailler sur un papier que je devais rédiger. Mais tout cela ne me disait rien, et je décidai de consulter ma messagerie électronique pour voir si Lucy m'avait laissé un message pour me prévenir de son arrivée à Richmond. Le serveur m'annonça que j'avais du courrier, mais lorsque j'ouvris la boîte aux lettres, j'éprouvai la sensation qu'on venait de me frapper. L'en-tête : *mordoc*, m'attendait, comme l'eût fait la missive d'un inconnu diabolique.

Son message était rédigé en minuscules, et à l'exception des espaces, ne comportait pas de ponctuation. Il disait : *tu te crois si intelligente*. J'ouvris le dossier joint, et une fois encore, vis des images en couleurs s'afficher progressivement sur mon écran, des pieds et des mains tranchés alignés sur une table recouverte de ce qui paraissait être le même tissu bleuté. Je fixai un moment la photo, me demandant pourquoi cet individu m'infligeait cela à moi. J'espérai qu'il venait à l'instant de commettre une erreur monumentale, et attrapai le téléphone.

— Marino ! m'exclamai-je lorsque celui-ci décrocha.

— Hein ? Qu'est-ce qui se passe ? grommela-t-il en se réveillant.

Je lui racontai.

— Merde. Il est trois heures du matin. Vous dormez jamais ?

Il avait l'air ravi, et je le soupçonnais de penser que je ne l'aurais pas appelé si Wesley avait été encore là.

— Ça va ? me demanda-t-il alors.

— Ecoutez, Marino, les paumes sont tournées vers le haut. La photo a été prise de près, et je vois beaucoup de détails.

— Quel genre ? Un tatouage, un truc comme ça ?

— Le détail des crêtes de la main, lui dis-je.

Le responsable du département des empreintes digitales, Neils Vander, était un homme âgé aux cheveux fins qui portait des blouses de labo très amples perpétuellement constellées des taches pourpres et noires de ninhydrine et de poudre à empreintes. Toujours pressé, avenant, il descendait d'une vieille famille distinguée de Virginie. Bien que nous nous connaissions depuis de nombreuses années, jamais Vander ne m'avait appelée par mon prénom, ou ne m'avait fait de réflexion personnelle. Mais il montrait son affection à sa manière. De temps en temps, je trouvais un beignet le matin sur mon bureau, ou bien en été, des tomates de son jardin.

Connu pour son œil d'aigle, capable de faire correspondre boucles et verticilles au premier regard, il était également notre expert résident en matière d'agrandissements d'images. Il avait d'ailleurs été formé par la NASA. Au fil des ans, nous avions tous deux matérialisé une multitude de visages à partir de magmas de photos floues. Nous avions fait apparaître des inscriptions invisibles, déchiffré des empreintes, rétabli des choses effacées. Le concept était très simple, même si l'exécution ne l'était pas.

Un système de traitement d'images à haute définition était capable de distinguer deux cent cinquante-six nuances de gris, tandis que l'œil humain n'en perçoit au maximum que trente-deux. Il était donc possible de scanner un document, puis de laisser l'ordinateur voir à notre place. *Mordoc* m'avait peut-être envoyé plus qu'il ne le pensait. Le lundi matin, notre première tâche consista à comparer une photographie du torse prise à la morgue avec celle qui m'avait été envoyée par AOL.

— Je vais mettre un peu plus de gris par là, dit Vander installé au clavier de l'ordinateur. Et je vais l'incliner davantage.

— Ce sera mieux, acquiesçai-je.

Nous étions assis côte à côte, penchés tous les deux sur l'écran de quarante-huit centimètres. Non loin de là, les deux photos étaient posées sur le scanner, et une caméra vidéo nous les retransmettait en temps réel.

— Un petit plus de ce truc.

Une autre nuance de gris balaya l'écran.

— Je vais accentuer ça encore un poil.

Il se pencha sûr le scanner et repositionna une des photos, puis fixa un autre filtre sur l'objectif de la caméra.

Je fixai l'écran :

— Je ne sais pas, j'ai l'impression qu'on voyait mieux avant. Vous devriez peut-être la déplacer un peu plus sur la droite, suggérai-je comme si nous étions en train d'accrocher des tableaux au mur.

— Oui, c'est mieux. Mais il y a encore beaucoup d'interférences en arrière-plan, dont je voudrais me débarrasser.

— Si seulement nous avions l'original. Quel est le degré de résolution radiométrique de ce truc ? demandai-je en faisant référence à la capacité de différenciation des gris du système.

— Bien meilleur qu'avant. Je crois que nous avons doublé le nombre de pixels digitalisés, par rapport aux débuts de la technique.

Comme les points d'une matrice, les pixels sont les plus petits éléments d'une image, les molécules, les points de couleur impressionnistes formant un tableau.

— On nous a attribué des bourses, vous savez. Un de ces jours, j'aimerais que nous nous attaquions aux ultraviolets. Je ne vous dis pas ce que je pourrais faire avec de la colle cyano-acrylique, continua-t-il. Il faisait allusion à la Super Glu, qui réagit aux composants de la sueur humaine, et se révèle parfaite pour développer des empreintes difficiles à distinguer à l'œil nu.

Je lui souhaitai bonne chance, car l'argent est toujours rare, quelles que soient les équipes politiques en place.

Il repositionna la photo, puis plaça un filtre bleu sur l'objectif de la caméra, et dilata les pixels les plus clairs, éclaircissant ainsi l'image. Il agrandit les détails horizontaux, et fit disparaître les verticaux. Les deux torses étaient maintenant côte à côte. Des ombres étaient apparues, les détails macabres étaient plus visibles et contrastés.

Je désignai un point de l'écran :

— On voit les extrémités osseuses. La jambe gauche a été sectionnée à proximité immédiate du petit trochantin. La jambe droite, continuai-je en déplaçant le doigt, environ deux centimètres et demi plus bas, juste à travers la diaphyse.

Il marmonna en s'adressant à lui-même, ce qui lui arrivait souvent :

— Si seulement je pouvais corriger l'angle de vue, la distorsion de la perspective. Mais je ne dispose d'aucune mesure. Dommage que celui qui a pris ça n'ait pas fourni une jolie petite règle comme échelle.

— Si c'était le cas, je me ferais vraiment du souci sur le responsable de tout ceci, commentai-je.

— Il ne nous manquerait plus que ça. Un tueur qui serait comme nous.

Il améliora la définition des bords, puis réajusta encore une fois la position des deux photos.

— Voyons ce qui se passe si je les superpose.

Ce qu'il fit, avec un résultat étonnant : les extrémités osseuses, et même la chair déchiquetée autour du cou étaient identiques.

Je décrétai :

— Eh bien, je suis convaincue.

— Aucun doute pour moi non plus, acquiesça-t-il. On va imprimer ça.

Il cliqua, et l'imprimante laser se mit à ronronner.

Puis il ôta les photos du scanner, et les remplaça par celle des pieds et des mains, la disposant de sorte qu'elle soit parfaitement centrée. Il entama l'agrandissement des images, et cette vision devint encore plus grotesque. Le sang rouge vif se détachait sur le drap comme s'il venait à peine de se répandre ; le tueur avait proprement aligné les pieds comme une paire de chaussures, et les mains comme des gants.

— Il aurait dû les poser paumes à plat, remarqua Vander. Je me demande pourquoi il ne l'a pas fait ?

Utilisant un filtre spatial pour retenir les éléments les plus importants, il entreprit d'éliminer les interférences, telles que le sang et la texture du dessus de table bleu.

Je me penchai si près que je perçus l'odeur épicée de son after-shave, et demandai :

— Vous pouvez distinguer les détails des crêtes ?

— Je crois que oui.

Sa voix se remplit soudain d'allégresse, car il n'aimait rien tant que de déchiffrer les hiéroglyphes des empreintes de pieds et de doigts. Derrière son attitude affable et distraite se trouvait un homme qui avait envoyé des milliers de gens en prison, et des douzaines d'autres à la chaise électrique. Il agrandit la photo, et assigna arbitrairement des couleurs aux diverses nuances de gris, pour que nous les distinguions plus facilement. Les pouces étaient petits, leur peau aussi pâle qu'un vieux parchemin, et il y avait des crêtes.

Fixant l'image, comme en transe, il ajouta :

— Ça ne marchera pas avec les autres doigts, ils sont trop repliés pour que je puisse les voir. Mais les pouces m'ont l'air sacrément bons. Gardons cela.

Il cliqua dans un menu, et sauvegarda l'image sur le disque dur.

— Je vais pouvoir travailler là-dessus un moment.

C'était sa façon de me faire comprendre qu'il était temps que je le laisse, et je repoussai ma chaise.

— Si je trouve quelque chose, je le passerai tout de suite dans l'AFIS, dit-il en faisant allusion au système automatique d'identification des empreintes, capable de comparer des empreintes latentes inconnues avec une banque de données qui en contenait des millions.

— Ce serait fabuleux, dis-je. Moi, je vais commencer par consulter HALT.

Il me lança un regard curieux. Le HALT était un système d'évaluation et de recherches d'indices en matière criminelle, une base de données propre à la Virginie, dont la maintenance était assurée par la police d'État, en conjonction avec le FBI. Lorsque l'on pensait avoir affaire à un cas local, c'était par là que l'on commençait.

— Même si nous avons des raisons de penser que l'origine des autres affaires ne se trouve pas ici, je crois que nous devrions consulter tout ce que nous pouvons, y compris les bases de données de Virginie.

Vander continuait de procéder à des ajustements en fixant son écran.

— Tant que je ne suis pas obligé de remplir des formulaires... répliqua-t-il.

Dans le couloir, boîtes et cartons blancs marqués INDICES s'empilaient toujours davantage le long des murs et jusqu'au plafond. Des chercheurs passèrent d'un pas pressé, l'air préoccupé, les mains pleines de dossiers et d'échantillons susceptibles d'envoyer quelqu'un répondre de meurtre devant un tribunal. Nous nous saluâmes sans ralentir l'allure tandis que je me dirigeais vers le laboratoire d'examen des fibres et des traces. La grande salle était silencieuse. D'autres chercheurs en blouse blanche y étaient penchés sur des microscopes et travaillaient à leurs bureaux. De mystérieux paquets enveloppés de papier brun étaient posés sur des paillasses noires disposées au hasard.

Aaron Koss se tenait devant une lampe à ultraviolets répandant une lueur rouge cramoisi, et examinait une lame à travers une lentille grossissante pour voir ce que pouvait lui révéler la réflexion des ondes longues.

— Bonjour.

— Vous de même, répliqua-t-il avec un sourire.

Brun et séduisant, il paraissait trop jeune pour être un expert en fibres microscopiques, en résidus, peintures et explosifs. Il portait un jean délavé et des chaussures de tennis.

— Pas de séance au tribunal aujourd'hui, remarquai-je, car c'est le genre de chose que l'on peut aisément déduire de la façon dont les gens sont habillés.

— Non, heureusement. Je parie que vous venez vous renseigner à propos de vos fibres, ajouta-t-il.

J'étais célèbre pour mes rondes dans tous les laboratoires d'analyse d'indices. Les chercheurs supportaient en général avec patience mon empressement, et m'en étaient en fin de compte reconnaissants. Je savais que je les mettais sous pression alors qu'ils croulaient déjà sous les dossiers, mais lorsqu'on assassine et démembre des gens, l'examen des indices doit se faire sur-le-champ.

Il continua avec un sourire :

— Comme ça, vous m'avez accordé un répit pour notre plastiqueur de tuyaux.

— Vous n'avez donc rien trouvé là-dessus, en déduisis-je.

— Ils ont eu une autre explosion hier soir. Sur le tronçon nord de l'autoroute 195, près de Laburnum, juste sous le nez de la brigade d'intervention. Vous vous rendez compte ?

— Espérons que le responsable continuera à se contenter de faire sauter des panneaux de signalisation.

— Espérons-le.

Il s'écarta de la lampe à ultraviolets, l'air très sérieux, cette fois-ci.

— Concernant ce que vous m'avez apporté, voici ce que j'ai trouvé. Des fibres provenant de restes de tissu incrustées dans l'os. Des cheveux ou des poils et une trace adhérant au sang.

Je n'avais pas donné les cheveux longs et grisonnants à Ross, car ce n'était pas sa spécialité. Aussi demandai-je, perplexe :

— Ses cheveux à elle ?

— Ce que j'ai vu au microscope ne m'avait pas l'air humain, répliqua-t-il. Il y avait peut-être deux sortes d'animaux. Je les ai envoyés à Roanoke.

L'Etat ne disposait que d'un expert en cheveux et poils, et il travaillait au laboratoire de médecine légale du district ouest.

— Et la trace ?

— A mon avis, il doit s'agir de débris provenant de la décharge. Mais je veux la passer au microscope à balayage électronique. Pour l'instant, ce que j'ai aux ultraviolets, ce sont des fibres, continua-t-il. Je dirais plutôt des fragments, d'ailleurs, que j'ai passés aux ultrasons dans un bain d'eau distillée pour enlever le sang. Vous voulez jeter un œil ?

Il s'écarta pour me laisser la place de regarder à

travers la lentille. Je perçus l'odeur de son eau de toilette, Obsession, et ne pus m'empêcher de sourire. Je me souvins qu'à son âge, il me restait encore, comme à lui, l'énergie de prendre soin de moi.

Trois filaments montés sous la lentille répandaient une lueur fluorescente semblable à des néons. Le tissu était blanc, ou approchant, et l'un d'eux était parsemé d'éclats dorés irisés.

Je le regardai :

— Bon sang, qu'est-ce que c'est ?

— Au réfractomètre, on dirait du synthétique. Les diamètres sont réguliers, sans variation, comme ils le seraient s'ils étaient extrudés avec des filières, et non irréguliers et naturels, comme dans le cas du coton, par exemple.

— Et les éclats fluorescents ? demandai-je sans cesser de regarder.

— Ça, c'est la partie intéressante. Je dois procéder à des examens complémentaires, mais à première vue, on dirait de la peinture.

Je demeurai silencieuse, réfléchissant à ce qu'il venait de dire, puis demandai :

— Quel genre de peinture ?

— Eh bien, elle n'est pas fine ou mate comme la peinture automobile, mais plus granuleuse, grumeleuse. Elle est de couleur pâle, coquille d'œuf. Je crois qu'elle est structurale.

— Ce sont les seuls fragments et fibres que vous ayez regardés ?

— Je viens juste de commencer.

Il se dirigea vers un autre comptoir et tira un tabouret.

— Je les ai tous regardés aux ultraviolets, et je dirais qu'environ cinquante pour cent d'entre eux comportent cette substance qui ressemble à de la peinture infiltrée dans le matériau. Bien que je ne puisse établir de façon formelle la nature de l'étoffe je sais néanmoins que tous les échantillons que vous m'avez soumis sont du même type, et proviennent probablement de la même source.

Il monta une lame sur un microscope à polarisation qui, à l'instar des lunettes Ray-Ban, atténue l'éclat de la lumière, la scindant en ondes dotées de différents indices de réfraction. Ceci devait nous permettre d'obtenir d'autres indices sur la nature du matériau.

Il fit le point tout en regardant sans ciller à travers la lentille.

— Bien. Voici le plus gros fragment récupéré, de la taille d'une pièce de dix cents, avec deux faces.

Il s'écarta, et je contemplai des fibres qui ressemblaient à des cheveux blonds mouchetés de rose et vert le long de la hampe.

Koss expliqua :

— C'est tout à fait compatible avec du polyester. Les mouchetures sont des délustrants utilisés dans la fabrication pour que le matériau ne soit pas brillant. Je crois qu'il y a également un peu de rayonne dedans. Si l'on se fie à tous ces éléments, j'en aurais conclu qu'il s'agit d'une étoffe extrêmement banale qui peut servir à faire n'importe quoi, depuis des chemisiers jusqu'à des dessus de lits. Mais il y a un gros problème.

Il ouvrit une bouteille d'un solvant utilisé pour les montages temporaires, puis, armé de pinces fines, retira la lame du dessus et retourna soigneusement le fragment. Il fit couler quelques gouttes de xylène, puis recouvrit la lame et me fit signe de me pencher.

Il demanda, très fier de lui :

— Que voyez-vous ?

— Quelque chose de gris et de compact. Il ne s'agit pas du même matériau, sur l'autre face.

Je lui lançai un regard surpris :

— Ce tissu est doublé ?

— Par une sorte de thermoplastique. Probablement du polyéthylène téréphtalate.

— Utilisé dans quel domaine ?

— Essentiellement la fabrication de bouteilles de soda, les films plastique d'emballage.

Je le regardai, déconcertée. Je ne voyais pas le rapport que ces produits pouvaient avoir avec notre affaire.

— Et quoi d'autre encore ? demandai-je.

Il réfléchit.

— Différentes sortes d'armatures. Et une partie de ces matériaux, comme les bouteilles, peut être recyclée, et servir ensuite à fabriquer des fibres de tapis, des éléments de charpente en plastique, des fibres isolantes, à peu près n'importe quoi.

— Mais pas d'étoffes destinées aux vêtements ?

Il secoua la tête, et affirma avec assurance :

— Impossible. Le tissu en question est un mélange de polyester plutôt banal et rudimentaire, doublé d'un matériau de type plastique. Cela ne ressemble à aucun vêtement que je connaisse, et de plus, il est saturé de peinture.

— Merci, Aaron. Voilà qui change tout.

Lorsque je regagnai mon bureau, je fus désagréablement surprise de trouver Percy Ring assis devant ma table, en train de feuilleter un calepin.

Il m'annonça d'un ton innocent :

— Comme je devais venir à Richmond pour une interview avec Channel 12, je me suis dit, autant en profiter pour passer vous voir. Ils voudraient également vous interviewer, ajouta-t-il avec un sourire.

Je ne répondis rien, mais mon silence remplit la pièce lorsque je m'installai dans mon fauteuil.

Il continua, de son ton naturel et affable :

— Je ne pensais pas que vous accepteriez, et c'est ce que je leur ai dit.

— Alors, racontez-moi ce que vous leur avez dit, cette fois-ci ? demandai-je d'un ton qui n'était guère agréable.

— Pardon ?

Son sourire s'évanouit et son regard se durcit.

— Que voulez-vous dire par là ?

— C'est vous l'enquêteur. Devinez, rétorquai-je avec un regard tout aussi sévère.

Il haussa les épaules.

— J'ai fait les déclarations habituelles. Les informations de base sur le cas, et les concordances avec les autres affaires.

— Enquêteur Ring, laissez-moi encore une fois vous expliquer clairement la situation, dis-je sans même tenter de dissimuler mon mépris. Ce cas ne ressemble pas nécessairement aux autres, et nous ne devrions pas en discuter avec les médias.

— Eh bien, il semble que vous et moi n'ayons pas la même approche du problème, docteur Scarpetta.

Il avait l'air très crédible et séduisant, dans son costume sombre, avec ses bretelles et sa cravate de cachemire. Je ne pus m'empêcher de repenser à ce que Wesley m'avait raconté des ambitions et des relations de Ring, et l'idée que cet imbécile égocentrique puisse un jour diriger la police de l'Etat ou être élu au Congrès me fut insupportable.

— Je crois que la population a le droit de savoir s'il y a un psychopathe parmi elle, continuait-il.

— Et c'est ce que vous avez déclaré à la télévision, dis-je avec une irritation croissante. Qu'il y avait parmi nous un psychopathe.

— Je ne me souviens pas de mes paroles exactes. Mais la raison véritable pour laquelle je suis passé vous voir, c'est pour savoir quand j'aurai le rapport d'autopsie.

— Il n'est pas encore terminé.

— J'en ai besoin le plus vite possible.

Il me regarda droit dans les yeux et ajouta :

— L'attorney du Commonwealth veut savoir ce qui se passe.

Je n'en crus pas mes oreilles. Il ne pouvait être en relation avec l'attorney que s'il y avait un suspect.

— Que voulez-vous dire ?

— Je m'intéresse de très près à Keith Pleasants.

Je demeurai incrédule, et il continua :

— Il existe tout un faisceau de concordances, dont la moindre n'est pas le fait que c'est lui qui manœuvrait la pelleteuse au moment où le torse a été découvert. D'habitude, il ne pilote pas ce genre d'engins, vous savez, et comme par hasard, il s'est trouvé au volant à ce moment précis ?

— A mon avis, cela fait de lui une victime plutôt qu'un suspect. Si c'était le tueur, continuai-je, on pourrait s'attendre qu'il préfère se trouver à des kilomètres de la décharge où le corps a été retrouvé.

Il assura comme s'il était expert en la matière :

— Les psychopathes aiment se trouver sur les lieux. Ils fantasment en se demandant ce qu'ils ressentiraient s'ils étaient présents au moment où la victime sera découverte. Ça les excite, comme ce chauffeur d'ambulance qui assassinait des femmes, puis les abandonnait dans le coin où il travaillait. Il appelait la police lorsqu'il prenait son service. Comme cela, il était sûr d'être appelé sur les lieux.

Il avait sans aucun doute assisté à des cours sur le profilage, en plus de son diplôme de psychologie. Il savait tout sur le sujet.

Il lissa sa cravate, et continua :

— Keith vit avec sa mère, et je crois qu'il ne l'aime pas. Elle l'a eu sur le tard, elle a une soixantaine d'années, et il s'occupe d'elle.

— Alors, sa mère est bien vivante, et n'a pas disparu.

— Exact. Mais ça ne veut pas dire qu'il n'a pas reporté son agressivité sur une autre pauvre vieille. En plus, vous n'allez pas le croire, mais pendant qu'il était au lycée, il a travaillé au rayon boucherie d'une épicerie. Il était assistant du boucher.

Je le laissai parler, sans mentionner que je ne pensais pas qu'une scie à viande ait été utilisée dans ce cas précis. Il continua à élaborer son invraisemblable hypothèse :

— Il n'a jamais été très sociable, ce qui correspond de nouveau au profil. Et la rumeur parmi les autres ouvriers de la décharge veut qu'il soit homosexuel.

— Et cette rumeur se base sur quoi ?

— Sur le fait qu'il ne sort jamais avec des femmes, et qu'il ne paraît même pas intéressé quand les autres font des remarques ou des plaisanteries. Vous savez comment c'est, avec des durs comme ça.

— Décrivez-moi sa maison, demandai-je en pensant aux photos que j'avais reçues par e-mail.

— Un étage, trois chambres, cuisine, salon. Petite bourgeoisie sur le déclin, pas loin de la pauvreté. Peut-être que du temps où son vieux était vivant, ils étaient plutôt à l'aise.

— Qu'est-il arrivé au père ?

— Il est parti avant la naissance de Keith.

— Des frères ou des sœurs ?

— Adultes depuis longtemps. Je suppose qu'il n'était pas vraiment prévu. Je soupçonne que M. Pleasants n'est pas le père, ce qui explique pourquoi il n'était déjà plus là quand Keith est arrivé.

— Et sur quoi basez-vous vos soupçons ? demandai-je avec agacement.

— Mes tripes.

— Je vois.

— Ils vivent dans un endroit isolé, des terres cultivées, à environ quinze kilomètres de la décharge. Ils ont un jardin assez grand, un garage à l'écart.

Il croisa les jambes et fit une pause, comme si ce qui allait suivre était important.

— Il y a beaucoup d'outils, et un grand établi. Keith dit qu'il est bricoleur, et qu'il utilise le garage quand il y a des choses à réparer à la maison. J'ai vu une scie à métaux suspendue à un panneau alvéolé, et une machette qu'il prétend utiliser pour couper du ku-dzu et des mauvaises herbes.

Il retira sa veste, et la plia soigneusement sur ses genoux tout en continuant de décortiquer la vie de Keith Pleasants.

Je l'interrompis pour remarquer :

— Vous avez eu accès à de nombreux endroits sans mandat, dites-moi.

Il répliqua sans se déconcerter :

— Il s'est montré coopératif. Parlons maintenant de ce qu'il a dans le crâne, dit-il en tapotant le sien. D'abord, il est intelligent, très, il y a des livres, des revues, des journaux partout, chez lui. Et écoutez-moi ça : il a enregistré sur cassette vidéo des reportages sur l'affaire, il a découpé des articles.

— Comme la plupart des gens qui travaillent à la décharge, lui rappelai-je.

Mais rien de ce que je pouvais dire n'intéressait Ring.

— Il lit plein de trucs en rapport avec le crime. *Le Silence des agneaux, Dragon rouge.* Tom Clancy, Ann Rule...

Incapable de me contenir, je l'interrompis de nouveau :

— Vous me décrivez là les lectures caractéristiques d'un Américain. Je ne puis vous conseiller sur la façon de mener votre enquête, mais permettez-moi de vous convaincre de vous fier aux indices...

— C'est le cas, répondit-il du tac au tac. C'est exactement ce que je fais.

— Vous faites exactement le contraire. Vous ne connaissez même pas la nature des indices. Vous n'avez pas reçu un seul rapport de mon bureau ou des laboratoires. Vous n'avez pas reçu de profil du FBI. Avez-vous même parlé à Marino ou Grigg ?

— Nous nous ratons sans arrêt.

Il se leva, remit sa veste, et dit comme s'il s'agissait d'un ordre :

— Il me faut ces rapports. L'attorney du Commonwealth va vous contacter. A propos, comment va Lucy ?

Mon regard surpris et furieux lui montra que je ne tenais pas à ce qu'il sache quoi que ce soit de ma nièce, même pas son nom. Je répondis d'un ton glacial :

— Je ne savais pas que vous vous connaissiez.

— J'ai suivi un de ses cours, il y a environ deux mois. Elle parlait de CAIN.

Je m'emparai d'une liasse de certificats de décès dans la corbeille d'arrivée du courrier, et entrepris de les parapher.

— Après, elle nous a emmenés à l'HRT pour nous

faire une démonstration avec les robots, ajouta-t-il depuis le seuil de la porte. Elle sort avec quelqu'un ?

Je n'avais rien à lui répondre.

— Je veux dire, je sais qu'elle vit avec un autre agent. Une femme. Mais elles sont juste camarades de chambre, hein ?

Le sous-entendu était clair. Je me figeai en levant les yeux sur lui tandis qu'il s'éloignait en sifflotant. Furieuse, je ramassai un tas de paperasse, et me levais de mon siège lorsque Rose pénétra dans mon bureau.

— Celui-là, il peut laisser ses chaussures sous mon lit quand il veut, déclara-t-elle dans le sillage de Ring.

Je ne pus en supporter davantage :

— Je vous en prie ! Rose, je vous prenais pour une femme intelligente.

— Je crois que vous avez besoin d'une bonne tasse de thé bien chaud, rétorqua-t-elle.

Je soupirai.

— Peut-être.

Elle continua, sur un ton très professionnel :

— Mais nous devons d'abord régler un autre point. Vous connaissez quelqu'un du nom de Keith Pleasants ?

Mon esprit refusa un instant de fonctionner.

— Pourquoi ?

— Il est dans le hall. Très énervé, il refuse de partir sans vous voir. J'ai failli appeler la sécurité, mais je me suis dit que je ferais mieux de vérifier d'abord...

L'expression qui se peignit sur mon visage l'interrompit net.

Je m'exclamai avec consternation :

— Seigneur ! Ring et lui se sont vus ?

— Je n'en ai pas la moindre idée, dit-elle perplexe. Quelque chose ne va pas ?

Je soupirai et reposai les papiers sur mon bureau.

— Rien ne va.

— Alors, vous voulez que j'appelle la sécurité ou non ?

— Non, répondis-je en passant devant elle avec précipitation.

D'un pas vif et assuré, je suivis le couloir vers le devant du bâtiment, puis tournai dans un hall qui n'avait jamais été accueillant, malgré tous mes efforts. Aucun joli meuble ou gravure sur les murs ne pouvait faire oublier les terribles réalités qui amenaient les gens jusqu'ici. Comme Keith Pleasants, ils s'asseyaient raidement sur le canapé tapissé de bleu qui se voulait discret et reposant, et en état de choc, fixaient le vide, ou bien pleuraient.

Lorsque j'ouvris la porte, il bondit, les yeux rougis, et se jeta presque sur moi sans que je sache si c'était la rage ou la panique qui l'habitait. L'espace d'une seconde, je crus qu'il allait m'agripper ou me lancer un coup de poing, mais il laissa retomber ses mains avec maladresse de chaque côté de son corps en me foudroyant du regard, et la colère qui assombrissait son visage déborda.

— Vous n'avez pas le droit de dire des choses comme ça sur moi ! éclata-t-il, les poings serrés. Vous ne me connaissez pas ! Vous ne savez rien de moi !

— Doucement, Keith, dis-je d'un ton calme mais autoritaire.

Je lui fis signe de se rasseoir, et tirai un siège pour lui faire face. Il tremblait et respirait avec difficulté, son regard blessé débordant de larmes de colère.

— Vous m'avez rencontré une fois, dit-il en pointant le doigt sur moi. Une putain de fois, et vous vous mettez à raconter des trucs, continua-t-il d'une voix chancelante. Je vais perdre mon boulot.

Il porta son poing à sa bouche et détourna les yeux en tentant de reprendre son sang-froid.

— Pour commencer, je n'ai pas dit un mot vous concernant, à qui que ce soit.

Il me jeta un coup d'œil.

— Je n'ai aucune idée de ce dont vous parlez, continuai-je en le regardant droit dans les yeux, d'un ton assuré et calme qui le fit hésiter. Je voudrais bien que vous m'expliquiez ce qui se passe.

— Vous n'avez pas parlé de moi à l'enquêteur Ring ?

Je contins ma fureur.

— Non.

— Il est venu chez moi ce matin, quand ma mère dormait encore, dit-il d'une voix tremblante. Il a commencé à me cuisiner comme si j'étais un assassin. Il a dit que vous aviez trouvé des résultats qui me désignaient, moi, et que je ferais mieux d'avouer tout de suite.

— Des résultats ? Quels résultats ? demandai-je avec un dégoût grandissant.

— Des fibres qui d'après vous venaient de trucs que je portais le jour où on s'est rencontrés. Vous avez dit que ma taille correspondait à ce que vous croyez être celle de la personne qui a découpé le corps. Que vous pouviez déduire de la pression appliquée par la scie que ça devait être quelqu'un de ma force. Il a dit que vous demandiez des tas de trucs qui m'appartenaient pour pouvoir faire tous ces examens. Les trucs d'ADN. Que vous aviez pensé que j'étais bizarre quand je vous avais conduit sur le site de la décharge...

Je l'interrompis :

— Bon sang, Keith, je n'ai jamais entendu autant de conneries de ma vie ! Si je faisais ne serait-ce qu'une seule de ces remarques, je serais virée pour incompétence.

Pleasants bondit de nouveau, le regard flamboyant :

— Et l'autre truc, c'est qu'il a parlé à tous les gens avec qui je travaille ! Ils se demandent tous si je ne suis pas un maniaque de la hache, je vois bien comment ils me regardent !

Il fondit en larmes. Les portes s'ouvrirent pour laisser passage à plusieurs policiers de la route, qui ne prêtèrent aucune attention à nous. Après avoir sonné, on les fit entrer et prendre le chemin de la morgue, où Fielding travaillait sur un décès survenu sur la voie publique. Pleasants était trop bouleversé pour que je puisse discuter davantage avec lui, et j'étais tellement en colère contre Ring que je ne savais pas quoi ajouter.

— Vous avez un avocat ? lui demandai-je.

Il secoua la tête.

— Je crois que vous devriez en engager un.

— Je n'en connais pas.

— Je peux vous donner quelques noms.

A cet instant, Wingo ouvrit la porte, et fut surpris à la vue de Pleasants en larmes sur le canapé.

— Heu... Docteur Scarpetta ? Le docteur Fielding voudrait savoir s'il peut y aller et donner les effets personnels aux pompes funèbres.

Je me rapprochai de Wingo, car je ne voulais pas que Pleasants soit encore plus bouleversé par ce qui se déroulait ici.

— Les policiers sont en route, dis-je à voix basse. Si eux ne veulent pas des effets personnels, alors d'accord. Donnez les contre-reçus aux pompes funèbres.

Wingo regardait fixement Pleasants, comme s'il l'avait déjà vu quelque part.

— Ecoutez, donnez-lui les numéros de Jameson et Higgins, lui dis-je.

Il s'agissait de deux excellents avocats de Richmond, que je considérais comme des amis.

— Ensuite, veillez à ce que M. Pleasants s'en aille.

Wingo le regardait toujours fixement, cloué sur place.

— Wingo ?

Je lui jetai un regard interrogateur, car il ne paraissait pas m'avoir entendue.

— Oui, m'dame, acquiesça-t-il enfin en me jetant un coup d'œil.

Je le laissai, et me dirigeai vers le sous-sol. Je devais m'entretenir avec Wesley, mais avant tout, il me fallait mettre la main sur Marino. Dans l'ascenseur, je me demandai si je ne ferais pas mieux d'appeler l'attorney du Commonwealth, et la mettre en garde contre Ring. Tout en retournant tout cela dans mon esprit, je ne pouvais m'empêcher de plaindre Pleasants, et de craindre pour lui, car aussi tiré par les cheveux que cela puisse paraître, je savais qu'il pouvait se retrouver inculpé de meurtre.

A l'intérieur de la morgue, Fielding et les policiers regardaient le piéton sur la table numéro un. Mais aucune des plaisanteries habituelles ne fusaient, car la victime était la petite fille de neuf ans d'un conseiller municipal. Elle se rendait à l'arrêt du bus, tôt ce matin-là, lorsqu'une voiture était montée sur le trottoir à toute vitesse. A en juger par l'absence de traces de dérapage, le chauffard avait heurté la petite fille par-derrière et n'avait même pas ralenti.

— Comment ça va ?

L'air grave, un des policiers me répondit :

— Celle-là, c'est une affaire drôlement pénible.

— Le père est en train de péter les plombs, me dit Fielding alors qu'il examinait le corps encore habillé à la loupe, pour recueillir des traces.

— De la peinture ? demandai-je, car un éclat pouvait permettre d'identifier la marque et le modèle d'une voiture.

— Pas pour l'instant.

Mon assistant était d'humeur massacrante. Il détestait travailler sur des enfants.

Je scrutai les jeans déchirés et ensanglantés, et une marque de calandre partielle imprimée dans l'étoffe à hauteur des fesses. Le pare-chocs avant avait fauché l'arrière des genoux, et la tête avait heurté le pare-brise. Le cœur lourd, je ressentis des picotements à la vue du repas de midi, des livres, des cahiers et des crayons que l'on avait retirés du petit sac à dos rouge que portait l'enfant.

Je remarquai :

— L'empreinte de la calandre paraît assez haute.

— C'est ce que je me disais aussi, répondit un autre policier. Comme si on avait affaire à une camionnette, ou à un véhicule de loisirs genre 4 × 4 ou Mobilhome. Une Jeep Cherokee noire qui roulait à vive allure a été remarquée dans le coin à peu près à l'heure où s'est produit l'accident.

— Son père appelle toutes les demi-heures, dit Fielding en levant les yeux sur moi. Il pense que ce n'était pas seulement un accident.

— Et que veut-il dire par là ?

— Que c'est politique. Qu'il s'agirait d'un homicide, conclut-il en reprenant son travail de collecte des débris.

— Seigneur, prions pour que ce ne soit pas le cas. C'est déjà bien assez difficile comme cela, dis-je en m'écartant.

Dans un coin éloigné de la morgue, sur un comptoir d'acier, se trouvait un réchaud électrique portatif, qui nous servait à éliminer la chair et la graisse des os. Le procédé était particulièrement déplaisant. La grande marmite bruyante en acier, l'odeur, tout était épouvantable, et je réservais en général cette activité aux nuits et aux week-ends, quand nous étions le moins susceptibles de recevoir des visiteurs.

La veille, j'avais laissé à bouillir toute la nuit les extrémités osseuses du torse. Il ne leur avait pas fallu longtemps pour blanchir, et j'éteignis le réchaud. Je versai dans un bac l'eau nauséabonde et fumante, et attendis que les os soient suffisamment refroidis pour pouvoir les toucher. Mesurant environ trois centimètres de long, ils étaient blancs et propres, et les traces de scie et de coupe étaient bien visibles. J'examinai minutieusement chaque segment, et un sentiment d'incrédulité mêlé de malaise m'envahit. J'étais incapable de distinguer les marques laissées par le tueur de celles que j'avais faites, moi.

J'appelai Fielding.

— Jack, vous pouvez venir par ici une minute ?

Il s'interrompit dans sa tâche et vint me retrouver.

— Que se passe-t-il ?

Je lui tendis un des os.

— Pouvez-vous me dire quelle est l'extrémité qui a été découpée avec la scie Stryker ?

Il le retourna dans tous les sens, le regarda sous tous les angles, d'un bout à l'autre, les sourcils froncés.

— Vous avez fait une marque ? demanda-t-il.

— Pour reconnaître le gauche et le droit, oui, mais c'est tout. J'aurais dû en faire d'autres. Mais d'habitude, il est tellement facile de reconnaître de quelle extrémité il s'agit que ce n'est pas nécessaire.

— Je ne suis pas expert en la matière, mais si je n'étais pas sûr du contraire, je dirais que toutes ces coupes ont été faites avec la même scie.

Il me rendit l'os, que je scellai dans une pochette à indices.

— Vous devez les apporter à Canter, n'est-ce pas ?

— Oui, et il ne va pas être content de moi, répondis-je.

6

Ma maison de pierre s'élevait à la lisière de Windsor Farms, un vieux quartier de Richmond doté de rues aux noms anglais, et d'imposantes demeures de style géorgien et Tudor que d'aucuns auraient baptisées manoirs. Je passai devant des fenêtres éclairées, et distinguai, derrière les vitres, des lustres et de beaux meubles, des gens qui vaquaient à leurs occupations ou regardaient la télévision. Dans cette ville, personne ne semblait jamais fermer ses rideaux, sauf moi. Les feuilles commençaient à tomber, le ciel était couvert et il faisait frais. Lorsque je m'engageai dans l'allée qui menait chez moi, la cheminée fumait, et je découvris la vieille Suburban verte de ma nièce garée devant la maison.

Je fermai la porte, puis appelai :

— Lucy ?

— Je suis là, répondit-elle de l'autre côté de la maison où elle s'installait toujours.

Tandis que je me dirigeais vers mon bureau pour y déposer ma serviette et la pile de dossiers que j'avais emportés pour travailler ce soir-là, elle émergea de sa chambre tout en enfilant un sweat-shirt orange vif de l'Université de Virginie.

— Salut.

Elle m'étreignit avec un sourire, et je sentis à quel point elle était musclée.

Je la tins à bout de bras, et l'examinai attentivement, comme je le faisais toujours.

— Oh, oh, dit-elle d'un ton taquin. C'est l'heure de l'inspection.

Elle leva les bras et pivota sur elle-même, comme si on voulait la fouiller.

— Petite maligne, va.

A dire la vérité, j'aurais préféré qu'elle prenne un peu de poids, mais elle était véritablement jolie et saine, avec des cheveux auburn coupés court mais légèrement coiffés. Même après toutes ces années, je ne pouvais la regarder sans revoir une petite fille de dix ans précoce et odieuse, qui n'avait personne d'autre que moi.

— C'est bon, l'examen est réussi, lui dis-je.

— Désolée d'être aussi en retard.

Elle avait appelé plus tôt dans la journée pour prévenir qu'elle ne pourrait pas être là avant le dîner, et je lui demandai :

— Redis-moi ce que tu faisais ?

— Un attorney général adjoint a décidé de nous rendre une visite impromptue avec toute une escorte. Bien entendu, ils voulaient que l'HRT leur fasse tout un cirque.

Nous nous dirigeâmes vers la cuisine.

— J'ai fait parader Toto et Tin Man, ajouta-t-elle en faisant référence à des robots. J'ai utilisé la fibre optique, la réalité virtuelle, les trucs habituels, mais c'était génial. On les a parachutés depuis un hélicoptère, et je leur ai fait ouvrir des portes métalliques au laser.

— Pas de cascades avec les hélicoptères, j'espère.

— Non, ce sont les gars qui ont fait ça. Moi, j'ai fait mon truc depuis le sol.

Ce qui la contrariait, de toute évidence.

Le problème était que Lucy mourait d'envie de faire des cascades en hélicoptère. Elle était la seule femme parmi les cinquante agents du HRT, et avait tendance à le prendre mal lorsqu'ils l'empêchaient d'exécuter des choses dangereuses qui, de toute façon, n'étaient pas de son ressort, à mon avis. Mais bien entendu, je n'étais pas la mieux placée pour en juger.

— Moi, ça me va très bien que tu t'en tiennes aux robots. Ça sent bon, remarquai-je alors que nous étions maintenant dans la cuisine. Qu'as-tu préparé à manger à ta pauvre vieille tante fatiguée ?

— Des épinards frais sautés avec un peu d'ail et d'huile d'olive, et des filets que je vais jeter sur le barbecue. Moi, c'est le seul jour de la semaine où je mange du bœuf, tant pis pour toi si ce n'est pas le cas. J'ai même apporté une bouteille d'un très bon vin que Janet et moi avons découvert.

— Et depuis quand les agents du FBI peuvent-ils se payer du bon vin ?

— Hé, je ne me débrouille pas si mal, protesta-t-elle. Et puis, je suis trop occupée pour pouvoir dépenser mon argent.

En tout cas, ce n'était pas en vêtements qu'elle le gaspillait. Quelles que soient les circonstances où je la voyais, elle portait un treillis kaki ou un survêtement. De temps en temps, elle arborait des jeans et un blouson ou une veste quelconques, et se moquait de moi quand je lui proposais des vêtements que je ne mettais plus. Elle refusait d'enfiler mes tailleurs stricts et mes chemisiers à col montant, et très franchement, ma silhouette était plus rebondie que son corps athlétique et ferme. Probablement rien de ce que contenait mon placard ne lui allait.

La lune était énorme et basse, sur un ciel nuageux et sombre. Nous enfilâmes des gilets et nous installâmes sur la terrasse avec nos verres de vin. Elle avait mis à cuire des pommes de terre, aussi avions-nous un peu de temps pour discuter avant qu'elles soient cuites. Au fil des années, notre relation avait perdu son côté mère-fille pour évoluer dans un sens amical et professionnel. La transition n'était pas facile, car elle m'apprenait souvent beaucoup de choses, et travaillait même sur certains de mes cas. Je me sentais bizarrement perdue, plus très sûre de mon rôle et de mon pouvoir sur sa vie.

— Wesley veut que je remonte la piste sur AOL, dit-elle. Et Sussex County tient décidément à l'aide de la CASKU.

— Tu connais Percy Ring ? demandai-je en repensant, furieuse, à ce qu'il avait dit dans mon bureau.

— Il a suivi un de mes cours. Insupportable, impossible de le faire taire. Un vrai paon, ajouta-t-elle en prenant la bouteille de vin.

Elle remplit nos verres, puis soulevant le couvercle du grill, piqua les pommes de terre avec une fourchette.

— Je crois que c'est prêt, annonça-t-elle, ravie.

Quelques instants plus tard, elle sortit de la maison avec les filets, qui grésillèrent lorsqu'elle les disposa sur le barbecue.

— Il s'est débrouillé pour savoir que tu étais ma tante, je ne sais pas comment, reprit-elle en parlant de Ring. Remarque, ce n'est pas un secret, et il m'a posé des questions une fois après le cours. Du genre, est-ce que tu me donnais des cours particuliers, est-ce que tu m'aidais sur mes affaires, comme si j'étais incapable de faire mon boulot toute seule, tu vois ? Je crois juste qu'il s'en prend à moi parce que je viens de devenir agent, et que je suis une femme.

— C'est peut-être le plus mauvais calcul qu'il ait fait de sa vie.

— Et il voulait savoir si j'étais mariée.

112

L'éclairage de la véranda illuminait un côté de son visage, mais ses yeux demeuraient dans l'ombre.

— Je m'inquiète de ce qu'il cherche vraiment, commentai-je.

Elle me jeta un coup d'œil en continuant de préparer la cuisine.

— Rien de bien original.

Elle écarta le sujet d'un haussement d'épaules, car elle vivait entourée d'hommes, et ne prêtait attention ni à leurs regards, ni à leurs remarques.

— Lucy, il a fait une allusion à ton sujet dans mon bureau, aujourd'hui. Une allusion à peine voilée.

— A quoi ?

— Ta situation. Ta camarade de chambre.

Quelles que soient la fréquence ou les précautions avec lesquelles nous abordions le sujet, ces conversations la rendaient toujours mécontente et impatiente.

Le grésillement du barbecue parut se répercuter dans sa voix.

— Vrai ou pas, quel que soit le cas, il y aurait toujours des rumeurs, simplement parce que je suis agent. C'est grotesque. Je connais des femmes mariées avec des enfants, et les types croient qu'elles sont toutes gays, elles aussi, simplement parce qu'elles sont flics, agents, policiers, ou du service secret. Il y a même des gens qui le pensent de toi. Pour la même raison. A cause de ta situation, de ton pouvoir.

— Il ne s'agit pas de t'accuser, lui rappelai-je avec douceur. Il s'agit de savoir si quelqu'un pourrait te faire du tort. Ring est très habile, les gens croient ce qu'il dit. Je suppose qu'il t'en veut parce que tu fais partie du FBI, de l'HRT, et pas lui.

— Je crois qu'il l'a déjà prouvé, remarqua-t-elle d'une voix dure.

— J'espère simplement que ce crétin ne viendra pas te demander de sortir avec lui.

— Oh, mais c'est déjà fait. Au moins une douzaine de fois.

Elle s'assit et ajouta :

— Tu te rends compte, il a même invité Janet. C'est ce que j'appelle ne rien comprendre, dit-elle en riant.

— Le problème, c'est que je crois qu'il ne comprend que trop bien, rétorquai-je d'un ton sinistre. On dirait qu'il monte un dossier contre toi, qu'il rassemble des preuves.

— Eh bien, grand bien lui fasse, dit-elle en mettant un terme abrupt à notre discussion. Raconte-moi ce qui s'est passé d'autre aujourd'hui.

Je lui décrivis ce que j'avais appris dans les différents labos. Nous discutâmes des fibres enfouies dans les os et de l'analyse qu'en avait tirée Koss, tout en rapatriant à l'intérieur les steaks et le vin. Nous nous assîmes à la table de la cuisine à la lueur d'une bougie, digérant des informations que peu de gens serviraient en accompagnement d'un repas.

Lucy souligna :

— Un rideau de motel pouilleux pourrait avoir ce type de doublure.

— Ça ou un genre de bâche, à cause de la substance proche de la peinture. Les épinards sont délicieux, remarquai-je. Où les as-tu achetés ?

— Chez Ukrops. Je donnerais cher pour avoir un magasin comme ça dans mon coin. Donc, cette personne a enveloppé la victime dans une bâche puis l'a démembrée sans la découvrir ? demanda-t-elle tout en découpant sa viande.

— En tout cas, c'est à ça que ça ressemble.

Elle croisa mon regard.

— Qu'en dit Wesley ?

— Je n'ai pas encore eu l'occasion de lui en parler.

Ce n'était pas tout à fait vrai. Je ne l'avais même pas appelé.

Lucy demeura un moment silencieuse, puis se leva et apporta sur la table une bouteille d'Evian.

— Pendant combien de temps penses-tu continuer à l'éviter ?

Je fis comme si je n'avais rien entendu, dans l'espoir qu'elle n'insisterait pas, mais elle continua :

— Tu sais bien que c'est exactement ce que tu fais. Tu as peur.

— Nous ne devrions pas aborder ce sujet, surtout alors que nous passons une soirée aussi agréable.

Elle reprit son verre de vin.

— A propos, il est très bon. J'aime le pinot noir parce qu'il est léger, plus léger que le merlot. Je ne suis pas d'humeur à boire un vin trop lourd, ce soir. Tu as fais un très bon choix.

Elle saisit l'allusion, et embrocha un morceau de steak d'un bon coup de fourchette.

Je continuai :

— Raconte-moi ce que devient Janet. Toujours dans la délinquance en col blanc à Washington ? Ou bien passe-t-elle plus de temps à l'ERF ces temps-ci ?

Lucy contempla la lune par la fenêtre en faisant doucement tournoyer le vin dans son verre.

— Il faudrait que je m'attaque à ton ordinateur.

Elle disparut dans mon bureau tandis que je débarrassais. Je ne la dérangeai pas pendant un bon moment. Et j'avais pour cela au moins une bonne raison : je savais qu'elle était fâchée contre moi. Elle attendait de ma part une franchise totale et je n'avais jamais été très bonne dans ce domaine, avec qui que ce soit. Je me sentais coupable, comme si j'avais trahi tous ceux que j'aimais. Je restai assise devant la paillasse de la cuisine, à discuter au téléphone avec Marino, puis j'appelai ma mère, ce que je n'avais pas fait depuis longtemps. Je préparai un pot de café décaféiné, et transportai deux tasses dans le hall.

Ses lunettes sur le nez, un léger froncement ridant son jeune front lisse, Lucy s'affairait sur mon clavier, en pleine concentration. Je posai son café et regardai par-dessus sa tête ce qu'elle était en train de taper. Je n'y compris rien, mais je n'y comprenais jamais rien de toute façon.

— Ça marche ? demandai-je.

Je distinguai le reflet de mon visage sur l'écran, tandis qu'elle enfonçait de nouveau la touche *Entrée*, pour exécuter une nouvelle commande UNIX.

— Bien et pas bien, répliqua-t-elle avec un soupir impatient. Le problème avec les applications comme AOL, c'est qu'on ne peut pas remonter la trace des fichiers, à moins de rentrer dans le langage de programmation originel. C'est là que je suis maintenant. Et ça peut se comparer à la recherche de miettes de pain dans un univers qui a plus de couches qu'un oignon.

Je tirai une chaise et m'assis près d'elle.

— Lucy, comment quelqu'un m'a-t-il envoyé ces photos ? Tu peux me l'expliquer, étape par étape ?

Elle s'interrompit, ôta ses lunettes et les posa sur le bureau. Puis elle se frotta le visage de ses mains, et se massa les tempes comme si elle avait la migraine.

Elle demanda :

— Tu as du Tylenol ?

— Pas avec de l'alcool.

Je sortis à la place d'un tiroir un flacon de Motrin.

— Pour commencer, dit-elle en avalant deux comprimés, le procédé n'aurait pas été aussi facile si ton nom de code n'avait pas été le même que ton vrai nom : KSCARPETTA.

— Mais je l'ai fait *exprès*, pour que mes collègues puissent facilement m'envoyer du courrier, expliquai-je une fois encore.

— Le résultat, c'est que tout le monde peut facilement t'envoyer du courrier.

Elle me lança un regard accusateur :

— Tu as déjà reçu des messages bizarres ?

— Je crois que ceci dépasse largement le stade du message bizarre.

— Réponds à ma question.

— Quelques trucs, mais rien d'inquiétant.

Je demeurai silencieuse, puis précisai :

— En général, après qu'une grosse affaire ou un procès sensationnel eut reçu beaucoup de publicité.

— Tu devrais modifier ton nom d'utilisateur.

— Non, je ne peux pas pour l'instant. Mordoc peut vouloir m'envoyer quelque chose d'autre.

— Génial, dit-elle en remettant ses lunettes. Tu tiens à devenir copine avec lui, maintenant.

La migraine me gagnait, moi aussi, et je rétorquai calmement :

— S'il te plaît, Lucy. Nous avons toutes les deux un boulot à faire.

Elle ne dit rien, puis s'excusa :

— Je suppose que je te surprotège exactement de la même façon que tu me surprotégeais.

— Et que je continue à le faire, ajoutai-je en lui tapotant le genou. D'accord, alors il a trouvé mon nom d'utilisateur dans le fichier des abonnés d'AOL, c'est ça ?

Elle acquiesça d'un hochement de tête.

— Parle-moi de ce qu'il y a dans ton dossier AOL.

— Rien d'autre que mon titre professionnel, mon numéro de téléphone et mon adresse au bureau. Je n'y ai jamais entré de détails personnels, du genre statut marital, date de naissance, loisirs, etc. Je ne suis quand même pas aussi bête.

— Tu as consulté son dossier ? Celui de mordoc ?

— Très franchement, il ne m'est jamais venu à l'esprit qu'il puisse en avoir un.

Déprimée, je repensai aux marques de scie que je ne pouvais plus distinguer les unes des autres, et sentis que j'avais commis encore une erreur ce jour-là.

— Oh, mais si, dit Lucy en se remettant à pianoter sur le clavier. Il veut que tu saches qui il est, c'est pour cela qu'il l'a écrit.

Elle pénétra dans l'annuaire des abonnés, et lorsqu'elle ouvrit le dossier de mordoc, je ne pus en croire mes yeux, à la lecture de mots clés qui pouvaient servir à n'importe qui pour trouver d'autres utilisateurs à qui ils pouvaient s'appliquer.

Attorney, autopsie, avocat, cadavre, Cornell, démembrement, expert, femme, FBI, Georgetown, Italien, Johns Hopkins, judiciaire, médecin, médecin expert général, médecine légale, médical, mort, pathologiste, plongée sous-marine, tueur, Virginie.

Et la liste continuait, une liste d'informations professionnelles et personnelles, de mes hobbies, tout me décrivait.

— C'est comme si mordoc disait qu'il est toi, remarqua Lucy.

Abasourdie, je me sentis soudain devenir glacée.

— C'est délirant.

Lucy repoussa sa chaise et me regarda.

— Il a ton dossier. Sur le Web, dans le cyberespace, tu es la même personne avec deux noms d'utilisateurs différents.

— Nous ne sommes pas la même personne ! Tu ne peux pas dire cela, m'exclamai-je, bouleversée.

— Les photos sont les tiennes, et tu te les es envoyées à toi-même. C'était facile, tu les as juste scannées dans ton ordinateur. Ce n'est pas un problème : tu trouves dans le commerce des scanners portables pour quatre ou cinq cents dollars. Tu joins le fichier au message *dix*, que tu expédies à KSCARPETTA, c'est-à-dire à toi-même, en d'autres termes...

Je lui coupai la parole :

— Bon sang, ça suffit, Lucy.

Elle demeura impassible et muette.

— C'est monstrueux, je ne peux pas croire que tu dises une chose pareille !

Je me levai, écœurée. Elle répliqua :

— Si tes empreintes se trouvaient sur l'arme du crime, tu préférerais que je ne te le dise pas ?

— Mes empreintes ne sont nulle part.

— Tante Kay, je te fais simplement comprendre que quelqu'un te traque, se fait passer pour toi sur l'Internet. Evidemment, que tu n'as rien fait. Mais ce que j'essaye de te faire rentrer dans le crâne, c'est qu'à chaque fois que quelqu'un procède à une recherche par sujet, parce qu'il a besoin de l'aide d'un expert comme toi, il va aussi trouver le nom de *mordoc*.

— Mais comment a-t-il pu obtenir toutes ces

informations sur moi ? Elles ne sont pas dans mon dossier. Il n'y a rien là-dedans concernant la faculté de droit ou de médecine où j'ai fait mes études, ou mon ascendance italienne.

— Il a peut-être trouvé ça dans des documents écrits sur toi ces dernières années.

— Je suppose, acquiesçai-je avec l'impression que je couvais quelque chose. Tu veux un dernier verre ? Je suis très fatiguée.

Mais elle était repartie dans l'espace obscur de l'environnement UNIX, avec ses étranges symboles et ses commandes comme *cat*, : q ! et *vi*.

— Tante Kay, quel est ton mot de passe sur AOL ?

— Celui que j'emploie pour tout, avouai-je en sachant qu'elle allait de nouveau m'en vouloir.

Elle leva les yeux sur moi.

— Merde. Ne me dis pas que tu utilises toujours *Sinbad*.

Je protestai :

— Jamais rien de ce qui a été écrit sur moi ne mentionnait le nom du foutu chat de ma mère.

Je l'observai tandis qu'elle tapait *mot de passe*, puis entrait *Sinbad*.

— Tu fais le vieillissement du mot de passe ? demanda-t-elle comme si tout un chacun savait ce que cela signifiait.

— Je ne sais absolument pas de quoi tu parles.

— La procédure qui consiste à modifier ton mot de passe au moins une fois par mois.

— Non.

— Qui d'autre connaît ton mot de passe ?

— Rose. Et maintenant, toi, bien entendu. Mordoc n'a aucun moyen de le savoir.

— Il y a toujours un moyen. Il peut utiliser un programme de décryptage UNIX qui chiffre tous les mots du dictionnaire. Puis comparer chaque mot à ton mot de passe...

— Non, cela n'a pas pu être aussi compliqué, assurai-je avec conviction. Je parie que la personne qui a fait ça ne connaît rien à UNIX.

Lucy referma le menu sur lequel elle se trouvait et fit pivoter sa chaise pour me regarder avec curiosité.

— Pourquoi dis-tu cela ?

— Parce qu'il aurait d'abord lavé le corps pour qu'aucun indice n'adhère au sang, et qu'il ne nous aurait pas offert une photo des mains de la victime, car nous pouvons maintenant déterminer ses empreintes. Il n'est pas si malin que ça, conclus-je adossée au chambranle de la porte, soutenant ma tête douloureuse.

Elle se leva.

— Il pense peut-être que ses empreintes n'auront jamais aucune importance. A propos, ajouta-t-elle en passant devant moi, n'importe quel manuel informatique te dira qu'il est idiot de choisir pour mot de passe le nom de ton bien-aimé ou celui de ton chat.

— Sinbad n'est pas mon chat. Je ne voudrais pour rien au monde d'un foutu Siamois qui me regarde toujours avec des yeux de merlan frit et qui me suit à la trace dès que je mets les pieds chez ma mère.

Elle me lança du bout du couloir :

— Tu l'aimes bien quand même, sinon, tu n'aurais pas voulu penser à lui à chaque fois que tu branches ton ordinateur.

— Je ne l'aime pas du tout, insistai-je.

Le lendemain matin, l'air était frais et piquant comme une pomme d'automne. Les étoiles avaient disparu, et la circulation se composait essentiellement de routiers effectuant des trajets de longue distance. Je m'engageai sur la 64 Est, juste derrière le champ de foire, et quelques minutes plus tard, remontai lentement les allées du parking courte durée de l'aéroport international de Richmond. Je choisis de me garer dans l'allée S, dont je me souviendrais facilement, ce qui me fit repenser à mon mot de passe et à mes autres négligences évidentes nées de la surcharge de travail.

Je sortais mon sac du coffre lorsque j'entendis des pas derrière moi, et me retournai instantanément.

— Ne tirez pas ! dit Marino en levant les mains.

Il faisait assez froid et je distinguai le nuage de vapeur qui matérialisait son haleine.

— Je préférerais que vous siffliez ou que vous préveniez d'une manière ou d'une autre, quand vous arrivez comme ça derrière moi dans le noir, dis-je en claquant le coffre.

— Ah, d'accord, parce que les méchants ne sifflent pas ? Il n'y a que les gentils comme moi qui font ça, remarqua-t-il en soulevant ma valise.

— Vous voulez que je prenne ça aussi ? ajouta-t-il en attrapant la mallette noire rigide Pelican que j'emmenais aujourd'hui à Memphis, comme je l'avais déjà souvent fait. Elle contenait des os et des vertèbres humains, des indices qui ne devaient pas me quitter. Je la lui repris, ainsi que ma valise.

— Non, ceci reste menotté à mon poignet. Désolée de vous embêter comme cela, Marino. Vous êtes certain qu'il faut que vous m'accompagniez ?

Nous avions déjà discuté plusieurs fois de cela, et je ne le pensais pas. Je n'en voyais pas l'utilité.

Il rétorqua :

— Je vous ai déjà dit qu'il y a un tordu qui veut s'amuser avec vous. Wesley, Lucy, moi, et tout ce putain de Bureau, on pense que je dois venir. D'abord, parce que vous avez effectué ce même voyage pour chaque cas de cette affaire ; il est donc devenu parfaitement prévisible. Et le fait que vous utilisiez les services de ce type de l'Université du Tennessee, on a pu le lire dans les journaux.

Les parkings illuminés étaient pleins, et je ne pus m'empêcher de remarquer les gens qui passaient en roulant lentement, cherchant une place qui ne soit pas à des kilomètres du terminal. Je me demandai ce que *mordoc* savait d'autre à mon sujet, et regrettai de n'avoir pas mis un vêtement plus chaud que mon trench-coat. J'avais froid, et j'avais oublié mes gants.

Marino ajouta :

— Et en plus, je ne suis jamais allé à Graceland.

Je crus d'abord qu'il plaisantait.

— C'est sur ma liste, continua-t-il.

— Quelle liste ?

— Celle que j'ai depuis que je suis enfant. L'Alaska, Las Vegas, et le Grand Ole Opry, précisa-t-il comme si cette pensée le remplissait de joie. Vous n'avez pas ça, vous, un endroit où vous iriez en priorité si vous pouviez faire ce que vous voulez ?

Nous avions atteint le terminal, et il me tint la porte. Je répondis :

— Si. Mon lit, chez moi.

Je me dirigeai vers le comptoir de Delta Airlines, récupérai nos billets puis montai. A cette heure matinale, rien n'était ouvert à l'exception des services de sécurité. Lorsque je plaçai ma mallette sur le tapis aux rayons X, je sus immédiatement ce qui allait se passer.

— M'dame, vous allez devoir ouvrir ça, m'intima la garde.

Je déverrouillai la serrure puis fis claquer les fermoirs. Nichés à l'intérieur, dans de la mousse, reposaient les sacs en plastique étiquetés contenant les os. La garde écarquilla les yeux, et j'expliquai patiemment :

— J'ai déjà franchi ces portiques avec ce genre de chose.

Elle tendit la main vers l'un des sacs.

Je l'avertis :

— Ne touchez à rien. Ce sont des pièces à conviction dans une affaire de meurtre.

Il y avait maintenant derrière moi de nombreux voyageurs, qui ne perdaient pas un mot de ce que je disais.

— Mais je dois examiner ça.

— Non, vous ne pouvez pas.

Je sortis ma plaque en cuivre de médecin légiste et la lui montrai.

— Si vous touchez à quoi que ce soit, je serai obligée de vous inclure dans la chaîne de témoignages lorsque cette affaire sera portée devant les tribunaux. Vous serez citée à comparaître.

L'explication lui suffit amplement, et elle me laissa passer.

— Bête comme ses pieds, marmonna Marino lorsque nous continuâmes.

— Elle ne fait que son travail, répliquai-je.

— Ecoutez, on ne reprend l'avion que demain matin, ce qui veut dire qu'à moins que vous ne passiez la journée à reluquer des foutus ossements, on a un peu de temps devant nous.

— Vous pouvez aller à Graceland tout seul. J'ai beaucoup de travail à faire dans ma chambre. Et je suis également installée en non-fumeur, ajoutai-je en choisissant un siège à la porte d'embarquement. Ce qui signifie que si vous voulez fumer, vous devez aller là-bas, dis-je en pointant le doigt.

Il passa en revue la foule des passagers qui attendait d'embarquer, comme nous, puis me regarda.

— Vous savez quoi, Doc ? Le problème, c'est que vous détestez vous amuser.

Je sortis le quotidien du matin de ma serviette et le dépliai. Il s'assit à côté de moi.

— Je parie que vous n'avez même jamais écouté Elvis.

— Et comment pourrais-je faire une chose pareille ? On l'entend partout, à la radio, à la télévision, dans les ascenseurs.

— C'est le King.

Je scrutai Marino par-dessus mon journal.

— Sa voix, tout ! Il n'y a jamais eu personne d'autre comme lui, continua-t-il comme s'il avait le béguin. J'veux dire, c'est comme la musique classique et ces peintres que vous aimez tellement. Je crois que des gens comme ça, il y en a que tous les deux siècles.

— Ah bon, maintenant, vous comparez Elvis à Mozart et Monet.

Je tournai la page. La politique locale et les affaires m'ennuyaient.

Il se leva en rouspétant :

— Quelquefois, vous êtes rien qu'une foutue snob. Et puis, peut-être que pour une fois dans votre vie, vous pourriez envisager d'aller où moi j'ai envie ? Vous êtes jamais venue me voir jouer au bowling ? jeta-t-il en me foudroyant du regard et en sortant ses cigarettes. Vous avez jamais dit quelque chose de sympa sur mon camion ? Vous êtes jamais venue pêcher avec moi ? Dîner chez moi ? Non, c'est moi qui dois aller chez vous parce que vous vivez dans les beaux quartiers.

— Si vous me faites la cuisine, je viendrai, rétorquai-je en continuant ma lecture.

Il s'éloigna en fulminant, et je sentis les regards posés sur nous. Les gens devaient penser que Marino et moi étions ensemble, et ne nous entendions plus depuis des années. Je tournai une autre page et souris intérieurement.

Non seulement j'irais à Graceland avec Marino, mais en plus, j'avais l'intention de lui payer un barbecue.

Apparemment, les seuls vols directs au départ de Richmond allaient à Charlotte, et nulle part ailleurs, aussi fûmes-nous d'abord dirigés sur Cincinnati, où nous changeâmes d'avion. Nous atteignîmes Memphis vers midi, et nous rendîmes au Peabody Hotel, où j'avais pris un tarif réservé au personnel des services publics de soixante-treize dollars la nuit. Marino demeura ébahi, bouche bée devant le gigantesque hall de verre coloré et la fontaine où barbotaient des canards sauvages.

— Nom de Dieu ! J'ai jamais vu une taule comme ça, avec des canards vivants. Il y en a partout.

Nous pénétrâmes dans le restaurant, baptisé fort opportunément *Le Col-vert*, et qui exposait dans des vitrines toutes sortes d'objets d'art en rapport avec les canards. Les murs étaient ornés de tableaux représentant des canards, et ces mêmes animaux étaient brodés sur les vestes et les cravates du personnel.

— Ils ont un palais pour canards sur le toit, et ils déroulent un tapis rouge deux fois par jour, quand les canards arrivent et repartent, sur un air entraînant.

— Je vous crois pas.

J'informai l'hôtesse que nous désirions une table pour deux, en « non-fumeurs », précisai-je.

Le restaurant était rempli d'hommes et de femmes arborant de gros badges à leurs noms. Il s'agissait d'une convention d'agents immobiliers qui se déroulait dans l'hôtel. Nous étions assis tellement à l'étroit que je pouvais lire les rapports qu'ils parcouraient et entendre leurs affaires en détail. Je commandai une assiette de fruits frais et un café, et Marino son éternel hamburger grillé.

— Bleu, demanda-t-il au serveur.

— Saignant, rectifiai-je en lui jetant un regard sévère.

Il haussa les épaules.

— D'accord, d'accord.

— Escherischia Coli entérohémorragique, lui dis-je tandis que le serveur s'éloignait. Croyez-moi, ça ne vaut pas le coup.

— Est-ce que ça vous arrive jamais d'avoir envie de faire des choses qui ne sont pas bonnes pour vous ?

Assis en face de moi, dans ce magnifique endroit où les gens étaient bien habillés et mieux payés qu'un capitaine de police de Richmond, il eut l'air déprimé et soudain vieux. Ses cheveux s'étaient clairsemés, et ne formaient plus qu'une couronne indisciplinée au-dessus de ses oreilles, comme un halo terni repoussé vers le bas. Il n'avait pas perdu un gramme depuis que je le connaissais, et son ventre qui débordait toujours de sa ceinture frôlait le rebord de la table. Il ne se passait pas une journée sans que je m'inquiète pour lui, et j'étais incapable d'imaginer qu'il puisse, un jour, ne plus travailler avec moi.

Nous quittâmes l'hôtel à une heure et demie dans une voiture de location. Marino conduisait parce qu'il était hors de question qu'il en soit autrement, et nous prîmes Madison Avenue en direction de l'Est, à l'opposé du Mississippi. L'université de brique rouge était si proche que nous aurions pu nous y rendre à pied. Le Centre régional de Médecine légale se trouvait en face d'un magasin de pneus et du Centre de Transfusion sanguine. Marino se gara à l'arrière, près de l'entrée officielle du bureau du médecin légiste.

L'installation, à peu près de la taille de mon bureau de district à Richmond, était financée par le comté. Il y avait trois anatomo-pathologistes et deux anthropologues spécialisés en médecine légale, une chose très inhabituelle et enviable, et j'aurais aimé disposer dans mon personnel de quelqu'un comme le docteur David Canter. Memphis se distinguait également d'une autre façon moins heureuse, car le médecin expert général avait été mêlé à deux des affaires les plus abominables du pays : c'était lui qui avait pratiqué l'autopsie de Martin Luther King, et il avait été témoin de celle d'Elvis.

— Si ça ne vous fait rien, dit Marino tandis que nous descendions de voiture, je crois que je vais passer quelques coups de fil pendant que vous faites votre truc.

— D'accord. Je suis sûre qu'ils vont vous trouver un bureau libre.

Il cligna des yeux en regardant le ciel d'automne bleu, puis jeta un regard circulaire autour de lui pendant que nous nous dirigions vers l'entrée.

— J'en reviens pas d'être là. C'est là qu'il a été transporté.

Je savais exactement de qui il voulait parler, et rectifiai :

— Non. Elvis Presley a été transporté au Baptist Memorial Hospital. Il n'est jamais venu ici. Encore qu'il aurait dû.

— Et comment ça se fait ?

— Il a été considéré comme une mort naturelle, répliquai-je.

— Ben, c'était le cas. Il est mort d'une crise cardiaque.

— Son cœur était en très mauvais état, c'est vrai, mais ce n'est pas ce qui l'a tué. Sa mort est due à une consommation excessive de différents médicaments.

— Sa mort est due au Colonel Parker, marmonna Marino comme s'il avait envie de le tuer.

Nous entrions dans le bâtiment, et je lui jetai un coup d'œil.

— L'analyse du sang d'Elvis a révélé la présence de dix médicaments. Son décès aurait dû être considéré comme un accident. C'est triste.

— Et on est sûr que c'était bien lui, ajouta-t-il alors.

— Oh, Marino, je vous en prie !

— Quoi ? Vous avez vu les photos ? Vous pouvez certifier que c'était lui ?

— J'ai vu les photos, et oui, je peux le certifier, rétorquai-je en faisant halte à la réception.

Mais impossible de l'arrêter :

— Alors, qu'est-ce qu'il y avait dessus ?

Une jeune femme du nom de Shirley, qui s'était déjà occupée de moi à plusieurs reprises, attendait que nous cessions de nous quereller.

— Rien qui vous regarde, répondis-je doucement à Marino. Shirley, comment allez-vous ?

— De retour parmi nous ? demanda-t-elle avec un sourire.

— Avec de mauvaises nouvelles, j'en ai peur.

Marino entreprit de se couper les ongles avec un canif, jetant des regards autour de lui comme s'il s'attendait à voir apparaître Elvis.

— Le docteur Canter vous attend, dit Shirley. Venez, je vous accompagne.

Tandis que Marino s'éloignait pour passer ses coups de fil, je fus introduite dans le modeste bureau d'un homme que je connaissais depuis son internat à l'université du Tennessee. Canter avait à peu près l'âge de Lucy lorsque je l'avais rencontré la première fois. Disciple du docteur Bass, l'anatomo-pathologiste qui avait mis sur pied l'unité de recherches sur la décomposition de Knoxville, plus connue sous le nom de « Ferme des Corps », Canter avait suivi l'enseignement de la plupart des grands spécialistes. Il était considéré comme le meilleur expert au monde en matière de marques de scies. Je ne savais pas à quoi cela tenait, mais le Tennessee, célèbre pour Daniel Boone et l'équipe des Vols, semblait également détenir le marché des experts en détermination de l'heure de la mort et en ossements humains.

Canter se leva en me tendant la main :

— Bonjour, Kay.

— Dave, vous êtes toujours tellement gentil de me recevoir si vite.

Je tirai une chaise et m'assis devant son bureau.

— Eh bien, je détesterais tellement être à votre place...

Sa chevelure brune ramenée en arrière lui retombait toujours sur le front dès qu'il baissait les yeux, et il passait son temps à écarter sa mèche, mais il ne paraissait pas avoir conscience de son geste. Il avait un visage jeune aux traits anguleux intéressants, des yeux très rapprochés, et une mâchoire et un nez puissants.

Je m'enquis :

— Comment vont Jill et les enfants ?

— Très bien. Nous en attendons un nouveau.

— Félicitations. Cela en fera trois ?

— Quatre, rectifia-t-il en souriant de plus belle.

— Je ne sais pas comment vous faites, dis-je avec sincérité.

— Les faire, ce n'est pas le plus difficile ! Alors, quelles bonnes choses m'apportez-vous aujourd'hui ?

Je posai la mallette sur le bord de son bureau, l'ouvris pour en sortir les sections d'os emballées dans du plastique, que je lui tendis. Il prit d'abord le fémur gauche, qu'il étudia sous une lampe à l'aide de lentilles, retournant une extrémité après l'autre.

Il me lança un coup d'œil.

— Hmm. Vous n'avez donc pas entaillé pour la repérer l'extrémité que vous avez coupée.

Il ne faisait que souligner le fait, sans me le reprocher, mais je m'en voulus de nouveau, car j'étais d'habitude si précautionneuse. S'il y avait une chose pour laquelle j'étais connue, c'était ma prudence, proche de l'obsession.

— J'ai présumé d'un fait, et je me suis trompée. Je ne m'attendais pas à découvrir que le tueur avait utilisé une scie aux caractéristiques extrêmement similaires à la mienne.

— D'habitude, les tueurs n'utilisent pas de scies d'autopsie.

Il repoussa son siège et se leva.

— Je n'ai d'ailleurs jamais eu de cas réel, je n'ai fait qu'étudier en théorie ce type de marque ici, au labo.

— C'est donc bien cela, commentai-je, car je m'en étais doutée.

— Je ne puis l'affirmer avec certitude avant de l'avoir examiné au microscope, mais les deux extrémités semblent avoir été sectionnées à la scie Stryker.

Il ramassa les sacs d'ossements, et je le suivis dans le couloir, envahie d'appréhension. S'il ne parvenait pas à distinguer les deux marques différentes, je ne savais pas ce que nous allions faire. Une erreur de ce genre suffisait à flanquer en l'air une affaire devant un tribunal.

— Je crois que vous ne pourrez pas me dire grand-chose de la vertèbre.

En effet, celle-ci était trabéculaire, moins dense que les autres, et ne présentait donc pas une bonne surface pour retenir les traces d'outils.

— On peut quand même la prendre. On ne sait jamais, avec un peu de chance, dit-il tandis que nous pénétrions dans son labo.

Il n'existait pas un seul centimètre carré d'espace dans la pièce. Des bidons de dégraissant et de vernis polyuréthane étaient entassés dans tous les coins où ils pouvaient entrer. Des étagères débordantes d'ossements emballés flanquaient les murs du sol au plafond, et tous les types de scies possibles et imaginables encombraient boîtes et chariots. Les démembrements étaient rares, et je ne connaissais que trois raisons manifestes expliquant qu'un tueur découpe sa victime en morceaux : le transport du corps était plus facile, l'identification du corps était ralentie, pour ne pas dire impossible, ou bien tout simplement, le tueur était plus pervers.

Canter rapprocha un tabouret d'un microscope équipé d'un appareil photo. Il écarta un plateau contenant des côtes fracturées et des cartilages thyroïdiens sur lesquels il devait travailler avant mon arrivée.

— Entre autres choses, ce type a reçu des coups de pied dans la gorge, remarqua-t-il d'un air distrait en enfilant ses gants de chirurgie.

Je commentai :

— Charmant. On vit dans un monde formidable.

Il ouvrit le sac zippé dans lequel se trouvait le segment de fémur droit. Comme il ne pouvait le placer sur la platine du microscope sans en couper une section suffisamment mince pour être montée, il me demanda de tenir les cinq centimètres d'os contre le rebord de la table, puis abaissa une lampe en fibre optique jusqu'à l'une des extrémités sciées.

— C'est définitivement une scie Stryker, dit-il après l'avoir examinée. Pour créer une surface aussi lisse, il faut un mouvement alternatif rapide. Regardez, on dirait presque de la pierre polie.

Il s'écarta et je jetai un œil. L'os était brillant et légèrement biseauté, comme de l'eau gelée en légères ondulations. A la différence des autres scies électriques, la Stryker était dotée d'une lame à oscillation qui ne pénétrait pas très loin. Elle n'entamait pas la peau, simplement la surface dure contre laquelle elle était appliquée, comme de l'os ou le plâtre qu'un orthopédiste retirait d'un membre réparé.

Je remarquai :

130

— De toute évidence, les coupes transversales sur la diaphyse sont les miennes. Ce sont celles qui m'ont permis de retirer la moelle pour l'ADN.

— Mais pas les traces de découpe au couteau.

— Non. Absolument pas.

— Je ne crois pas que nous puissions tirer grand-chose de celles-là.

En général, à moins que l'os ou le cartilage aient été poignardés ou tailladés, les couteaux recouvrent leurs propres traces.

Canter ajusta le microscope tandis que je continuais de tenir le bout d'os :

— Mais la bonne nouvelle, c'est que nous avons quelques traces de faux départ, un trait de coupe et un nombre de dents au centimètre plus larges.

Avant de passer autant de temps avec Canter, je n'y connaissais rien aux scies. L'os est une surface qui retient très bien les traces d'outils, et un trait de coupe ou une rainure se forme lorsque les dents d'une scie mordent dedans. En examinant au microscope les parois et le fond d'une rainure, on peut déduire ce qu'on appelle « une taille de sortie » du côté où la lame est sortie de l'os. La détermination des caractéristiques de chaque dent, le nombre de dents au centimètre (DPC), leur espacement et les stries peuvent révéler la forme d'une lame.

Canter déplaça la lampe pour accentuer les défauts et les striations.

— On peut voir la courbe de la lame, dit-il en désignant plusieurs faux départs sur l'os, là où quelqu'un l'avait entamé, pour recommencer à un autre endroit.

— Ce n'est pas la mienne, remarquai-je. Tout au moins, j'espère être plus habile que ça.

— Etant donné qu'il s'agit également de l'extrémité où se trouvent la plupart des marques de couteau, je vais être d'accord pour dire qu'il ne s'agissait pas de vous. Celui qui a fait ça a d'abord dû découper avec autre chose, puisqu'une lame à oscillation n'entame pas la chair.

— Et la lame de scie ? demandai-je, car je savais ce que j'utilisais à la morgue.

— Les dents sont grandes, six ou sept par centimètre. Ce doit donc être une lame d'autopsie circulaire. Retournons-le.

Il pointa alors la lumière sur l'autre extrémité, celle où il n'y avait pas de faux départs. La surface était polie et biseautée, mais pas de façon identique, pour l'œil exercé de Canter.

— Il s'agit d'une scie d'autopsie électrique sauteuse avec une grande lame, déclara-t-il. La coupe s'est faite dans plusieurs directions, puisque le rayon de la lame est trop petit pour couper tout l'os d'un seul coup. La personne qui a fait cela a simplement changé de directions, en attaquant sous des angles différents, avec beaucoup d'habileté. Nous avons une légère courbe des rainures, des éclats de sortie réduits au minimum, ce qui encore une fois, dénote une grande habileté dans le maniement de la scie. Je vais accentuer la puissance et voir si nous pouvons améliorer les harmoniques.

Il faisait référence à la distance entre les dents de la scie. Il poursuivit :

— La distance est de 0,23. Nous avons six dents par centimètre, compta-t-il. Mouvement de va-et-vient, ciseau dentelé. A mon avis, celle-ci est la vôtre.

— Vous m'avez eue, je plaide coupable, dis-je avec soulagement.

— C'est ce que je dirais, continua-t-il sans lever les yeux. Je ne vous vois pas vous servant de la scie circulaire.

Les grandes lames d'autopsie circulaires étaient lourdes, leur mouvement continu, et elles détruisaient les os beaucoup plus que les autres. Ce genre de lames était généralement utilisé dans les laboratoires ou les cabinets médicaux pour ôter des plâtres.

— Je ne m'en sers qu'en de rares occasions, avec des animaux.

— A deux ou à quatre pattes ?

Je répliquai :

— J'ai déjà retiré des balles chez des chiens, des oiseaux, des chats, et, encore plus mémorable, chez un python abattu au cours d'une saisie de drogue.

— Et moi qui croyais être le seul à m'amuser, dit Canter en examinant un autre os.

Je demandai :

— Trouvez-vous curieux que quelqu'un se serve d'une scie à viande pour quatre démembrements, puis change brusquement d'instrument et utilise ensuite une scie d'autopsie électrique ?

— Si votre théorie à propos des cas en Irlande est exacte, nous sommes en train de parler de neuf cas avec une scie à viande. Tenez, maintenez-moi ça que je puisse prendre une photo.

Je brandis la section du fémur gauche du bout des doigts, et il enclencha un bouton sur l'appareil photo.

— Pour répondre à votre question, cela me semblerait très insolite. Vous parlez de deux profils très différents. La scie à viande est un instrument très manuel, physique, avec quatre dents par centimètre. Elle déchire les tissus, et entraîne beaucoup d'os à chaque coup, les marques sont plus grossières, indiquent quelqu'un de doué et de plus fort. Il est également important de se souvenir que dans chacune des affaires précédentes, le criminel a tranché au niveau des articulations, et non dans la diaphyse, ce qui est aussi très rare.

J'exprimai de nouveau ma conviction :

— Il ne s'agit pas de la même personne.

Canter me prit l'os des mains et me regarda :

— C'est mon avis.

Lorsque je regagnai l'entrée des bureaux du médecin expert, je trouvai Marino toujours au téléphone dans le couloir. Je patientai un peu, puis sortis car j'avais besoin d'air, de soleil, et de contempler quelque chose qui ne soit pas barbare. Environ vingt minutes s'écoulèrent avant qu'il ne finisse par sortir et ne me rejoigne à la voiture.

— Je savais pas que vous étiez là. Si quelqu'un me l'avait dit, j'aurais abrégé ma conversation.

— Aucune importance. Quelle magnifique journée.

Il déverrouilla les portières.

— Comment ça s'est passé ? demanda-t-il en s'installant au volant.

Nous demeurâmes assis sur le parking sans bouger tandis que je lui faisais un bref résumé de ma visite.

— Vous voulez rentrer au Peabody ? demanda-t-il en tapotant le volant du pouce.

Je savais exactement ce que je voulais faire.

— Non. Je crois que le médecin m'a recommandé une visite de Graceland, pour ma santé.

Il enclencha le levier de vitesse sans pouvoir réprimer un grand sourire.

— Nous cherchons la voie express Fowler, indiquai-je, car j'avais étudié la carte.

Il revint à la charge :

— J'aimerais bien que vous m'obteniez son rapport d'autopsie. Je veux voir de mes yeux ce qui lui est arrivé. Comme ça, je serai sûr, et ça ne me minera plus.

Je le regardai.

— Que voulez-vous savoir ?

— Si c'est bien comme ils l'ont dit. Est-ce qu'il est mort sur les toilettes ? Ça, ça m'a toujours fichu en l'air. Vous savez combien j'ai vu de cas comme ça ? demanda-t-il en me jetant un coup d'œil. Que vous soyez un pauvre type ou le président des Etats-Unis, vous tombez raide mort avec une marque de lunette sur le cul. Putain, j'espère que ça m'arrivera pas.

— Elvis a été retrouvé sur le sol de sa salle de bains. Il était nu, et oui, on suppose qu'il a glissé du siège de ses toilettes en porcelaine noire.

— Qui l'a découvert ?

Une sorte de transe inquiète agitait Marino.

— Une petite amie qui se trouvait dans la chambre adjacente. En tout cas, c'est ce qu'on dit.

— Vous voulez dire qu'il est rentré là-dedans en

pleine forme, qu'il s'est assis et boum ! Pas de signes avant-coureurs, rien ?

— Tout ce que je sais, c'est qu'il avait joué au squash tôt le matin, et paraissait en bonne santé.

— Vous rigolez, dit Marino, dont la curiosité était insatiable. J'avais jamais entendu cette histoire-là. Je savais pas qu'il pratiquait le squash.

Nous traversâmes une zone industrielle peuplée de trains et de camions, puis dépassâmes des caravanes à vendre. Graceland se dressait au milieu de boutiques et de motels minables, et les alentours ne lui donnaient pas l'air si grandiose. La grande demeure blanche avec ses colonnades paraissait totalement déplacée, un objet de plaisanterie semblable au décor d'un mauvais film.

— Putain, dit Marino en s'engageant sur le parking. Regardez-moi ça, nom de Dieu !

Il continua comme si nous nous étions trouvés à Buckingham Palace, et se gara à côté d'un autocar.

— Vous savez, j'aurais bien aimé le connaître, déclara-t-il avec mélancolie.

— Peut-être auriez-vous pu, s'il avait un peu plus pris soin de lui.

J'ouvris ma portière et il alluma une cigarette.

Au cours des deux heures qui suivirent, nous déambulâmes au milieu de miroirs et de dorures, de moquette pelucheuse et de paons de verre coloré. La voix d'Elvis nous escorta tout le long de cette promenade de son univers. Des centaines de fans étaient arrivés par autocars, et leur passion se lisait sur leurs visages tandis qu'ils écoutaient la visite guidée sur cassettes. Nombre d'entre eux placèrent des fleurs, des cartes et des lettres sur sa tombe, certains versèrent des larmes, comme s'ils l'avaient bien connu.

Nous visitâmes le musée où étaient exposées ses Cadillac roses et mauves, ses Stutz Blackhawk et ses autres voitures. Il y avait également ses avions, son stand de tir, et le Hall of Gold, une galerie d'au moins vingt-cinq mètres de long, où se dressaient des vitrines avec ses Grammy Awards, ses disques d'or et de platine, des trophées et des récompenses dont je concède qu'elles m'impressionnèrent. Je ne pouvais détacher mes yeux des magnifiques costumes dorés brodés de paillettes, des photos de ce qui avait été un être véritablement magnifique et sensuel. Tandis que nous déambulions à travers les pièces, Marino demeurait bouche bée, sans honte aucune, le visage empreint d'une expression presque peinée qui me fit songer à celle d'un adolescent énamouré.

Lorsque nous nous retrouvâmes dehors, dans cet après-midi d'automne frais et lumineux, il me déclara :

— Vous savez, quand il a acheté cet endroit, les gens ne voulaient pas qu'il vienne s'installer ici. Une partie des snobs de cette ville ne l'a jamais accepté. Je crois que ça l'a blessé, d'une certaine façon, c'est peut-être ça qui a eu sa peau, en fin de compte. Vous savez, c'était peut-être la raison pour laquelle il prenait des calmants.

— Il prenait plus que ça, soulignai-je de nouveau alors que nous nous éloignions à pied.

Il sortit ses cigarettes.

— Si vous aviez été le médecin légiste, vous auriez été capable de procéder à son autopsie ?

— Tout à fait.

— Et vous ne lui auriez même pas recouvert le visage ? s'exclama-t-il avec indignation en allumant son briquet.

— Bien sûr que non.

— Eh bien, pas moi.

Il secoua la tête en aspirant une bouffée de fumée.

— Putain, vous auriez pas pu me faire entrer dans la pièce pour un empire.

— J'aurais aimé pouvoir l'examiner. Je n'aurais certainement pas décrété qu'il s'agissait d'une mort naturelle. Les gens devraient savoir la vérité, ça les ferait peut-être réfléchir à deux fois avant de se gaver de Percodan.

Nous nous trouvions en face d'une des boutiques de cadeaux, à l'intérieur de laquelle les gens étaient réunis devant des télévisions qui diffusaient des vidéos d'Elvis. Des haut-parleurs extérieurs sortait *Kentucky Rain*, et de ma vie, je n'avais entendu de voix aussi enjouée et puissante. Nous reprîmes notre marche, et j'avouai la vérité à Marino :

— Si vous voulez vraiment le savoir, je suis une fan d'Elvis, et j'ai une collection assez complète de ses disques compacts.

Transporté, il n'en croyait pas ses oreilles.

— Et j'apprécierais que vous ne vous répandiez pas sur le sujet.

Il s'exclama :

— Depuis toutes ces années que je vous connais, et vous m'avez jamais rien dit ? Vous vous foutez pas de moi, hein ? J'aurais jamais cru ça, jamais ! Dites donc, peut-être que maintenant, vous savez que j'ai du goût.

Il continua sur cette lancée tandis que nous attendions une navette pour retourner au parking, puis dans la voiture, ainsi que durant tout le trajet.

— Je me souviens de l'avoir vu à la télé une fois quand j'étais môme dans le New Jersey. Mon vieux est rentré ivre, comme d'habitude, et il a commencé à me gueuler de changer de chaîne. Je l'oublierai jamais.

Il ralentit pour pénétrer dans le Peabody Hotel.

— C'était juillet 1956, et Elvis chantait *Hound Dog*. Mon père est arrivé en jurant, il a éteint le poste, et je me suis levé pour le rallumer. Il m'a flanqué une claque sur le côté de la tête, et il a de nouveau éteint la télé. Je l'ai rallumée, et puis j'ai marché sur lui. C'est la première fois de ma vie que j'ai levé la main sur lui. Je l'ai envoyé valdinguer contre le mur, et j'ai dit à ce fils de pute que si jamais il retouchait à un cheveu de ma mère ou de moi, je le tuais.

— Et il a recommencé ? demandai-je tandis que le chasseur m'ouvrait la portière.

— Putain, non.

— Alors, il faut rendre grâces à Elvis.

7

Deux jours plus tard, jeudi 6 novembre, je partis tôt, pour accomplir le trajet de quatre-vingt-dix minutes qui séparait Richmond de l'académie du FBI à Quantico, Virginie. Marino et moi avions pris chacun une voiture, car nous ne savions jamais si une autre affaire n'allait pas nous expédier ailleurs en cours de route. Dans mon cas, il pouvait s'agir d'un accident d'avion ou d'un déraillement de train, quant à Marino, il devait traiter avec la municipalité ou la hiérarchie policière. Ce ne fut donc pas une surprise lorsque mon téléphone de voiture retentit tandis que nous approchions de Fredericksburg. Le soleil brillait par intermittence au milieu des nuages, et il faisait assez froid pour que l'on s'attende à de la neige.

— Scarpetta, annonçai-je en branchant le haut-parleur.

La voix de Marino résonna dans ma voiture :

— Le conseil municipal est en train de péter les plombs. D'un côté, on a McKuen, dont la gamine vient d'être renversée par une voiture, et de l'autre, on a encore un autre merdier au sujet de notre affaire, à la télé, dans les journaux, je l'ai aussi entendu à la radio.

Au cours des deux dernières journées, des fuites supplémentaires s'étaient produites. On annonçait que la police avait un suspect dans les meurtres en série, lesquels incluaient cinq cas à Dublin, et qu'une arrestation était imminente.

— Non, mais vous avez entendu ces conneries ? s'exclama-t-il. On parle d'un type qui a peut-être vingt-cinq ans, et qui se serait trouvé à Dublin il y a quelques années ? Pour faire court, le conseil a décidé tout d'un coup d'engager un débat public à propos de la situation, probablement parce qu'ils pensent que c'est sur le point d'être résolu. Il faut bien qu'ils fassent croire aux citoyens que pour une fois, ils ont fait quelque chose.

Il prenait garde à ce qu'il disait, mais bouillait néanmoins de colère.

— Alors il faut que je fasse demi-tour et que je ramène mon cul à la mairie à dix heures. En plus, le chef veut me voir.

Devant moi, je surveillai ses feux de position tandis qu'il approchait d'une bretelle de sortie. Ce matin, les camions et les gens qui allaient tous les jours travailler à Washington encombraient l'autoroute 95. Quelle que soit l'heure à laquelle je partais, et aussi tôt que cela puisse être, la circulation était toujours épouvantable lorsque je me dirigeais vers le nord.

— En fait, ce n'est pas plus mal que vous soyez là-bas. Couvrez également mes arrières, lui dis-je. Je vous recontacterai plus tard, pour vous raconter ce qui s'est passé.

— OK. Et quand vous verrez Ring, tordez-lui le cou de ma part.

J'arrivai à l'académie, où le garde me laissa passer d'un geste de la main, car il connaissait maintenant ma voiture et sa plaque d'immatriculation. Le parking était tellement plein que j'atterris presque dans les bois. De l'autre côté de la route, des rafales d'armes à feu crépitaient sur les champs de tir, et des agents de la DEA, la brigade des stupéfiants, étaient de sortie, en tenue de camouflage, fusils d'assaut à la main, l'air mauvais. L'herbe était lourde de rosée, et je trempai mes chaussures en prenant un raccourci pour rejoindre l'entrée principale du bâtiment de brique jaune baptisé Jefferson.

Dans le hall, des bagages s'entassaient le long des murs et des canapés, car il semblait qu'il y eut toujours des troupes de la National Academy, ou N. A., en partance pour quelque part. L'écran vidéo situé au-dessus du bureau de réception souhaitait une bonne journée à tout le monde, et rappelait de conserver son badge bien en vue. Le mien se trouvait encore dans mon sac, dont je le sortis pour en enrouler la longue chaîne autour de mon cou. J'insérai ensuite une carte magnétique dans une fente, déverrouillant ainsi la porte vitrée ornée du sceau du ministère de la Justice, et suivis un long couloir aux parois de verre.

Plongée dans mes pensées, je regardais à peine les nouveaux agents en kaki et bleu foncé, ou les étudiants de la N. A. en vert. Ils me souriaient ou m'adressaient un hochement de tête en me croisant, mais, bien qu'amicale, j'étais distraite. Je pensais au torse, aux infirmités et à l'âge de la victime, à sa misérable poche dans la chambre froide, où elle resterait plusieurs années, au moins jusqu'à ce que nous découvrions son identité. Je pensais à Keith Pleasants, à *mordoc*, à des scies et à des lames affûtées.

Lorsque je tournai dans la pièce qui servait au nettoiement des armes, avec ses rangées de comptoirs noirs et ses compresseurs qui soufflaient de l'air dans les entrailles des fusils, l'odeur de solvant envahit mes narines. Ces bruits et ces odeurs m'évoquaient toujours instantanément Wesley et Mark. J'avais le cœur serré d'émotions trop fortes pour moi, lorsqu'une voix familière prononça mon nom.

— On dirait que nous allons dans la même direction, déclara l'enquêteur Ring.

Impeccablement vêtu de bleu marine, il attendait l'ascenseur qui nous emmènerait à dix-huit mètres sous terre, là où Hoover avait bâti son abri antiatomique. Je changeai ma lourde serviette de main, et coinçai ma boîte de diapositives plus confortablement sous un bras.

— Bonjour, dis-je d'un ton affable.

Il tendit la main alors que les portes de l'ascenseur s'ouvraient, et je remarquai qu'il avait les ongles rongés.

— Laissez-moi vous aider.

— Ça va, dis-je, car je n'avais pas besoin de son aide.

Une fois dans l'ascenseur, nous demeurâmes face

à la porte, regardant tous les deux droit devant nous, tandis que l'appareil nous emmenait à un niveau aveugle qui se trouvait directement sous le stand de tir intérieur. Ring avait déjà assisté à ce genre de réunions, au cours desquelles il prenait de nombreuses notes, mais aucune de celles-ci n'avait jamais atterri dans les journaux, car il était trop malin pour cela. Si jamais des informations échangées durant des délibérations au FBI avaient été divulguées, il aurait été facile d'en remonter la trace, car nous étions très peu nombreux à pouvoir en constituer la source.

Alors que nous sortions, je déclarai :

— Les informations dont la presse a eu connaissance, je ne sais comment, m'ont consternée.

— Je vous comprends, dit-il avec un air sincère.

Il tint la porte qui menait à un labyrinthe de couloirs abritant l'unité qui avait commencé par être celle des Sciences du Comportement, puis de Soutien aux Investigations, avant de s'appeler maintenant CASKU. Les noms changeaient, mais pas les affaires. Des hommes et des femmes venaient souvent travailler ici alors qu'il faisait encore nuit et repartaient alors qu'il faisait de nouveau nuit, passaient des jours et des années à étudier les infimes détails laissés par les monstres, la moindre empreinte de leurs dents, leurs moindres traces dans la boue, la façon dont ils pensent, dont ils sentent, dont ils haïssent.

Nous approchions d'une autre porte qui menait à une salle de conférences où je séjournais au moins plusieurs jours par mois. Ring reprit :

— Plus il y aura d'informations dévoilées, plus la situation empirera. Donner des détails qui peuvent aider la population à nous aider, nous, c'est une chose...

Il continua de parler, mais je ne l'écoutais pas. Dans la salle, Wesley était déjà assis à l'extrémité de la table polie, ses lunettes de lecture sur le nez. Il examinait de grandes photographies qui portaient au dos le cachet du Bureau du shérif de Sussex County. Le détective Grigg était installé quelques chaises plus loin. Une montagne de papiers devant lui, il étudiait une sorte de dessin. De l'autre côté se trouvait Frankel, du VICAP, le programme d'arrestation des grands criminels du FBI, et à l'autre extrémité, ma nièce, qui pianotait sur son ordinateur portable et leva les yeux à mon entrée, mais ne dit pas bonjour.

Je pris place à droite de Wesley, comme à mon habitude, ouvris ma serviette et entrepris de ranger des dossiers. Ring s'assit à côté de moi, et continua notre conversation :

— Il nous faut accepter le fait que ce type suit toutes les informations. Ça fait partie du plaisir, pour lui.

Il avait attiré l'attention de tout le monde, et tous les regards étaient fixés sur lui. Seules ses paroles résonnaient dans la pièce silencieuse. Il s'exprimait d'un ton raisonnable et calme, comme si sa seule mission consistait à transmettre la vérité sans attirer indûment l'attention sur lui. Ring était un extraordinaire manipulateur, et ce qu'il annonça ensuite devant mes collègues me mit hors de moi.

— Par exemple, je vous dis ça en toute honnêteté, ajouta-t-il à mon adresse, je ne crois pas que c'était une bonne idée de donner l'âge et la race de la victime. Remarquez, je me trompe peut-être, mais il me semble que moins on en dit, mieux ça vaut pour l'instant, conclut-il en regardant tout le monde.

— Je n'avais pas le choix, rétorquai-je sans pouvoir masquer mon irritation, puisque quelqu'un avait déjà laissé filtrer des informations.

Il insista du même ton sérieux :

— Mais de toute façon, ce genre de chose se produira toujours, et je ne pense pas que cela doive nous obliger à donner des détails avant d'être fin prêts.

Je le fixai, les yeux dans les yeux, pendant que tout le monde nous observait :

— Si la population focalise sur une jeune Asiatique prépubère disparue, cela ne nous aide en rien.

— C'est également mon avis, intervint Frankel, du VICAP. Nous récolterions des dossiers de personnes disparues des quatre coins du pays. Une erreur comme ça doit être rectifiée.

— Une erreur comme ça n'aurait d'abord jamais dû se produire, jeta Wesley en parcourant la pièce du regard par-dessus ses lunettes, une attitude qu'il adoptait lorsqu'il était totalement dépourvu d'humour. Nous avons ce matin avec nous le détective Grigg, de la police de Sussex County, et l'agent spécial Farinelli, ajouta-t-il en regardant Lucy. Elle est analyste technique pour le HRT, dirige le programme d'intelligence artificielle que nous connaissons tous sous le nom de CAIN, et se trouve parmi nous pour nous aider à résoudre un problème informatique.

Ma nièce ne leva pas les yeux tout en continuant de taper sur son clavier, les traits tendus. Le regard braqué sur elle, Ring, lui, semblait vouloir la dévorer des yeux.

— Quel problème informatique ? demanda-t-il sans détourner son attention.

— Nous allons y venir, dit Wesley, qui continua vivement : Laissez-moi d'abord résumer la situation, puis nous entrerons dans les détails. Les caractéristiques de la dernière victime trouvée dans une décharge sont tellement différentes des quatre cas précédents — ou même des neuf précédents, si l'on inclut l'Irlande, que j'en conclus que nous avons affaire à un autre tueur. Le docteur Scarpetta va passer en revue ses découvertes médicales, dont je pense qu'elles montreront de façon très claire que ce modus operandi est profondément atypique.

Nous passâmes presque toute la matinée à détailler mes rapports, schémas et photographies. Ils me posèrent de nombreuses questions, surtout Grigg, qui tenait à saisir chaque nuance, chaque aspect des démembrements en série pour être capable de mieux discerner en quoi celui qui était placé sous sa juridiction différait des autres.

Il me demanda :

— Quelle différence y a-t-il entre couper au niveau des articulations et à travers les os ?

— C'est plus difficile à travers les articulations. Cela demande des notions d'anatomie, et peut-être une certaine expérience.

— Comme quelqu'un qui a été boucher, ou qui a travaillé dans une usine de conditionnement de viande.

— Oui.

— Evidemment, ça, ça irait avec une scie à viande, ajouta-t-il.

— Oui. D'autant plus qu'une scie à viande est très différente d'une scie d'autopsie.

— Comment, exactement ? intervint Ring.

— Une scie à viande est une scie à main, conçue pour couper la chair, les cartilages, l'os, expliquai-je en regardant tout le monde. Elle mesure en général trente-cinq centimètres de long, avec une lame très fine, qui comporte six dents en forme de ciseau par centimètre. Elle demande un mouvement de poussée, et une certaine force de la part de l'utilisateur. A contrario, la scie d'autopsie n'entame pas les tissus, qui doivent d'abord être rabattus avec un instrument du type couteau.

— Ce qui a été utilisé dans ce cas, me dit Wesley.

Je poursuivis mes explications :

— L'os comporte des coupures qui correspondent aux caractéristiques d'un couteau. Une scie d'autopsie a été conçue pour ne travailler que sur des surfaces dures, en utilisant un mouvement oscillatoire de va-et-vient qui ne pénètre qu'un tout petit peu à la fois. Je sais que tout le monde ici connaît bien cela, mais j'ai des photos.

J'ouvris une enveloppe et en sortis des agrandissements des marques de scie que le tueur avait laissées sur les extrémités d'os que j'avais emmenées à Memphis. J'en glissai un à chacun des participants.

— Comme vous pouvez le voir, ici, le trait de scie est multi-directionnel, et a laissé un extrême poli.

— Attendez, que je comprenne bien, intervint Grigg. Ça, c'est exactement la même scie que celle que vous utilisez à la morgue.

— Non, pas exactement la même. J'emploie en général une lame plus grande que celle-ci.

— Mais il s'agit quand même d'une sorte de scie médicale, dit-il en brandissant la photo.

— Exact.

— Et où quelqu'un d'ordinaire pourrait-il trouver un instrument de ce type ?

— Dans un cabinet de médecin, un hôpital, une morgue, une entreprise de matériel médical. Pas mal d'endroits. La vente n'est soumise à aucune restriction.

— Il aurait donc pu la commander sans appartenir au milieu médical.

— Très facilement.

— Ou bien il aurait pu la voler, dit Ring. Il aurait pu décider de faire cette fois-ci quelque chose de différent pour nous déconcerter.

Lucy le regardait, et je vis dans ses yeux une expression que je connaissais. Elle prenait Ring pour un imbécile.

— Si nous avons affaire au même tueur, pourquoi envoie-t-il d'un seul coup des fichiers par l'Internet alors qu'il ne l'a jamais fait non plus ? demanda-t-elle.

— Bonne remarque, dit Frankel avec un hochement de tête.

— Quels fichiers ? demanda Ring en s'adressant à Lucy.

Wesley rétablit l'ordre :

— Nous allons y arriver. Nous avons un modus operandi différent. Nous avons un instrument différent.

Je fis passer des schémas d'autopsie et des photos de mon courrier électronique autour de la table.

— Nous pensons qu'elle a subi une blessure à la tête, à cause du sang dans les voies respiratoires. Nous ignorons s'il y a une différence avec les autres victimes, puisque nous ne connaissons pas, pour ces cas, les causes de la mort. Cependant, tous les examens radiologiques et anthropologiques indiquent que la dernière victime est beaucoup plus âgée que les autres. Nous avons également retrouvé des fibres indiquant qu'elle était recouverte de ce qui semble être une bâche lorsqu'elle a été démembrée, détail qui ne correspond pas non plus aux autres affaires.

J'entrai plus en détail dans la description des fibres et de la peinture, tout en demeurant parfaitement consciente que Ring observait ma nièce en prenant des notes.

— Elle a donc probablement été découpée dans un atelier ou un garage, dit Grigg.

— Je ne sais pas. Comme vous avez pu le voir sur les photos qui m'ont été envoyées par e-mail, tout ce qu'on peut déterminer, c'est qu'elle se trouve dans une pièce aux murs couleur mastic, avec une table.

— Permettez-moi de souligner une fois encore que Keith Pleasants a derrière sa maison un endroit qui lui sert d'atelier, rappela Ring. Il y a là-bas un gros établi, et le bois nu des murs pourrait passer pour de la couleur mastic, ajouta-t-il en me regardant.

Grigg réfléchit d'un air de doute :

— J'ai l'impression que ça doit être drôlement difficile de se débarrasser de tout ce sang.

— Une bâche avec une doublure en plastique peut expliquer l'absence de sang, dit Ring. C'est fait pour ça, pour que rien ne puisse filtrer.

Tout le monde me regarda pour savoir ce que j'en pensais.

— Dans un cas comme celui-ci, il serait extraordinaire de ne pas avoir du sang partout, surtout en tenant compte du fait qu'elle avait encore une pression sanguine lorsqu'elle a été décapitée. On pourrait au moins s'attendre à retrouver du sang dans les fibres du bois, dans des fissures de la table.

— On pourrait procéder à des tests chimiques, dit Ring, maintenant transformé en médecin légiste.

Prendre du Luminol. S'il y a du sang, il va réagir et briller dans le noir.

Je rétorquai :

— Le problème du Luminol, c'est qu'il est destructeur. Et nous allons devoir faire des prélèvements pour déterminer l'ADN, et voir s'il y a correspondance. Nous ne tenons donc pas du tout à détruire le peu de sang que nous pourrions trouver.

Grigg confronta Ring du regard :

— De toute façon, les présomptions contre Pleasants ne sont pas assez fortes pour aller visiter son atelier et procéder à des tests.

— Moi, je crois que si, rétorqua Ring en soutenant son regard.

— Pas à moins qu'on ait changé la loi sans me l'annoncer, déclara lentement Grigg.

Wesley observait la scène, évaluant chacun et chaque parole prononcée, comme à son habitude. Il avait en la matière sa propre opinion, et c'était probablement la bonne, mais il demeura silencieux tandis que la dispute continuait.

Lucy tenta d'intervenir :

— Je pensais que...

— L'hypothèse selon laquelle il s'agit d'un tueur qui imite les affaires précédentes me semble extrêmement viable, la coupa Ring.

— Oh, tout à fait, acquiesça Grigg. Simplement, je ne marche pas dans votre théorie à propos de Pleasants.

— Laissez-moi finir, dit Lucy, qui dévisagea les hommes présents d'un regard pénétrant. Je vais vous exposer comment les fichiers ont été expédiés par l'intermédiaire d'America Online à l'adresse électronique du docteur Scarpetta.

Cela me faisait toujours un effet bizarre, lorsqu'elle me désignait par mon titre.

— Moi, ça m'intéresse, déclara Ring en l'observant, le menton appuyé sur une main.

Elle continua :

— Vous avez d'abord besoin d'un scanner, ce qui

n'est pas difficile à trouver. Une machine couleur avec une résolution potable, un minimum de 72 points par pouce. Mais celle-ci m'a l'air d'une résolution supérieure, probablement 300 dpi. Il pourrait s'agir tout autant de quelque chose d'aussi simple qu'un scanner à main à 399 dollars, ou bien d'un scanner à défilement qui peut atteindre plusieurs milliers de dollars...

— Et à quel genre d'ordinateur branchez-vous ça ? intervint Ring.

— J'y arrive, répondit Lucy, qui commençait à en avoir assez d'être interrompue sans arrêt. Caractéristiques du système requises : un minimum de 8 Mo de mémoire vive, un moniteur couleur, des logiciels comme Fototouch ou ScanMan, un modem. Il pourrait s'agir d'un Macintosh, un Performa 6116CD, ou même un appareil plus ancien. L'important, c'est que scanner des documents, les intégrer à votre ordinateur et les expédier via l'Internet est un processus accessible au citoyen ordinaire, ce qui explique pourquoi les délits commis par le biais des télécommunications nous occupent tellement ces temps-ci.

— Comme cette grosse affaire de pornographie enfantine et de pédophilie que vous venez de résoudre, souligna Grigg.

— En effet. Encore une fois, des photos expédiées sous forme de fichiers à travers le Web, où les enfants peuvent communiquer avec de parfaits inconnus. Ce qui est intéressant, ici, c'est que scanner du noir et blanc est à la portée de tout le monde. Par contre, dès qu'il s'agit de couleur, cela devient plus sophistiqué. Et dans les photos expédiées au docteur Scarpetta, les cadres et les pourtours sont relativement nets, et il y a peu de bruit de fond.

— Pour moi, c'est quelqu'un qui s'y connaissait, dit Grigg.

— Oui, acquiesça Lucy. Sans qu'il s'agisse pour autant d'un analyste en informatique ou d'un graphiste, pas du tout.

Frankel, qui travaillait également sur les ordinateurs, renchérit :

— De nos jours, n'importe qui peut le faire, pour peu qu'il ait accès à l'équipement et à quelques manuels d'instruction.

— D'accord, les photos ont été scannées et introduites dans l'ordinateur, dis-je à Lucy. Mais ensuite ? Par quel chemin sont-elles arrivées jusqu'à moi ?

— D'abord, tu charges le fichier, qui dans ce cas est un fichier graphique, ou GIF. Ensuite, pour réussir à expédier ça, tu dois déterminer le nombre de bits de données, d'éléments d'arrêt, le format, la configuration appropriée. C'est là que ce n'est pas facile pour l'utilisateur lambda, mais AOL le fait entièrement à ta place. Donc, envoyer les fichiers, dans ce cas, est simple : tu charges, et tu expédies, conclut-elle en me regardant.

Wesley intervint :

— Ce qui, à la base, s'est fait par l'intermédiaire des lignes téléphoniques.

— Exactement.

— On peut remonter cette piste-là ?

— La brigade 19 travaille déjà dessus, dit Lucy en faisant allusion à l'unité du FBI qui enquêtait sur les utilisations illégales de l'Internet.

Wesley souligna :

— Mais je ne sais pas comment nous pourrions qualifier le délit. Si les photos sont truquées, ce pourrait être de l'obscénité, ce qui n'est pas illégal, malheureusement.

— Les photos ne sont pas truquées, assurai-je.

Il soutint mon regard :

— Difficile à prouver.

— Et si elles ne sont pas truquées ? demanda Ring.

— Alors, ce sont des pièces à conviction.

Il ajouta après un silence :

— Violation de l'article dix-huit, paragraphe huit cent soixante-seize. Courrier menaçant.

— Menaces envers qui ? demanda Ring.

Wesley ne m'avait pas quittée des yeux.

— Envers le destinataire, de toute évidence.

— Il n'y a pas eu de menace formelle, lui rappelai-je.

— Tout ce qu'il nous faut, c'est suffisamment d'éléments pour un mandat.

— Mais nous devons d'abord trouver le responsable, rétorqua Ring en s'étirant sur sa chaise et en bâillant comme un chat.

Lucy répliqua :

— Nous avons établi une surveillance vingt-quatre heures sur vingt-quatre. Nous guettons une reconnexion.

Elle continuait à taper sur le clavier de son portable, vérifiant le flot constant de messages.

— Mais imaginez un système de communications téléphoniques planétaire, avec environ quarante millions d'utilisateurs, et pas d'annuaire, pas d'opérateurs, pas d'aide à la recherche : voilà l'Internet. Il n'existe pas de liste de membres, et AOL non plus n'en a pas, à moins que vous ayez volontairement choisi d'établir votre profil. Dans le cas qui nous préoccupe, nous ne disposons que du faux nom *mordoc*.

— Comment savait-il où expédier le courrier du docteur Scarpetta ? intervint Grigg en me regardant.

Je le lui expliquai, puis demandai à Lucy :

— Tout ça se règle par carte de crédit ?

Elle hocha la tête.

— Nous avons au moins remonté cette piste-là. Une carte American Express au nom de Ken L. Perley. Un professeur de collège à la retraite, âgé de soixante-dix ans, qui vit seul à Norfolk.

— A-t-on la moindre idée de la façon dont quelqu'un a pu avoir accès à sa carte ? dit Wesley.

— Il semble que Perley n'utilise pas beaucoup ses cartes de crédit. La dernière fois, c'était dans un restaurant de Norfolk, le *Red Lobster*. Il y a dîné le 2 octobre avec son fils. L'addition se montait à vingt-sept dollars et trente cents, y compris le pourboire, qu'il a inclus sur la carte. Ni son fils ni lui n'ont relevé de détail inhabituel ce soir-là. Mais au moment de payer l'addition, la carte de crédit est restée au vu de tous sur la table un bon moment, car il y avait foule dans le restaurant. A un moment donné, Perley s'est rendu aux toilettes, et le fils est sorti fumer une cigarette.

— Bon sang, ça, c'était malin ! Un des serveurs a-t-il remarqué quelqu'un qui se serait approché de la table ? demanda Wesley à Lucy.

— Comme je vous l'ai dit, le restaurant était plein. Nous passons en revue tous les règlements effectués ce soir-là, pour obtenir une liste des clients. Le problème, ce sera les gens qui ont payé en liquide.

— Et je suppose qu'il est trop tôt pour que la facture AOL ait été débitée sur la carte American Express de Purley.

— Exact. D'après AOL, le compte a été ouvert très récemment. Une semaine après le dîner au *Red Lobster*, pour être précis.

Lucy ajouta :

— Perley se montre très coopératif. Et AOL a laissé le compte ouvert sans le débiter, au cas où le coupable voudrait envoyer autre chose.

Wesley eut un hochement de tête.

— Bien que nous ne puissions pas en être certains, nous devons considérer que le tueur, au moins dans l'affaire de la décharge Atlantic, a pu se trouver à Norfolk il y a un mois.

Je soulignai encore une fois :

— Cette affaire paraît définitivement locale.

— Est-il possible que l'un des corps ait été réfrigéré ? demanda Ring.

Wesley répliqua promptement :

— Pas celui-ci, en tout cas. Jamais de la vie. Ce type-là n'a pas supporté de regarder sa victime. Il a été obligé de la recouvrir, de couper à travers l'étoffe, et à mon avis, ne s'est pas beaucoup éloigné avant de s'en débarrasser.

— « Le tueur avait un cœur de rosière » ? dit Ring, sarcastique.

Lucy, les traits tendus, actionnait les touches de son clavier, et lisait ce qui s'affichait sur son portable.

— On vient d'avoir quelque chose de la brigade 19, intervint-elle en continuant de faire défiler son écran. *Mordoc* s'est connecté il y a cinquante-six minutes. Il a envoyé un e-mail au président, déclara-t-elle en levant les yeux sur nous.

Le message électronique avait été directement expédié à la Maison-Blanche, ce qui n'était guère compliqué, puisque l'adresse était publique et disponible pour n'importe quel utilisateur de l'Internet. Le texte, curieusement composé en minuscules, une fois encore, et utilisant les espaces en guise de ponctuation, était le suivant : *des excuses sinon je commence en france.*

Des coups de feu en provenance du stand de tir au-dessus grondaient sourdement, comme si là-haut dans le lointain se déroulait une guerre aux échos étouffés. Wesley me dit :

— Ce message implique un certain nombre de choses, qui ne font que renforcer mon inquiétude à ton sujet.

Il s'arrêta près du distributeur d'eau potable.

— Je crois que tout ça n'a rien voir avec moi, mais bien plutôt avec le président des Etats-Unis.

— Si tu veux mon avis, ce message est symbolique, et ne doit pas être pris au pied de la lettre, rétorqua-t-il.

Nous reprîmes notre marche, et il continua :

— Je crois que le tueur est mécontent, furieux, convaincu qu'une ou plusieurs personnes détentrices de pouvoir sont responsables de ses problèmes.

Tandis que nous prenions l'ascenseur pour remonter, il consulta sa montre :

— Je peux te payer une bière avant ton départ ?

— Pas si c'est moi qui conduis. Mais tu peux me persuader d'accepter un café, ajoutai-je avec un sourire.

Nous traversâmes la salle de nettoyage, où des dizaines d'agents du FBI et de la DEA démontaient leurs armes, les essuyaient et les passaient à l'air comprimé. Ils nous adressèrent des regards curieux, et je me demandai si les rumeurs étaient arrivées jusqu'à eux. Ma liaison avec Wesley était depuis longtemps un sujet de commérage à l'académie, ce qui me dérangeait plus que je ne le laissais paraître. La plupart des gens étaient apparemment persuadés que sa femme l'avait quitté à cause de moi, alors qu'en fait, elle l'avait quitté pour un autre homme.

Au rez-de-chaussée, un mannequin défilait en présentant les derniers modèles de sweat-shirts et de treillis, et la queue était longue à la cafétéria, dont les fenêtres étaient décorées de potirons et de dindes pour Thanksgiving. Plus loin, dans la salle de réunion, le son de la télévision résonnait fortement, et beaucoup de gens en étaient déjà au pop-corn et à la bière. Nous nous installâmes le plus possible à l'écart, et dégustâmes tous les deux notre café.

— Quel est ton point de vue sur le lien avec la France ? demandai-je.

— Cet individu est de toute évidence intelligent, et se tient au courant de l'actualité. Nos relations avec la France ont été très tendues pendant leurs essais nucléaires. Tu te souviens peut-être des incidents, des actes de vandalisme et du boycott des vins et des produits français. Il y a eu énormément de manifestations devant les ambassades de France, et les Etats-Unis ont été très impliqués là-dedans.

— Mais cela remonte à deux ans !

— Aucune importance. Ce genre de violence met un certain temps à disparaître des esprits.

Par la fenêtre, il fixa l'obscurité qui tombait petit à petit.

— Et puis, plus précisément, la France n'apprécierait guère que nous exportions chez elle un serial killer. Je ne peux que supposer que c'est là la signification du message de *mordoc*. Depuis des années, la police française, et celles d'autres pays européens, s'inquiètent de ce que notre problème finisse par devenir le leur. Comme si la violence était une maladie qui puisse se répandre.

— Ce qui est effectivement le cas.

Il acquiesça d'un hochement de tête et reprit sa tasse de café.

Je remarquai :

— Si nous étions certains qu'il s'agit du même individu qui a tué dix personnes ici et en Irlande, le message paraîtrait plus logique.

Il répéta d'un air fatigué :

— Nous ne pouvons écarter aucune hypothèse, Kay.

Je secouai la tête :

— Ce dernier tueur endosse la responsabilité des meurtres de quelqu'un d'autre, et nous menace. Il ignore probablement à quel point son modus operandi diffère de ce que nous avons vu par le passé. Bien évidemment, nous ne pouvons exclure aucune possibilité, mais je sais ce que me disent mes examens, Benton, et je suis persuadée que l'identification de la dernière victime va constituer la clé qui va nous permettre d'élucider l'affaire.

— Mais tu crois toujours cela, dit-il dans un sourire tout en jouant avec sa cuiller à café.

— Parce que je sais pour qui je travaille. En ce moment, je travaille pour cette pauvre femme dont le torse est rangé dans ma chambre froide.

La nuit était maintenant complètement tombée, et la salle se remplissait rapidement d'hommes et de femmes à l'air sain et bien portant vêtus de treillis de couleurs différentes suivant leurs affectations. Le bruit rendait la conversation difficile, et j'avais besoin de voir Lucy avant de partir.

— Tu n'aimes pas Ring, remarqua Wesley en tendant le bras derrière lui pour ôter sa veste du dossier de sa chaise. Il est intelligent, pourtant, et il a l'air sincèrement motivé.

— Sur ce dernier point, ton profil est complètement faux, dis-je en me levant. Mais tu as raison sur le premier : je ne l'aime pas.

— Ton attitude ne laissait aucun doute à cet égard.

Nous contournâmes des gens qui cherchaient des sièges, et s'installaient avec des chopes de bière.

— Je crois qu'il est dangereux.

— Il est vaniteux et veut se faire un nom, dit Wesley.

Je le regardai :

— Et tu ne crois pas que ce soit dangereux ?

— Cela peut s'appliquer à presque tous les gens avec qui j'ai travaillé un jour.

— Sauf moi, j'espère.

— Toi, tu es l'exception à presque tout ce qui pourrait me venir à l'esprit, docteur Scarpetta.

Nous remontions un long corridor qui menait au hall d'entrée, et je n'avais pas envie de quitter Wesley tout de suite. Je me sentais perdue, sans savoir exactement pourquoi.

— Je serais ravie que nous puissions dîner ensemble, mais Lucy a quelque chose à me montrer.

— Et qu'est-ce qui te fait croire que je ne suis pas déjà pris ? demanda-t-il en me tenant la porte.

Cette perspective m'ennuya, même si je savais qu'il me taquinait.

Nous nous dirigions maintenant vers le parking, et il continua :

— Attendons que je puisse m'échapper d'ici. Ce week-end, peut-être, nous pourrons nous détendre un peu. Cette fois-ci, c'est moi qui ferai la cuisine. Où es-tu garée ?

— Là-bas, dis-je en pointant la clé télécommandée.

Les portières se déverrouillèrent, et la lumière intérieure s'alluma. Comme d'habitude, comme cela avait toujours été le cas lorsque nous redoutions que quelqu'un puisse nous voir, nous n'échangeâmes pas un geste.

— Quelquefois, je déteste cette situation, dis-je en montant dans ma voiture. Parler de démembrements, de viol et de meurtre toute la journée ne pose aucun problème, par contre, s'enlacer ou se tenir la main, bonté divine, pourvu que personne ne voie cela !

Je mis le contact, et continuai :

— C'est normal, ça ? Pourtant, notre liaison n'est plus cachée, et nous ne commettons pas de crime.

Je tirai ma ceinture de sécurité sur ma poitrine.

— Est-ce qu'il y aurait au FBI une règle tacite de confidentialité dont personne ne m'aurait informée ?

— Oui.

Il m'embrassa sur les lèvres tandis qu'un groupe d'agents passait devant nous.

— Mais ne le dis à personne.

Quelques minutes plus tard, je me garai devant l'ERF, l'unité de recherche en ingénierie, un gigantesque bâtiment futuriste où le FBI procédait au développement de recherches techniques ultra-secrètes. Si Lucy savait tout ce qui se passait dans les laboratoires de l'ERF, elle n'en disait rien, et je n'étais admise que dans une toute petite partie du bâtiment, même lorsqu'elle me servait d'escorte. Elle m'attendait devant la porte d'entrée. Je pointai ma clé sur ma voiture, sans succès.

— Ici, la télécommande ne fonctionne pas, rappela-t-elle.

Je jetai un coup d'œil au toit à l'allure inquiétante avec sa forêt d'antennes et de paraboles, poussai un soupir tout en fermant ma voiture à clé manuellement et marmonnai :

— Après tout ce temps, je devrais m'en souvenir, quand même.

Elle appliqua son pouce sur une serrure biométrique tout en m'annonçant :

— Ton ami enquêteur, M. Ring, a essayé de me raccompagner jusqu'ici après la réunion.

— Ce n'est pas mon ami.

Le hall d'entrée était haut de plafond, décoré de vitrines encombrées de matériel radio et électronique obsolète, utilisé par les forces de police avant la construction de l'ERF.

— Il m'a de nouveau demandé de sortir avec lui.

Le silence et le sentiment que ce bâtiment était vide m'impressionnaient toujours. Les couloirs monochromes paraissaient interminables. Chercheurs et ingénieurs travaillaient derrière des portes fermées, dans des espaces assez grands pour abriter voitures, hélicoptères et petits avions. Des centaines de membres du Bureau étaient employés à l'ERF, et pourtant, ils n'entretenaient quasiment aucun contact avec les autres services et nous ne connaissions même pas leurs noms.

— Je suis sûre qu'il y a des millions de gens qui voudraient te demander de sortir avec eux, dis-je tandis que nous pénétrions dans un ascenseur, et que Lucy appliquait encore une fois l'empreinte de son pouce sur un scanner.

— En général, pas quand ils m'ont un peu fréquentée.

— Je ne sais pas, je n'ai pas encore réussi à me débarrasser de toi.

Mais elle était très sérieuse.

— Dès que je commence à parler boutique, ça leur coupe le sifflet. Pourtant, il y en a toujours un qui est tenté de relever le défi, si tu vois le genre.

— Je ne vois que trop bien.

— Tante Kay, Ring a une idée bien précise derrière la tête, en ce qui me concerne.

— Tu n'essayes pas de deviner laquelle ? Eh, dis donc, où m'emmènes-tu ?

— Je ne sais pas, mais je sens un truc.

Elle ouvrit une porte qui menait au laboratoire de recherches sur l'environnement virtuel, et ajouta :

— Il m'est venu une idée assez intéressante.

Les idées de Lucy étaient plus qu'intéressantes. D'habitude, elles étaient effrayantes. Je la suivis dans une pièce où les ordinateurs graphiques et les systèmes de traitement virtuel s'empilaient les uns sur les autres, et où claviers d'ordinateurs, outils, périphériques du genre gants et casques de contrôle jonchaient les paillasses. D'énormes écheveaux de câble électrique sortaient de l'étendue de linoléum vierge où Lucy se perdait quotidiennement dans le cyber-espace.

Elle s'empara d'une télécommande, et deux écrans vidéo s'allumèrent avec un clignotement. Je reconnus les photos que *mordoc* m'avait envoyées. Sur ces écrans, elles étaient énormes, en couleurs, et l'inquiétude me gagna.

Je demandai à ma nièce :

— Qu'est-ce que tu fais ?

— L'immersion dans un environnement permet-elle véritablement d'améliorer l'efficacité de l'opérateur, telle a toujours été la question de base, répondit-elle en manipulant des commandes informatiques. Tu n'as jamais eu l'opportunité de te trouver plongée dans cet environnement. Celui de la scène du crime.

Nous contemplâmes toutes les deux les moignons ensanglantés et les membres alignés sur l'écran, et un frisson me parcourut. Lucy continua :

— Suppose que cette occasion se présente maintenant ? Suppose que tu puisses te trouver dans la pièce de *mordoc* ?

Je voulus l'interrompre, mais elle m'en empêcha. Elle en devenait presque folle, quand elle se mettait dans cet état.

— Que pourrais-tu voir d'autre ? Que pourrais-tu faire d'autre ? Que pourrais-tu découvrir de plus sur la victime et sur le tueur ?

Je protestai :

— Je ne sais pas si je peux utiliser quelque chose comme ça !

— Bien sûr que si. Le seul truc que je n'ai pas eu le temps d'ajouter, c'est le son artificiel. Enfin, à l'exception des bruitages enregistrés habituels. Un bruit de succion, c'est quelque chose qui s'ouvre, un cliquetis, c'est un interrupteur qui allume ou éteint, un « ding » signifie généralement que tu viens de heurter quelque chose.

— Bon sang, de quoi parles-tu, Lucy ? demandai-je tandis qu'elle s'emparait de mon bras gauche.

Elle enfila soigneusement sur ma main un gant de contrôle, et s'assura qu'il était bien ajusté.

— Pour la communication humaine, on utilise les signes. On peut également utiliser ces signes, ou positions, comme on les appelle, pour communiquer avec l'ordinateur, expliqua-t-elle.

Des senseurs en fibre optique montés sur le dos du gant de Lycra noir étaient reliés à un câble qui menait à l'ordinateur-hôte haute performance sur le clavier duquel Lucy avait pianoté. Elle prit ensuite un appareil monté sur un casque connecté à un autre câble, et mes pulsations cardiaques s'accélérèrent quand je la vis se diriger vers moi.

— Un VPL Eyephone HRX, annonça-t-elle avec entrain. Le même que celui qu'ils utilisent au centre de recherches de la NASA à Ames. C'est d'ailleurs là que je l'ai découvert, ajouta-t-elle en ajustant des câbles et des lanières. Trois cent cinquante mille éléments de couleurs, une résolution extraordinaire et un large champ de vision.

Elle me plaça le casque sur la tête. Il était lourd et me recouvrait les yeux.

— Ce que tu vois, ce sont des écrans à cristaux liquides, des écrans vidéo classiques. Du verre épais, des électrodes et des molécules qui font plein de trucs géniaux. Qu'est-ce que tu ressens ?

— J'ai l'impression que je vais tomber et suffoquer.

Je commençais à paniquer, comme la première fois que j'avais pratiqué la plongée sous-marine.

— Mais non, ni l'un, ni l'autre, dit-elle d'un ton patient, tandis qu'elle me maintenait d'une main. Détends-toi. C'est normal de se sentir phobique, au début. Je vais te dire comment faire. Ne bouge pas, et respire profondément. Je vais te connecter.

Elle procéda à des réglages, resserra l'appareil autour de ma tête, puis retourna à l'ordinateur. Je me sentais totalement déséquilibrée et aveugle, une minuscule télévision devant chaque œil.

— D'accord, on y va. Je ne sais pas si ça servira à quelque chose, mais ça ne peut pas faire de mal d'essayer.

Il y eut un cliquetis de touches, et je me retrouvai projetée dans cette pièce. Lucy commença à me donner des instructions sur la façon d'utiliser ma main pour avancer à des vitesses différentes, reculer, attraper ou relâcher. Je remuai l'index, claquai des doigts, rapprochai mon pouce de ma paume, et agitai le bras devant ma poitrine tout en ruisselant de sueur. Je passai cinq minutes à marcher au plafond et sur les murs, et me retrouvai à un moment au sommet de la table où le torse reposait sur sa bâche bleue, piétinant la morte et les pièces à conviction.

— Je crois que je vais vomir, annonçai-je.

— Une minute, ne bouge plus. Reprends ton souffle.

J'allais ajouter quelque chose lorsque j'esquissai un geste, et me retrouvai instantanément sur le sol virtuel, comme si je venais de tomber du ciel.

— C'est pour ça que je t'ai dit de ne plus bouger, dit-elle en observant ce que je faisais sur l'écran. Maintenant, tends la main, et pointe les deux premiers doigts dans la direction d'où vient ma voix. Ça va mieux ?

— Oui.

Je me trouvais debout sur le sol de la pièce, comme si la photo venait de prendre vie, en taille réelle et en trois dimensions. Je regardai autour de moi, et ne distinguai en fait rien d'autre que ce que j'avais déjà vu lorsque Vander avait agrandi l'image, mais ce que je percevais maintenant était altéré par ce que cet appareil me faisait ressentir.

Les murs couleur mastic portaient de légères décolorations que j'avais jusque-là attribuées à l'humidité à laquelle on peut s'attendre dans un sous-sol ou un garage. Celles-ci paraissaient maintenant différentes, plus uniformément réparties, et par endroits si pâles que je les distinguais à peine. Du papier peint avait autrefois recouvert la peinture mastic sur ces murs, du papier qui avait été enlevé sans être remplacé, tout comme le coffrage et la tringle. Il y avait encore de petits trous à la place des fixations, au-dessus de la fenêtre aux stores vénitiens fermés.

Mon cœur se mit à battre plus fort.

— Ce n'est pas là que ça s'est produit.

Lucy demeura silencieuse.

— Elle a été amenée là après sa mort pour être photographiée. Le crime et le démembrement n'ont pas eu lieu à cet endroit.

— Que vois-tu ? demanda Lucy.

Je remuai la main et me rapprochai de la table virtuelle, puis pointai du doigt les murs virtuels, pour montrer à Lucy ce que je voyais.

— Où a-t-il branché la scie d'autopsie ? dis-je.

Je ne voyais qu'une prise électrique, et elle se trouvait au bas d'un mur. Je continuai :

— Et la bâche viendrait de là aussi ? Ça ne va pas avec tout le reste. Il n'y a pas de peinture, pas d'outils, ajoutai-je en examinant les alentours. Et regarde le sol. Le bois paraît plus clair sur les bords, comme s'il y avait eu un tapis. Personne ne met de tapis dans un atelier, non ? Ni de papier peint ou de rideaux ? Où sont les prises pour l'outillage électrique ?

— Qu'est-ce que tu ressens ?

— J'ai le sentiment d'être chez quelqu'un, dans une pièce dont le mobilier a été déménagé, à l'exception d'une sorte de table, qui a été recouverte de quelque chose, peut-être un rideau de douche, je ne sais pas. La pièce dégage une atmosphère domestique.

Je tendis la main et tentai de toucher le bord de la bâche, comme si je pouvais le soulever et révéler ce qui se trouvait en dessous. Tout en examinant la pièce, des détails m'apparurent avec tant de clarté que je me demandai comment ils avaient pu m'échapper auparavant. Des fils électriques du plafond étaient à nu, juste au-dessus de la table, comme si un lustre ou un appareil électrique de ce genre avait été un jour suspendu là.

Je demandai :

— La perception des couleurs n'a pas changé ?

— Non, ce devrait être la même.

— Alors, il y a encore autre chose. Ces murs, dis-je en les touchant. Dans cette direction, la couleur s'éclaircit. Il y a une ouverture. Une porte, peut-être, à travers laquelle passe la lumière.

— Il n'y a pas de porte sur la photo, me rappela Lucy. Tu ne peux voir que ce qui est là.

C'était étrange, mais l'espace d'un instant, je crus sentir son sang, l'odeur âcre de la chair morte depuis plusieurs jours. La texture pâteuse de sa peau me revint, ainsi que les éruptions curieuses qui m'avaient fait me demander si elle n'avait pas un zona.

— Elle n'a pas été tuée au hasard, dis-je.

— Mais les autres, si ?

— Les autres cas n'ont rien de commun avec celui-ci. J'ai une image dédoublée. Tu peux arranger ça ?

— Disparité de l'image rétinienne verticale.

Je sentis sa main sur mon bras.

— En général, ça disparaît au bout de quinze ou vingt minutes. Il est temps de faire une pause.

— Je ne me sens pas très bien.

— Défaut d'alignement dans la rotation de l'image. Fatigue visuelle, maladie de la simulation, mal du cyberespace, appelle ça comme tu voudras. Cela entraîne des troubles de la vision, des larmes, et même des nausées.

Impatiente d'ôter le casque, je me retrouvai de nouveau sur la table, le visage dans le sang, avant d'avoir pu me débarrasser des écrans vidéo.

Lorsque Lucy m'aida à enlever le gant, mes mains tremblaient, et je m'assis par terre.

— Ça va ? demanda-t-elle gentiment.

— C'était affreux.

— Alors, nous avons réussi.

Elle reposa le casque et le gant sur une paillasse.

— Tu as été immergée dans l'environnement. C'est ce qui doit se passer.

Elle me tendit des mouchoirs en papier, et je m'essuyai le visage.

— Et l'autre photo ? Tu veux faire celle-là aussi ? demanda-t-elle. Celle avec les pieds et les mains ?

— J'ai passé largement assez de temps dans cette pièce, lui dis-je.

8

Je conduisis, hagarde, jusqu'à chez moi. J'avais passé l'essentiel de ma vie professionnelle à me rendre sur des scènes de crimes, mais aucune d'entre elles n'était jamais venue jusqu'à moi de cette façon. La sensation de se trouver à l'intérieur de la photographie, imaginer que je pouvais humer et sentir ce qui restait du corps, tout cela m'avait profondément bouleversée. Il était presque minuit lorsque je pénétrai dans mon garage, et je déverrouillai ma porte à toute vitesse. Une fois à l'intérieur, je débranchai l'alarme, puis retournai immédiatement fermer la porte et la verrouiller de nouveau. J'examinai les lieux pour m'assurer que rien n'avait bougé.

J'allumai un feu dans la cheminée, puis me préparai un verre. La cigarette me manquait, une fois encore. Je mis de la musique pour me tenir compagnie, puis me rendis dans mon bureau pour voir ce qui pouvait bien m'y attendre. J'y trouvai divers fax et messages téléphoniques, ainsi qu'une nouvelle transmission par e-mail. Cette fois-ci, tout ce que *mordoc* avait trouvé, c'était de me répéter : *tu te crois si intelligente*. J'étais en train d'imprimer le message en me demandant si la brigade 19 l'avait vu, elle aussi, lorsque le téléphona sonna et me fit sursauter.

— Salut, dit Wesley. Je voulais juste être sûr que tu étais bien rentrée.

— J'ai encore du courrier, lui annonçai-je en lui décrivant ce dont il s'agissait.

— Fais une sauvegarde et va te coucher.

— Il est difficile de ne pas y penser.

— C'est exactement ce qu'il veut, que tu passes la nuit à y penser. Son pouvoir est là, c'est ça le jeu.

Je me sentais encore un peu nauséeuse, et pas dans mon assiette.

— Mais pourquoi moi ?

— Parce que tu représentes un défi, Kay. Même pour les gens gentils, comme moi. Va dormir, nous parlerons de tout ça demain. Je t'aime.

Mais mon sommeil fut de courte durée. Quelques minutes après quatre heures, mon téléphone sonna de nouveau. Il s'agissait cette fois-ci du docteur Hoyt, un médecin généraliste de Norfolk, qui faisait fonction de médecin légiste de l'Etat depuis vingt ans. Il approchait des soixante-dix ans, mais demeurait vif comme un gardon et plus lucide que jamais. Ne l'ayant jamais vu s'alarmer de quoi que ce soit, le ton de sa voix me déconcerta.

— Docteur Scarpetta, je suis désolé de vous déranger, annonça-t-il avec un débit extrêmement rapide. Je suis sur Tangier Island.

La seule chose saugrenue qui me vint à l'esprit, ce furent les tourtes au crabe, les *crab cakes*.

— Qu'est-ce que vous fabriquez là-bas ?

Je redressai mes oreillers, attrapai un bloc-notes et un stylo.

— J'ai été appelé tard hier, et j'ai passé la moitié de la nuit ici. Le garde-côte a dû m'amener dans une de leurs vedettes, et je déteste les bateaux, on est secoué et battu pire que des œufs en neige. En plus, il faisait un froid de canard.

Je ne comprenais rien à ce qu'il me racontait.

— La dernière fois que j'ai vu un truc comme ça,

c'était au Texas, en 1949, continua-t-il à toute vitesse, quand je faisais mon internat et que j'allais me marier...

Je fus obligée de l'interrompre :

— Plus lentement, Fred. Recommencez, racontez-moi ce qui s'est passé.

— Une femme de Tangier, âgée de cinquante-deux ans. Morte dans sa chambre, depuis au moins vingt-quatre heures, probablement. Elle a de grosses éruptions en plaques sur la peau. Elle en est couverte, de la paume des mains jusqu'à la plante des pieds. Et aussi dingue que cela puisse paraître, on dirait la variole.

Je sentis ma gorge se dessécher.

— Vous avez raison, c'est dingue. Il ne pourrait pas s'agir de la varicelle ? Cette femme ne pouvait pas être immunodéprimée ?

— Je ne sais rien d'elle, mais je n'ai jamais vu une varicelle comme ça. Les éruptions obéissent au schéma de la variole. Elles sont en plaques, comme je vous l'ai dit, toutes à peu près au même stade d'évolution, et plus on s'éloigne du milieu du corps, plus la densité est forte. Elles sont donc plus concentrées sur le visage et les extrémités.

Je repensai au torse, aux petites zones d'éruptions dont j'avais conclu qu'il devait s'agir d'un zona, et la crainte m'envahit. Je ne savais pas où était morte la victime, mais j'étais persuadée que ce devait être en Virginie. Et Tangier Island, une minuscule île en barrière de la Chesapeake Bay, dont l'économie était basée sur la pêche au crabe, se trouvait en Virginie.

— Il y a des drôles de virus qui se baladent, ces temps-ci, disait le docteur Hoyt.

— C'est vrai, acquiesçai-je, mais Hanta, Ebola, le HIV, la fièvre dengue et les autres ne provoquent pas le genre de symptômes que vous venez de décrire. Ce qui ne veut pas dire qu'il ne s'agisse pas de quelque chose d'autre, que nous ignorons.

— Je connais la variole, je suis assez vieux pour l'avoir vue de mes propres yeux. Mais je ne suis pas expert en maladies infectieuses, Kay, et je ne connais fichtre rien à tout ce que vous savez. Pourtant, quoi que ce puisse être, le fait est que cette femme est morte, et que c'est une sorte de variole qui l'a tuée.

— De toute évidence, elle vivait seule.

— Oui.

— Et quand a-t-elle été vue en vie pour la dernière fois ?

— Le chef est en train d'essayer de le découvrir.

— Quel chef ?

— La police de Tangier n'a qu'un officier, c'est le chef. Je suis en ce moment dans sa caravane, j'utilise son téléphone.

— Il n'entend pas cette conversation, j'espère ?

— Non, non, il est dehors en train de parler aux voisins. J'ai fait de mon mieux pour leur soutirer des informations, mais sans grand résultat. Vous êtes déjà venue par ici ?

— Non, jamais.

— Eh bien, disons qu'il n'y a pas beaucoup de renouvellement des espèces. Il doit y avoir trois noms de famille sur l'île en tout et pour tout. La plupart des gens grandissent ici et ne vont jamais sur le continent. Il est sacrément difficile de comprendre un traître mot de ce qu'ils racontent, c'est un dialecte que vous n'entendrez nulle part ailleurs.

— Personne ne touche au corps jusqu'à ce que j'aie une meilleure idée de ce que c'est, dis-je en déboutonnant mon pyjama.

Il demanda :

— Que voulez-vous que je fasse ?

— Que le chef de la police garde la maison. Personne n'y entre ou ne s'en approche jusqu'à ce que je le dise. Rentrez chez vous, je vous appellerai plus tard dans la journée.

Les labos n'avaient pas procédé à l'examen microbiologique du torse, et je ne pouvais plus attendre. Je m'habillai en vitesse, maladroitement, comme si mes facultés motrices m'avaient abandonnée. Je roulai à tombeau ouvert en direction du centre ville, à travers des rues désertes, et il était près de cinq heures lorsque je me garai sur mon emplacement réservé derrière la morgue. Lorsque je m'introduisis dans la baie de déchargement, je fis sursauter le gardien de nuit, et réciproquement.

— Doux Jésus, docteur Scarpetta ! s'exclama Evans, que j'avais toujours connu à ce poste depuis que je travaillais là.

— Désolée, m'excusai-je, le cœur battant. Je ne voulais pas vous faire peur.

— Je faisais ma ronde. Tout va bien ?

— J'espère que oui, dis-je en passant devant lui.

— Il y a un cas qui doit arriver ? demanda-t-il en me suivant le long de la rampe.

J'ouvris la porte menant à l'intérieur, et le regardai.

— Pas que je sache.

Ma réplique le plongea dans un abîme de perplexité, car il ne comprenait pas pourquoi je me trouvais là si aucune arrivée n'était prévue. Il se mit à secouer la tête tout en retournant vers la porte qui menait au parking. De là, il regagnerait le hall de Consolated Labs, tout à côté, où il s'installerait devant une petite télévision à l'image tremblotante, jusqu'à ce qu'il soit temps de refaire sa ronde. Pour rien au monde, Evans n'aurait mis un pied à la morgue. Il ne comprenait pas comment quiconque était capable d'y entrer, et je savais qu'il avait peur de moi.

— Je ne resterai pas là très longtemps, lui dis-je. Ensuite, je serai à l'étage.

— Bien, m'dame, acquiesça-t-il en continuant de secouer la tête. Vous savez où me trouver.

A mi-chemin du couloir qui desservait les salles d'autopsie se trouvait une pièce où l'on ne pénétrait pas souvent. Ce fut là que je m'arrêtai d'abord, et j'en déverrouillai la porte. A l'intérieur se trouvaient trois chambres froides qui différaient de celles que l'on trouvait ailleurs. Plus grandes que la normale, elles étaient en acier inoxydable, et la température qui y régnait était affichée sur un cadran digital sur la porte. Sur chacune d'elles se trouvait une liste de numéros de dossiers, indiquant les victimes non identifiées qui s'y trouvaient.

J'ouvris une porte. Un brouillard épais s'en échappa, tandis qu'un air glacial me mordait le visage. La victime était enveloppée d'une grande poche et reposait sur un plateau. J'enfilai une blouse, des gants, un écran facial, tous les moyens de protection dont nous disposions. Je savais que j'étais déjà peut-être en mauvaise posture, et à la pensée de Wingo et de son état de santé vulnérable, la frayeur m'envahit. Je fis glisser l'enveloppe de vinyle noir et la soulevai pour la déposer sur une table en inox au milieu de la pièce. Je baissai la fermeture Eclair, et exposai le torse à l'air ambiant, puis sortis et allai ouvrir les salles d'autopsie.

Je ramassai un scalpel et des lames de verre propres, rabaissai le masque chirurgical sur mon nez et ma bouche, et retournai à la chambre froide, dont je fermai la porte derrière moi. Le dégel avait commencé, et la peau du torse était humide. Je me servis de serviettes mouillées chaudes pour accélérer le processus avant d'ôter le sommet des vésicules et des boutons réunis en grappe sur sa hanche et sur les rebords déchiquetés des membres amputés.

Je grattai au scalpel la base des vésicules, et étalai le contenu sur les lames. Je remontai la fermeture Eclair de l'enveloppe, marquai celle-ci avec les étiquettes orange vif réservées aux produits toxiques, et faillis ne pas pouvoir soulever de nouveau le corps pour le remettre sur son étagère glaciale. A l'exception d'Evans, je ne pouvais appeler personne à l'aide, aussi me débrouillai-je par moi-même du mieux possible. Je placardai encore d'autres avertissements sur la porte.

Je montai ensuite au deuxième étage, et ouvris un petit laboratoire qui ressemblait fort aux autres, à l'exception des divers appareils utilisés pour l'étude microscopique des tissus, ou histologie. Sur une paillasse se trouvait un appareil qui permettait de fixer et déshydrater les prélèvement de foie, de rein ou de rate, puis de les inclure dans la paraffine. Les blocs partaient ensuite au microtome, où ils étaient découpés en minces sections qui se suivaient en ruban. Ce que j'examinais au microscope en bas était le produit résultant de tous ces processus.

Tandis que les lames séchaient à l'air libre, je fouillai sur les étagères, déplaçai des colorants orange vif, bleu et rose, dans des fioles, sortis du Gram pour les bactéries, du rouge pour la graisse du foie, du nitrate d'argent, du Biebrach écarlate et de l'Acridine orange, tout en songeant à Tangier Island, où je n'avais jamais connu de cas auparavant. D'après ce que j'en savais, il n'y avait pas énormément de délinquance sur l'île, uniquement des affaires liées à l'alcoolisme, relativement banal chez les hommes seuls en mer. Je repensai au crabe bleu, et regrettai, de façon tout à fait irrationnelle, que Bev ne m'ait pas vendu à la place du thon ou de la rascasse.

Je trouvai la bouteille de colorant Nicolaou, y plongeai un compte-gouttes, puis fis couler délicatement une quantité infinitésimale du liquide rouge sur chaque lame, que je recouvris à leur tour d'une lamelle. Puis, je rangeai prudemment le tout dans un solide classeur en carton, et redescendis à mon étage. Les gens commençaient à arriver au travail, et on me lança des regards curieux lorsque je débouchai du couloir et montai dans l'ascenseur équipée de pied en cap de ma blouse, mes gants et mon masque. Rose, qui ramassait sur la table de mon bureau des tasses à café sales, se figea à ma vue.

— Docteur Scarpetta ? Que diable se passe-t-il ?

— Rien, je l'espère, mais je n'en suis pas sûre, répliquai-je en m'asseyant à mon bureau et en ôtant la housse de protection de mon microscope.

Elle demeura sur le seuil de la pièce tandis que je glissais une lame sur la platine. Rien qu'à mon humeur, elle comprenait que quelque chose n'allait pas du tout.

— Qu'est-ce que je peux faire pour vous aider ? dit-elle d'un ton calme et sévère.

Grossie quatre cent cinquante fois, l'image du frottis étalé sur la lame apparut clairement, et j'appliquai ensuite une goutte d'huile à immersion. Je regardai les vagues rouge vif d'inclusions oxyphiles intracytoplasmiques à l'intérieur des cellules épithéliales infectées, c'est-à-dire les corpuscules de Guarnieri caractéristiques d'un virus du type de la variole. J'installai sur le microscope un Polaroïd MicroCam, et pris des photos couleurs instantanées haute définition de ce qui, à mon avis, aurait de toute façon tué cruellement la vieille femme. La mort ne lui avait pas offert d'alternative bienfaisante, mais si j'avais été à sa place, j'aurais préféré le fusil ou l'arme blanche.

— Vérifiez si Phyllis est arrivée au MCV dis-je à Rose. Dites-lui que l'échantillon que j'ai envoyé samedi est prioritaire.

Dans l'heure qui suivit, Rose me déposa au coin de la 11ᵉ Rue et de Marshall Street, au Medical College of Virginia, ou MCV, la faculté où j'avais fait mon internat d'anatomopathologie alors que je n'étais guère plus âgée que les étudiants que je conseillais maintenant et à qui je faisais des conférences de vulgarisation tout au long de l'année. Sanger Hall était caractéristique de l'architecture des années soixante, avec une monstrueuse façade carrelée d'un bleu vif visible à des kilomètres à la ronde. Je grimpai dans un ascenseur rempli de médecins que je connaissais et d'étudiants qui les redoutaient.

— Bonjour.

— Bonjour. Vous avez un cours ?

Je secouai la tête, entourée de blouses blanches.

— Non, j'ai besoin d'emprunter votre MET.

— Vous avez entendu parler de l'autopsie qu'on a eue en bas l'autre jour ? me demanda un spécialiste des poumons au moment où les portes de l'ascenseur s'ouvraient. Pneumoconiose due à la poussière miné-

170

rale. Plus spécifiquement, une berylliose. Le genre de chose qu'on ne voit jamais par ici, non ?

Au quatrième étage, je me rendis rapidement au laboratoire de microscopie électronique, qui abritait l'unique microscope électronique à transmission de la ville. Comme partout ailleurs, il n'y avait pas un centimètre d'espace disponible sur les paillasses et les chariots, encombrés de microscopes optiques, d'instruments ésotériques destinés à analyser la taille des cellules ou à recouvrir de carbone des échantillons pour la microanalyse aux rayons X.

Le MET était en principe réservé aux vivants, et utilisé le plus souvent pour des biopsies rénales ou des tumeurs bien spécifiques, rarement pour des virus, et presque jamais pour des prélèvements d'autopsies. Il était difficile d'intéresser régulièrement les chercheurs et les médecins à mes besoins et à des patients déjà morts, alors que les lits d'hôpital étaient pleins de gens qui attendaient des nouvelles capables de leur accorder un sursis dans une maladie fatale. Aussi n'avais-je jamais harcelé le docteur Phyllis Crowder, microbiologiste, lorsque j'avais eu besoin d'elle dans le passé. Elle savait qu'aujourd'hui, les circonstances étaient différentes.

Je reconnus son accent anglais dans le couloir.

— Je sais, je comprends, disait-elle au téléphone lorsque je frappai à la porte ouverte. Mais vous allez devoir le reporter, ou bien vous passer de moi. J'ai un empêchement.

Elle sourit, et me fit signe d'entrer.

Je l'avais connue lors de mon internat, et j'avais toujours été convaincue que c'étaient les chaudes recommandations d'enseignants comme elle qui avaient fait que l'on avait pensé à moi lorsque le poste de médecin expert général de Virginie s'était trouvé vacant. Elle avait à peu près le même âge que moi, et n'avait jamais été mariée. Ses cheveux courts étaient d'un gris aussi foncé que celui de ses yeux, et elle portait toujours la même croix en or qui paraissait très ancienne. Ses parents étaient Américains, mais elle était née en Angleterre, où elle avait fait ses études et travaillé dans son premier laboratoire.

— Fichues réunions ! se plaignit-elle en raccrochant. Il n'y a rien que je déteste plus que cela : des gens assis autour d'une table à discuter au lieu d'agir.

Elle sortit des gants d'une boîte et m'en tendit une paire. Celle-ci fut suivie d'un masque, puis elle ajouta :

— Il y a une blouse en plus derrière la porte.

Je lui emboîtai le pas dans la petite pièce sombre où elle travaillait. J'enfilai la blouse de labo, et trouvai un siège, tandis qu'elle scrutait l'écran vert phosphorescent à l'intérieur de la grande chambre de visualisation. Le MET ressemblait davantage à un appareil océanographique ou astronomique qu'à un microscope normal. La chambre me rappelait toujours le casque d'une combinaison de plongée, à travers lequel on pouvait distinguer des images fantomatiques et inquiétantes dans une mer irisée.

Un rayon d'une puissance de cent mille volts parcourait un épais cylindre de métal baptisé le « scope », qui montait de la chambre au plafond, et frappait mon échantillon : une coupe de foie d'une épaisseur de six ou sept cent centièmes de micron. Les frottis que j'avais examinés avec mon microscope optique étaient tout simplement trop épais pour que le rayon électronique puisse les traverser.

Sachant tout cela lorsque j'avais procédé à l'autopsie, j'avais fixé des sections de foie et de rate dans du glutaraldehyde, lequel pénètre dans les tissus très rapidement. Je les avais envoyées à Phyllis, dont je savais qu'elle allait les inclure dans du plastique, les découper ensuite à l'ultramicrotome, puis au diamant, avant de les monter sur une minuscule platine en cuivre et les noyer d'ions d'uranium et de plomb.

Mais nous ne nous attendions ni l'une ni l'autre à ce qui apparaissait maintenant devant nous dans cette chambre, à cette ombre verte d'un échantillon pratiquement cent mille fois agrandi. Elle ajusta l'intensité, le contraste, le grossissement, faisant cliqueter des molettes. Je contemplai un ADN à deux brins, des particules de virus en forme de brique, d'environ deux cents à deux cent cinquante nano-mètres de taille. Je contemplai la variole sans ciller.

— Qu'en pensez-vous ? demandai-je en espérant qu'elle allait me contredire.

Elle évita de se compromettre :

— C'est sans aucun doute un virus du type de la variole. La question est de savoir lequel. Ce qui m'inquiète, c'est que les éruptions n'aient pas suivi le tracé des nerfs, que, de surcroît, la varicelle soit très rare chez quelqu'un d'aussi âgé, mais aussi que vous ayez maintenant un autre cas avec les mêmes symptômes. Nous devons procéder à des examens supplémentaires, mais à mon avis, je traiterais ceci comme une crise sanitaire.

Elle me regarda :

— Une urgence internationale. J'appellerais le CCPM.

— C'est exactement ce que je vais faire, répliquai-je en déglutissant avec peine.

— Quel lien logique voyez-vous entre ça et un corps démembré ? demanda-t-elle en procédant à de nouveaux ajustements et en continuant d'examiner la chambre.

Je me levai, les jambes coupées :

— Je n'en vois aucun.

— Des serial killers ici, en Irlande, qui violent, qui découpent les gens en morceaux.

Je la regardai, et elle soupira :

— Vous est-il jamais arrivé de regretter d'avoir quitté la médecine hospitalière ?

— Les tueurs auxquels vous avez affaire sont juste plus difficiles à distinguer, c'est tout, répliquai-je.

Il n'existait que deux moyens de rejoindre Tangier Island, par air ou par mer. Le tourisme n'étant guère développé sur l'île, les ferries étaient peu nombreux, et le service s'interrompait après le 15 octobre. La seule façon était de se rendre en voiture jusqu'à Crisfield, dans le Maryland, ou bien dans mon cas, parcourir cent trente-cinq kilomètres jusqu'à Reedville, où les garde-côtes viendraient me chercher. Je quittai le bureau à l'heure où la plupart des gens songeaient à aller déjeuner. L'après-midi s'annonçait froid et humide, le ciel était nuageux et le vent violent.

Chaque fois que j'avais essayé de contacter le Centre de contrôle et de prévention des maladies, le CCPM, on m'avait mise en attente, aussi avais-je laissé des instructions à Rose pour qu'elle les rappelle. Elle devait aussi joindre Marino et Wesley, pour les prévenir de ma destination, et leur dire que je les appellerais dès que possible. Je pris la route 64 Est en direction de la 360, et me retrouvai rapidement au milieu des terres cultivées.

Les champs de maïs en jachère étaient bruns, des faucons plongeaient et montaient en flèche dans le ciel, dans une région où les églises baptistes portaient des noms tels que *Foi*, *Victoire* ou *Sion*. Le ku-dzu pendait des arbres comme une cotte de mailles, et de l'autre côté de la Rappahannock River, dans le Northern Neck, les maisons étaient de vieux manoirs décrépits que les propriétaires des générations actuelles n'avaient pas les moyens d'entretenir. Je dépassai d'autres champs et des pervenches grimpantes, puis le Northumberland Courthouse, qui avait été construit avant la guerre de Sécession.

Les tombes des cimetières d'Heathsville étaient bien entretenues, décorées de fleurs en plastique, et de temps en temps, une ancre de marine peinte trônait au milieu d'un jardin. Je traversai des bois de pins serrés, longeai des champs de maïs si proches de la route étroite que j'aurais pu les effleurer en tendant le bras. A Buzzard's Point Marina, les bateaux étaient amarrés, et la vedette de tourisme rouge, blanc et bleu, la *Chesapeake Breeze*, ne ressortirait plus avant le printemps. Je n'eus aucun mal à me garer. Il n'y avait personne dans la guérite du parking pour me demander dix cents.

Une vedette blanche de la Garde côtière m'attendait au bord du bassin. Les garde-côtes portaient des vêtements de protection bleu et orange vif connus sous le nom de combinaisons Mustang, et l'un d'eux était en train de grimper sur le quai. Plus âgé que les autres, les yeux et les cheveux bruns, il portait à la hanche un 9 mm Beretta et faisait preuve d'une indéniable autorité naturelle.

— Docteur Scarpetta ?

— Oui.

J'étais chargée de plusieurs sacs, y compris une mallette contenant mon microscope et son appareillage photo miniature, et il tendit la main :

— Laissez-moi vous aider. Je suis Ron Martinez, chef de station à Crisfield.

— Merci. J'apprécie beaucoup votre aide.

— Hé, nous aussi, vous savez.

La houle qui secouait le patrouilleur de douze mètres de long agrandissait et creusait sans relâche le fossé qui le séparait du quai. J'agrippai la passerelle et montai à bord. Martinez descendit une échelle de coupée abrupte, et je le suivis à l'intérieur d'une cale encombrée d'équipements de sauvetage, de lances d'incendie et d'énormes rouleaux de cordage. L'atmosphère était chargée d'émanations de diesel. Il fourra mes affaires dans un coin sûr et les arrima, puis me tendit une combinaison Mustang, un gilet de sauvetage et des gants.

— Vous allez devoir enfiler ça, au cas où vous vous retrouveriez à l'eau. Ce n'est pas une perspective réjouissante, mais ça peut arriver. L'eau est dans les dix-quinze degrés.

Il me fixa longuement du regard, puis ajouta, tandis que le bateau heurtait le quai :

— Vous préférez peut-être rester ici.

Je m'assis sur un rebord étroit pour ôter mes chaussures et répondis :

— Je n'ai pas le mal de mer, par contre, je suis claustrophobe.

— C'est comme vous voulez, de toute façon, la mer est mauvaise, et ça va être dur.

Il remonta tandis que je luttais contre des fermetures Eclair et du Velcro et me battais pour passer ma combinaison, emplie de chlorure de polyvinyle dont le but était de me maintenir un peu plus longtemps en vie si le bateau chavirait. Je remis mes chaussures, puis enfilai le gilet de sauvetage agrémenté d'un couteau, d'un sifflet, d'un miroir et de fusées éclairantes. Il était hors de question que je reste coincée en bas, aussi remontai-je dans la cabine. Sur le pont, l'équipage referma l'écoutille du moteur, et Martinez se sangla sur le siège du pilote.

— Vent de nord-ouest à vingt-deux nœuds, annonça un des gardes. Les vagues culminent à un mètre vingt.

Martinez s'éloigna progressivement du quai.

— C'est le problème dans la baie, m'expliqua-t-il. Les vagues sont trop rapprochées pour avoir un bon rythme, comme en pleine mer. Vous avez compris qu'on pourrait être détournés, hein ? Il n'y a pas d'autre patrouilleur dehors, alors si quelqu'un coule, il n'y a que nous pour y aller.

Nous longions lentement de vieilles maisons aux toits couronnés de belvédères, et entourées de terrains de boules.

Il continua, tandis qu'un membre de l'équipage vérifiait les instruments :

— Si quelqu'un a besoin d'aide, on doit y aller.

Un bateau de pêche avec un moteur hors-bord nous croisa, manœuvré par un vieil homme en jambières de caoutchouc debout à l'arrière, qui nous dévisagea comme des pestiférés.

— Et alors, vous pouvez vous retrouver n'importe où.

Décidément, Martinez aimait mettre les points sur les « i ».

Une odeur puissante commençait à me parvenir aux narines. Je rétorquai :

— Ce ne serait pas la première fois.

176

— Mais d'une façon ou d'une autre, on vous amènera là-bas, comme on a fait avec l'autre toubib. J'ai jamais saisi son nom. Vous travaillez pour lui depuis longtemps ?

Je répondis, suave :

— Nous nous connaissons depuis de nombreuses années, le docteur Hoyt et moi.

Des pêcheries rouillées aux cheminées fumantes s'élevaient devant nous, et lorsque nous nous rapprochâmes, je distinguai des tapis roulants en mouvement, dressés vers le ciel à angles abrupts, transportant des millions de menhadens destinés à être transformés en engrais et en huile. Observant les minuscules poissons puants, les mouettes attendaient avec voracité en tournoyant, ou bien perchées sur des pilotis. Nous dépassâmes d'autres pêcheries, des bâtiments de brique qui n'étaient plus que des ruines écroulées dans la crique. Bien que plus stoïque que la plupart des gens, je trouvais que la puanteur était devenue insupportable.

— Saleté de bouffe à chat, jeta un des gardes avec une grimace.

— On dirait plutôt une haleine de chat.

— Il faudrait me payer pour vivre par ici.

— Mais l'huile de poisson a beaucoup de valeur. Les Indiens Algonquins utilisaient les cogies comme engrais pour le maïs.

— Mais qu'est-ce qu'un cogy ? demanda Martinez.

— C'est l'autre nom de ces petites saletés. On t'a jamais appris ça à l'école ?

— Aucune importance. Au moins, je suis pas forcé de renifler ça pour gagner ma croûte. Sauf quand je sors par ici avec vous autres schnocks.

— Mais qu'est-ce que c'est qu'un schnock ?

Les plaisanteries continuèrent, tandis que Martinez poussait les gaz. Les moteurs grondèrent, le bateau piqua du nez. Nous dépassâmes des balises et des flotteurs indiquant l'emplacement de casiers à crabes, et des arcs-en-ciel étincelèrent au milieu des gerbes d'eau projetées dans notre sillage. Martinez accéléra jusqu'à atteindre une vitesse de vingt-trois nœuds, brisant les flots bleu foncé de la baie. Aucun bateau de plaisance n'était sorti aujourd'hui, et seul un paquebot se détachait sur l'horizon tel une sombre montagne.

— C'est loin ? demandai-je en m'agrippant à son siège, et remerciant le ciel pour ma combinaison Mustang.

— Vingt-neuf kilomètres au total, répondit-il en élevant la voix.

Il chevauchait les vagues comme un surfeur, les abordait de côté pour en franchir ensuite le sommet, le regard fixé droit devant lui.

— En temps normal, ce n'est pas très long, mais aujourd'hui, c'est pire que d'habitude, bien pire.

L'équipage contrôlait continuellement les détecteurs de cap et de fonds, tandis que le radar nous guidait par satellite. A présent, je ne voyais plus que de l'eau, la baie nous attaquait de toutes parts, des montagnes liquides se dressaient devant nous, et à la poupe, des vagues clapotaient comme des applaudissements nourris.

Je fus presque obligée de crier pour demander :

— Que pouvez-vous me raconter sur l'endroit où nous allons ?

— A peu près sept cents habitants. Il y a encore vingt ans, ils produisaient leur propre électricité, et ils ont une petite piste d'atterrissage bricolée avec des matériaux de récupération. Merde ! jura-t-il tandis que le bateau retombait au creux d'une vague dans un claquement violent. J'ai failli me la faire, celle-là. Elles peuvent vous retourner comme un fétu de paille.

Il pilotait les traits tendus, comme si les flots avaient été un cheval sauvage, et ses hommes d'équipage se cramponnaient où ils pouvaient, imperturbables mais sur le qui-vive.

Il continua :

— L'économie repose sur le crabe. Les crabes bleus, les crabes à carapace molle, ils les exportent dans tout le pays. D'ailleurs, les gens friqués viennent tout le temps en avion privé, rien que pour acheter des crabes.

— En tout cas, c'est ce qu'ils disent qu'ils viennent acheter, remarqua quelqu'un.

— On a des problèmes d'ivresse, de contrebande, de drogue, expliqua Martinez. On aborde les bateaux quand on va vérifier les gilets de sauvetage, les interdictions de drogue, ils appellent ça *se faire réviser les canots*, dit-il avec un sourire.

— Ouais, et nous, on est les *officiers de la garde*, railla un des garde-côtes. Attention, v'là les *officiers de la garde* !

Le bateau dévala une nouvelle vague.

— Ils utilisent la langue comme bon leur semble, dit Martinez. Vous aurez peut-être des difficultés pour les comprendre.

J'étais plus inquiète de ce qu'ils exportaient que de la façon dont parlaient les habitants de Tangier. Je demandai :

— Quand se termine la saison des crabes ?

— A cette époque de l'année, ils sont en train de draguer les fonds. Ils vont faire ça tout l'hiver, en travaillant quatorze à quinze heures par jour. Ils restent quelquefois une semaine en mer.

Loin devant la proue, une masse sombre émergeait de l'eau comme une baleine. Un homme d'équipage surprit mon regard.

— C'est un Liberty ship échoué, un des cargos de la Seconde Guerre mondiale. La Marine l'utilise comme cible d'exercice.

Nous avions commencé à ralentir, en approchant de la côte ouest, où un remblai composé de rochers, de débris de bateaux, de réfrigérateurs rouillés, de carcasses de voitures et autres déchets avait été dressé pour enrayer l'érosion de l'île. La terre était presque au niveau de la baie, et son point le plus élevé à quelques mètres à peine au-dessus de l'eau. Des maisons, un clocher d'église et un château d'eau bleu se dressaient fièrement à l'horizon de cette minuscule île désolée, où les gens enduraient un des pires climats qui soient avec bien peu de terre sous les pieds. Moteur haletant, nous longeâmes doucement des marécages et des marais envahis par la marée. Sur de vieux quais édentés par les brèches s'entassaient des casiers à crabes bricolés avec du grillage à poule, ornés de chapelets de flotteurs de couleur, et l'agitation régnait sur les bateaux de bois à l'ancre, aux poupes arrondies ou carrées, couturés de cicatrices. Martinez actionna sa sirène, dont l'écho déchira l'air tandis que nous entrions dans la rade. Des autochtones vêtus de tabliers tournèrent vers nous leurs visages rudes, impassibles, comme font les gens quand l'opinion qu'ils ont de vous n'est pas particulièrement aimable. Ils continuèrent comme si de rien n'était à s'affairer autour de leurs huttes à crabes et à travailler sur leurs filets tandis que nous accostions aux pompes à fuel.

L'équipage amarra le bateau, et Martinez m'informa :

— Le chef s'appelle Crockett, comme la plupart des gens ici. Davy Crockett, sans rire. Venez, me dit-il après avoir fouillé du regard le quai et un snack-bar fermé à cette époque de l'année.

Le vent qui soufflait de la mer était aussi glacial qu'au mois de janvier, et je le suivis à terre. Nous avions à peine fait quelques mètres lorsqu'une petite camionnette à plateau déboula d'un virage en crissant sur le gravier. Elle s'arrêta, et un jeune homme tendu en sortit. Son uniforme se composait d'un jean, d'une grosse veste noire et d'une casquette portant la mention *Tangier Police*. Son regard affolé allait de moi à Martinez, puis il fixa ce que je transportais.

— OK, me dit Martinez, je vous laisse avec Davy. Voilà le docteur Scarpetta, dit-il à celui-ci.

Crockett hocha la tête.

— V'nez tous.

— Il n'y a que la dame qui vient.

— J'vas vous monter jusqu'là-bas.

J'avais déjà entendu ce genre de patois en montagne, où les gens paraissaient sortir du siècle dernier.

— On vous attendra ici, me promit Martinez en retournant à son bateau.

Je suivis Crockett jusqu'à son camion, que de toute évidence, il nettoyait à fond au moins une fois par jour. Il devait aimer le lustrant encore plus que Marino.

— Je suppose que vous êtes entré dans la maison, lui dis-je tandis qu'il démarrait.

— Non. C't'un voisin qui y a été. Et quand c'est que j'ai été averti, j'ai appelé Norfolk.

Il entreprit de reculer, et une croix d'étain se balança au bout de la clé de contact. Je contemplai par la portière de petits restaurants de bois blanc, avec des enseignes peintes à la main et des mouettes en plastiques suspendues aux fenêtres. Un camion chargé de casiers à crabes qui arrivait en sens inverse dut s'écarter pour nous laisser le passage. Les gens roulaient sur des bicyclettes apparemment sans freins ni dérailleurs, et le mode de transport favori paraissait être le scooter.

Je pris des notes.

— Comment s'appelle la défunte ?

Il répondit sans paraître se préoccuper du fait qu'il frôlait la clôture de chaînes d'une maison :

— Lila Pruitt. Une fanée, son âge, je connais pas. Vendait des r'çuts aux touristes. Des trucs, des *crab cakes*.

J'inscrivis, sans bien comprendre ce qu'il me disait alors que nous passions devant l'école, puis un cimetière. Les pierres tombales penchaient dans tous les sens, comme si elles avaient été prises dans une tempête.

— Et quand a-t-elle été vue en vie pour la dernière fois ?

— L'était d'dans chez Daby. (Il hocha la tête.) Oh, p't'être juin.

J'étais complètement perdue.

— Désolée. On l'a vue pour la dernière fois dans un endroit appelé Daby au mois de juin ?

— Pour sûr.

Il eut un nouveau hochement de tête, comme si tout cela était très logique.

— Qu'est-ce que c'est que Daby, et qui l'a vue là ?

— Le magasin. Daby et Fils. J'peux vous m'ner.

Il me lança un regard, et je secouai la tête.

— J'étais dedans pour les courses, et j'l'a vue. C'était juin, j'crois.

Il modulait ses étranges syllabes, déformait les mots, les avalait, les faisait rouler sous la langue comme l'eau qui entourait son univers.

— Et ses voisins ? Il n'y en a pas un qui l'ait vue ?

— Pas d'puis des jours.

— Alors qui l'a trouvée ?

— Personne l'a trouvée.

Je le contemplai d'un air désespéré.

— Juste Mme Bradshaw, l'est v'nue pour un r'çut, l'est entrée, et l'avait c't'odeur.

— Cette Mme Bradshaw est montée à l'étage ?

Il secoua la tête.

— L'a dit non. L'est v'nue tout d'suite pour moi.

— L'adresse de la défunte ?

— Où c'qu'on est, dit-il en ralentissant. School Street.

Diagonalement opposée à la Swain Memorial Methodist Church, c'était une maison de planches blanches à un étage. Des vêtements pendaient encore à la corde à linge, et une maisonnette à hirondelles se dressait sur un piquet rouillé à l'arrière. Dans le jardin jonché de coquilles d'huîtres et de marmites à crabes reposait une vieille barque de bois, et une haie d'hortensias bruns bordait une barrière où était installée une curieuse rangée de petites niches peintes en blanc, disposées face à la route de terre.

Je demandai à Crockett :

— Qu'est-ce que c'est ?

— Pour là où elle vendait des r'çuts. Vingt-cinq cents, qu'vous mettez dans une fente, expliqua-t-il en tendant la main. Mme Pruitt était pas causante avec personne.

Je compris enfin qu'il parlait de « recettes », et tirai la poignée de la portière.

— J'vous attends ici, déclara-t-il avec une expression qui me suppliait de ne pas lui demander d'entrer dans cette maison.

— Tenez simplement les gens à l'écart, lui dis-je en descendant du camion.

— Pour ça, y a pas d'danger.

Je jetai un regard aux alentours, aux autres petites maisons et aux caravanes dans leurs jardins au sol sablonneux. Des cimetières familiaux entouraient certaines d'entre elles. Les morts avaient été enterrés là où la terre était suffisamment profonde, et les pierres tombales penchées ou renversées étaient lisses comme de la craie. Je grimpai les marches du seuil de la maison de Lila Pruitt, et remarquai encore d'autres pierres tombales dans un coin de son jardin, à l'ombre des genévriers.

Les ressorts de la porte moustiquaire, rouillée par endroits, protestèrent bruyamment lorsque je pénétrai dans une véranda fermée qui descendait en pente douce vers la rue. Il y avait une balancelle recouverte de plastique à fleurs, avec une petite table, elle aussi en plastique, et je l'imaginai là en train de se balancer, sirotant du thé glacé tout en observant les touristes qui venaient lui acheter des recettes de cuisine pour vingt-cinq cents. Je me demandai si elle les avait espionnés, pour être sûre qu'ils payaient bien.

La double porte était déverrouillée, et Hoyt avait pensé à scotcher dessus un panneau bricolé qui annonçait : *MALADIE ! NE PAS ENTRER ! !* Je supposai qu'il s'était dit que les habitants de Tangier ignoraient ce que pouvait être un risque biologique, mais son message était clair. Je pénétrai dans un vestibule plongé dans la pénombre, où un tableau de *Jésus en prière devant son père* était accroché au mur, et l'odeur fétide de la chair humaine en décomposition m'assaillit.

Tout portait à croire que quelqu'un avait été malade dans le salon pendant un moment. Des couvertures et des oreillers tachés gisaient en bataille sur le canapé, et sur la table basse reposaient un thermomètre, des mouchoirs en papier, des flacons d'aspirine, du liniment, des tasses et des assiettes sales. Elle avait eu de la fièvre, avait eu mal, et était venue s'installer confortablement ici pour regarder la télévision.

Puis à la fin, elle avait été incapable de sortir de son lit, et ce fut là que je la trouvai, à l'étage, dans une chambre tapissée d'un papier peint à boutons de rose. Un fauteuil à bascule était installé près de la fenêtre surplombant la rue. Le grand miroir en pied était recouvert d'un drap, comme si elle n'avait plus supporté de voir son reflet. Hoyt, en médecin de la vieille école, avait remonté les couvertures sur le corps avec respect, sans déranger quoi que ce soit. Il était suffisamment avisé pour ne toucher à rien sur les lieux d'un décès, surtout lorsqu'il savait que ma visite devait suivre la sienne. Je demeurai immobile au milieu de la pièce, et pris mon temps. La puanteur donnait une impression d'étouffement, comme si les murs s'étaient rapprochés, et l'air paraissait noir.

Mon regard s'attarda sur le peigne et la brosse bon marché posés sur la coiffeuse, sur les mules roses duveteuses placées sous une chaise couverte des vêtements qu'elle n'avait pas eu l'énergie de ranger ou de laver. Une bible reliée de cuir noir desséché et écaillé était posée sur la table de chevet, ainsi qu'un échantillon de spray facial d'aromathérapie Vita, dont j'imaginai qu'elle l'avait utilisé en vain pour calmer sa forte fièvre. Des douzaines de catalogues de vente par correspondance aux pages cornées aux endroits qui l'avait intéressée étaient empilés sur le sol.

Dans la salle de bains, une serviette cachait la

184

glace au-dessus du lavabo, tandis que d'autres serviettes tachées de sang jonchaient le sol de linoleum. Elle s'était retrouvée à court de papier hygiénique, et la boîte de bicarbonate de soude sur le rebord de la baignoire indiquait qu'elle avait tenté de soulager ses souffrances dans un bain en appliquant ses propres remèdes. Je ne trouvai dans l'armoire à pharmacie que du fil dentaire, des préparations anti-hémorroïdaires, de la crème de soins, mais aucun médicament sur ordonnance. Son dentier était rangé dans une boîte en plastique sur le lavabo.

Lila Pruitt avait été une femme âgée et solitaire, ne disposant que de très peu d'argent, et qui n'avait probablement quitté cette île guère plus de deux ou trois fois dans sa vie. Je supposai qu'elle n'avait pas recherché l'aide de ses voisins parce qu'elle n'avait pas le téléphone, et qu'elle avait craint qu'à sa vue, les gens ne s'enfuient avec horreur. Même moi, je n'étais pas préparée à ce que je découvris lorsque je repoussai les couvertures.

Elle était couverte de pustules grises et dures comme des perles, les traits creusés par sa bouche édentée, les cheveux teints en roux en bataille. Je descendis encore davantage les couvertures, déboutonnai sa chemise de nuit, et remarquai, ainsi que me l'avait dit Hoyt, que les éruptions étaient plus denses sur le visage et les extrémités que sur son torse. Les démangeaisons étaient telles qu'elle s'était labouré les bras et les jambes, les faisant saigner et provoquant des infections secondaires enflées et pleines de croûtes.

— Que Dieu vous assiste, soufflai-je dans un murmure douloureux.

Je l'imaginai dévorée de démangeaisons, brûlante de fièvre, souffrante, effrayée par son propre reflet de cauchemar dans le miroir.

La vision de ma mère me traversa l'esprit en un éclair, et je dis à voix haute :

— Quelle horreur !

Je perçai une pustule, fis un frottis sur une lame,

puis descendis dans la cuisine et installai mon microscope sur la table. Je savais déjà ce que j'allais découvrir. Il ne s'agissait pas de varicelle, ni de zona. Tous les symptômes indiquaient que nous avions affaire à cette maladie défigurante et dévastatrice qu'est la *variola major*, plus connue sous le nom de petite vérole. Ajustant mon microscope, j'installai la lame sur le plateau et passai à un objectif agrandissant quatre cents fois. Je fis le point sur un centre compact, et les corpuscules cytoplasmiques de Guarnieri apparurent. Je pris des photos Polaroïd supplémentaires de ce qui semblait impossible.

Puis je repoussai ma chaise. Une horloge tictaquait bruyamment sur le mur, et je faisais les cent pas dans la pièce.

— Comment as-tu attrapé ça ? Comment ? interrogeai-je à voix haute.

Je sortis de la maison, et me dirigeai vers l'endroit où était garé Crockett, mais sans me rapprocher de son véhicule.

— Nous avons un sacré problème, lui annonçai-je, et je ne suis pas entièrement certaine de la façon dont nous allons l'aborder.

La première difficulté consistait à dénicher un téléphone sûr, mais je finis par conclure que c'était impossible. Je ne pouvais pas appeler de l'un des magasins, et encore moins de chez l'un des voisins ou de la caravane du chef. Ma seule solution était mon téléphone cellulaire portable que je n'aurais jamais utilisé en temps normal pour passer des communications de cet ordre. Je n'avais pas d'autre choix. A trois heures et quart, une femme répondit au standard de l'institut de recherches médicales sur les maladies infectieuses de l'armée, l'IUSAMRIID à Fort Derrick, Frederick, dans le Maryland.

J'annonçai :

— J'ai besoin de parler au colonel Fujitsubo.

— Je suis désolée, il est en réunion.

— C'est très important.

— Rappelez demain, madame.

— Passez-moi au moins son assistant, son secrétaire...

— Au cas où vous ne le sauriez pas, tous les employés fédéraux dont la présence n'est pas essentielle sont en congé...

— Bon Dieu ! m'exclamai-je exaspérée. Je suis coincée sur une île avec un mort par maladie infectieuse. Nous risquons ici une espèce d'épidémie, ne me dites pas que je dois attendre la fin de votre foutu congé !

— Pardon ?

J'entendais des téléphones sonner sans interruption en arrière-fond.

— Je vous appelle d'un téléphone cellulaire, dont la batterie peut me lâcher d'une minute à l'autre. Interrompez cette réunion, bon sang ! Et passez-le-moi tout de suite !

Fujitsubo se trouvait au Congrès, dans le Russell Building, où mon appel fut transféré. Je savais qu'il devait être dans le bureau d'un quelconque sénateur, mais cela m'était égal. Je le mis brièvement au courant de la situation, tout en tentant de contrôler ma propre panique.

— C'est impossible. Vous êtes sûre qu'il ne s'agit pas de varicelle, de rougeole...

— Non. Et quelle qu'elle soit, cette maladie doit être contenue. Je ne peux pas expédier ce corps à ma morgue. Vous devez prendre les choses en main.

L'USAMRIID était le plus grand laboratoire de recherches médicales du programme de défense biologique américain, dont l'objet était de protéger la population des menaces éventuelles de guerre bactériologique. Plus précisément, l'USAMRIID possédait le plus grand laboratoire de confinement de niveau 4.

— Je ne peux faire ça qu'en cas de terrorisme, répondit Fujitsubo. Les épidémies vont au CCPM. J'ai l'impression que c'est à eux qu'il faut vous adresser.

— Et c'est ce que je finirai par faire. Mais je suis sûre que la plupart des services sont en congé, eux aussi, ce qui explique pourquoi je n'ai pas pu les joindre plus tôt. De plus, ils sont à Atlanta, tandis que vous êtes dans le Maryland, tout près, et que j'ai besoin de sortir ce corps d'ici le plus vite possible.

Il demeura silencieux, et je continuai, baignée de sueurs froides :

— J'espère me tromper plus que n'importe qui, mais si ce n'est pas le cas, et que nous n'avons pas pris les précautions nécessaires...

— Compris, compris, dit-il vivement. Bon Dieu, pour l'instant, le personnel est réduit au minimum. D'accord, accordez-nous quelques heures. J'appelle le CCPM, et nous allons déployer une équipe. Quand avez-vous été vaccinée pour la dernière fois contre la variole ?

— J'étais trop jeune pour m'en souvenir.

— Vous venez avec le corps.

— Elle est sous ma responsabilité.

Mais je savais ce qu'il voulait dire. Ils allaient me mettre en quarantaine.

J'ajoutai :

— Commençons par lui faire quitter l'île, et nous nous occuperons du reste après.

— Où serez-vous ?

— Sa maison se trouve dans le centre, près de l'école.

— Bon Dieu, ça tombe mal. Vous avez une idée du nombre de gens qui ont pu être exposés au virus ?

— Aucune. Ecoutez, il y a une anse à marée pas loin. Repérez-vous à ça et à l'église méthodiste, qui a un clocher très haut. D'après la carte, il y a une autre église, mais celle-là n'a pas de clocher. Il y a une piste d'atterrissage, mais plus vous pourrez vous rapprocher de la maison, mieux cela vaudra. Vous n'aurez pas à la transporter au vu et au su de tous.

— D'accord. Nous n'avons pas besoin d'un mouvement de panique, ça c'est sûr.

Il s'interrompit, puis le ton de sa voix s'adoucit :

— Et vous, ça va ?

— J'espère bien, rétorquai-je, les yeux pleins de larmes, et les mains tremblantes.

— Calmez-vous, essayez de vous détendre et ne vous inquiétez pas. Nous allons nous occuper de vous.

La batterie de mon téléphone rendit l'âme à cet instant.

Après tous les meurtres et la folie dont j'avais été témoin dans ma carrière, le fait qu'une maladie puisse tranquillement m'éliminer avait toujours constitué une possibilité théorique. Lorsque j'ouvrais un cadavre, que je baignais dans le sang et respirais l'atmosphère qui en émanait, je ne savais jamais à quoi je pouvais être exposée. Je faisais très attention aux coupures et aux piqûres d'aiguille, mais je devais m'inquiéter de bien plus que l'hépatite et le sida. On découvrait de nouveaux virus tous les jours, et je me demandais souvent si ceux-ci ne régneraient pas un jour, et ne finiraient pas par gagner contre nous une guerre qui avait commencé dans la nuit des temps.

Je demeurai un moment assise dans la cuisine, à écouter le tic-tac de l'horloge, tandis que derrière la vitre, la lumière baissait et le jour s'évanouissait. J'étais plongée dans les affres d'une crise d'angoisse lorsque la voix bien particulière de Crockett me héla de l'extérieur.

— M'dame ? M'dame ?

Lorsque je sortis sur la véranda et regardai par la moustiquaire, j'aperçus sur la plus haute marche un petit sac en papier brun et une boisson ouverte avec une paille dedans. Je les rentrai à l'intérieur tandis que Crockett remontait dans son camion. Il s'était absenté suffisamment longtemps pour m'apporter à manger, ce qui n'était pas malin, mais gentil. Je lui fis signe de la main, comme à un ange gardien, et me sentis mieux. Je m'installai et dégustai le thé glacé du Fisherman's Corner au rythme de la balancelle. Le sandwich se composait de carrelet et de coquilles Saint-Jacques sautées avec du pain blanc. Je n'eus pas le souvenir d'avoir jamais mangé quelque chose d'aussi frais et savoureux.

Je me berçai en sirotant mon thé, et observai la rue à travers la moustiquaire rouillée. Le soleil dévalait le clocher de l'église comme une grosse boule de feu, et les vols d'oies sauvages dessinaient des « V » noirs dans le ciel. Crockett alluma ses phares, des fenêtres s'éclairèrent aux façades des maisons. Deux jeunes filles à bicyclette passèrent en pédalant à toute vitesse, et me dévisagèrent tout en s'enfuyant. J'étais certaine qu'elles savaient, que toute l'île savait. La rumeur s'était répandue, que des docteurs et la garde côtière étaient arrivés à cause de ce qui se trouvait dans le lit de Lila Pruitt.

Je rentrai dans la maison, enfilai des gants neufs, baissai mon masque sur mon nez et ma bouche, et retournai dans la cuisine voir ce que je pourrais trouver dans la poubelle. Le récipient en plastique était garni d'un sac en papier, et rangé sous l'évier. Je m'assis par terre, et sortis tout, petit morceau par petit morceau, pour essayer de déterminer depuis quand Mme Pruitt pouvait bien être malade. De toute évidence, elle n'avait pas vidé ses ordures depuis longtemps. Les boîtes de conserves vides et les emballages de plats surgelés était secs et craquelés, les épluchures de navets et de carottes ratatinées et dures comme du cuir.

Je passai en revue chaque pièce de la maison, retournai toutes les corbeilles à papier que je pus trouver. Le contenu de celle que je dénichai dans le salon était le plus triste. Il s'agissait de recettes de cuisine écrites à la main sur des bouts de papier, Le Carrelet Facile, Les Tourtes au Crabe, La Soupe aux Praires de Lila. Elle s'était trompée, avait raturé des mots, ce qui expliquait sans doute qu'elle les eut jetées. Un petit tube cartonné vide, un échantillon qu'elle avait reçu par la poste, se trouvait au fond de la poubelle.

Je tirai une lampe torche de mon sac, sortis et

demeurai sur les marches, attendant que Crockett descende de son camion.

Je déclarai :

— Il va bientôt y avoir beaucoup de remue-ménage, par ici.

Il me regarda comme si j'étais folle, et derrière les fenêtres éclairées, je distinguai des visages et des regards qui scrutaient l'extérieur. Je descendis les marches, gagnai la barrière le long du jardin, que je contournai, puis dirigeai le faisceau de la lampe à l'intérieur des petits abris où Lila Pruitt avait vendu ses recettes. Crockett battit en retraite.

— J'essaye de voir si je peux avoir une idée du moment où elle est tombée malade, lui dis-je.

Il y avait de nombreuses recettes dans les niches, et seulement trois pièces de vingt-cinq cents dans la boîte en bois destinée à recevoir l'argent.

— A quand remonte la dernière visite d'un ferry avec des touristes ? demandai-je en éclairant un autre abri, où se trouvait une demi-douzaine de recettes du Crabe Facile à la Lila.

— Y a une semaine de ça. Et jamais rien depuis des semaines, répondit-il à travers sa vitre à peine ouverte.

— Les voisins lui achètent ses recettes ?

Il fronça les sourcils, comme s'il s'agissait d'une drôle de question.

— Ils ont déjà les leurs.

Maintenant, des gens étaient sortis sur leurs vérandas, et se mouvaient doucement dans les ombres de leurs jardins. Ils observaient cette folle avec sa blouse de chirurgie, son bonnet et ses gants, qui brandissait une torche en la pointant sur les niches de leur voisine, et parlait avec le chef.

— Il va bientôt y avoir beaucoup de remue-ménage, par ici, lui répétai-je. Une équipe médicale de l'Armée va arriver d'un instant à l'autre, et nous allons avoir besoin de vous, pour veiller à ce que les gens restent calmes, et ne sortent pas de chez eux.

Maintenant, je veux que vous alliez chercher les garde-côtes, et que vous leur disiez qu'ils doivent vous aider, d'accord ?

Davy Crockett démarra sur les chapeaux de roues.

9

Il était à peine neuf heures du soir lorsqu'ils entamèrent bruyamment leur descente dans le clair de lune. Le Blackhawk de l'Armée vira au-dessus de l'église méthodiste dans un fracas de tonnerre, la colossale turbulence provoquée par le tournoiement des pales fouettant la cime des arbres. Un puissant projecteur fouilla l'obscurité, à la recherche d'une zone d'atterrissage, et je le regardai se poser dans un jardin voisin tandis que des centaines d'habitants de Tangier se répandaient dans les rues.

Depuis la véranda, je scrutai à travers la moustiquaire l'équipe d'évacuation qui descendait de l'hélicoptère tandis que les enfants se cachaient derrière leurs parents, contemplant la scène en silence. Les cinq scientifiques de l'USAMRIID et du CCPM avaient l'air de débarquer d'une autre planète, dans leurs combinaisons et leurs cagoules de plastique orange gonflées, et leurs réserves d'air à accumulation. Ils descendirent la rue, transportant une civière enveloppée dans une bulle en plastique.

— Dieu merci, vous êtes là ! soupirai-je lorsqu'ils atteignirent la maison.

Ils faisaient un bruit de plastique glissant sur le plancher de la véranda, et aucun d'eux ne prit la peine de se présenter. La seule femme de l'équipe me tendit une combinaison orange pliée.

— Il est probablement un peu tard, lui dis-je.

— Ça ne peut pas faire de mal.

Son regard croisa le mien. Elle ne devait pas être beaucoup plus âgée que Lucy.

— Allez-y, mettez-la.

La combinaison avait la consistance d'un rideau de douche. Je m'assis sur la balancelle et l'enfilai par-dessus mes chaussures et mes vêtements. La cagoule était transparente, avec une bavette que je fixai solidement autour de ma poitrine. J'ouvris la réserve installée au dos, et haussai la voix, par-dessus le bruit de l'air qui se précipitait dans mes oreilles :

— Elle est là-haut.

Je pris la tête du cortège, et ils montèrent la civière. Lorsqu'ils découvrirent ce qui se trouvait sur le lit, ils demeurèrent un moment muet.

— Seigneur, je n'ai jamais rien vu de tel ! s'exclama enfin un des scientifiques.

Tout le monde se mit à parler à toute vitesse :

— Enroulez-la dans les draps !

— Puis dans l'enveloppe, et scellez !

— Tout ce qui est sur le lit, tout le linge va dans l'autoclave !

— Merde ! Qu'est-ce qu'on va faire ? Brûler la maison ?

Dans la salle de bains, je ramassai les serviettes sur le sol, tandis qu'ils soulevaient son corps enveloppé. Celui-ci était glissant, et ils eurent du mal à le passer du lit dans l'isolateur portable, conçu à l'origine pour les vivants. Ils scellèrent les rabats de plastique, et ce corps dans une enveloppe pour les cadavres, protégé par ce qui ressemblait à une tente à oxygène, était choquant, même pour moi. Ils soulevèrent la civière à chaque extrémité, et nous rebroussâmes chemin dans l'escalier, puis jusque dans la rue.

— Que va-t-il se passer après notre départ ? demandai-je.

— Trois d'entre nous vont rester, répondit l'un d'eux. Un autre hélicoptère arrive demain.

Nous fûmes interceptés par un autre chercheur en combinaison, qui transportait une boîte en métal assez semblable à celle qu'utilisent les exterminateurs de cafards. Il nous décontamina, nous et la civière, nous aspergeant de produit chimique tandis que les gens alentour continuaient de nous regarder bouche bée. Le garde-côte se trouvait près du camion de Crockett. Ils discutaient tous les deux, et je me dirigeai vers eux. De toute évidence, mes vêtements de protection les perturbaient, et ils reculèrent de plusieurs pas sans trop de tact.

Je m'adressai à Crockett :

— Cette maison doit être placée sous scellés. Personne n'y entre, personne ne s'en approche tant que nous ne savons pas avec certitude à quoi nous avons affaire.

Les mains dans les poches de sa veste, il clignait des yeux avec affolement.

Je continuai :

— Si quelqu'un d'autre tombe malade, je dois en être immédiatement avertie.

— A cette époque-ci, ils sont malades, rétorqua-t-il. Ils ont le microbe. Y en a qui ont le rhume.

— S'ils ont la fièvre, mal dans le dos, des éruptions, vous appelez immédiatement mon bureau. Ces gens sont là pour vous aider, ajoutai-je en désignant du doigt l'équipe de scientifiques.

L'expression qui se peignit sur son visage montrait clairement qu'il ne voulait de personne ici, sur son île.

— Essayez de comprendre, lui dis-je. C'est très, très important.

Il hocha la tête. Un jeune garçon se matérialisa derrière lui dans l'obscurité, et lui prit la main. Il ne devait pas avoir plus de sept ans, avec des boucles blondes en bataille, et de grands yeux pâles fixés sur moi comme si j'étais l'apparition la plus effrayante de sa vie.

— Les gens du ciel, papa, dit-il en me désignant du doigt.

— Va-t'en, Darryl, dit Crockett à son fils. Rentre à la maison.

Je me dirigeai dans la direction du battement des

pales de l'hélicoptère. L'air en mouvement dans la cagoule me rafraîchissait le visage, mais le reste de la combinaison ne respirait pas, et j'étais très mal à l'aise. Je me frayai un chemin dans le jardin à côté de l'église, dans le grondement des pales, au milieu des arbustes et des pins rabougris que le vent violent déchirait.

L'intérieur du Blackhawk ouvert était illuminé, et l'équipe arrimait la civière de la même façon que si elle avait été occupée par un être vivant. Je montai à bord, m'installai sur un des sièges d'équipage, et m'attachai tandis qu'un des hommes refermait la porte. L'hélicoptère s'éleva dans le ciel dans un fracas de vibrations. Il était impossible d'entendre quoi que ce fût sans écouteurs, et ceux-ci ne fonctionnaient pas bien par-dessus les cagoules.

Dans un premier temps, la procédure m'intrigua. Nos combinaisons avaient été décontaminées, mais l'équipe ne voulait pas que nous les enlevions. Je compris alors brutalement : j'avais été exposée en me trouvant à proximité du corps de Lila Pruitt, et avant cela, à cause de l'autopsie du torse. Personne ne tenait à respirer le même air que moi, avant qu'il soit d'abord passé à travers un filtre haute capacité à particules. Nous demeurâmes donc là sans parler, à échanger des regards ou bien contempler notre patiente. Puis je fermai les paupières, tandis que nous volions vers le Maryland à toute vitesse.

Je pensai à Wesley, Lucy et Marino. Ils n'avaient aucune idée de ce qui se passait, et devaient être très inquiets. Je me demandai avec angoisse quand je les reverrais, et dans quel état je serais alors. Mes jambes flageolaient, j'avais les pieds bouillants, et je ne me sentais pas bien. Je ne pouvais m'empêcher de craindre le premier signe fatal, un frisson, une douleur, les yeux larmoyants et la soif de la fièvre. Enfant, j'avais été vaccinée contre la variole, de même que Lila Pruitt, et de même que la femme dont le torse se trouvait encore dans ma chambre froide. J'avais remarqué leurs cicatrices, ces zones de peau distendue et flétrie de la taille d'une pièce de vingt-cinq cents qui témoignaient qu'elles avaient été immunisées contre la maladie.

Il était à peine onze heures lorsque nous atterrîmes dans un endroit que je fus incapable de distinguer. J'avais dormi juste assez pour perdre le sens de l'orientation, et lorsque j'ouvris les yeux, le retour à la réalité fut brutal et bruyant. La porte s'ouvrit de nouveau dans un glissement. Des lumières bleues et blanches clignotaient sur un héliport, et de l'autre côté de la route, se dressait un grand immeuble anguleux. A cette heure tardive, de nombreuses fenêtres étaient illuminées, comme si des gens y attendaient notre arrivée. Les scientifiques détachèrent la civière et la chargèrent en hâte à l'arrière d'un camion, tandis que la femme m'escortait en me tenant le bras de sa main gantée.

Je ne vis pas où on conduisait la civière, mais moi, on me mena de l'autre côté de la route, vers une rampe située sur le côté nord du bâtiment. De là, nous atteignîmes rapidement un couloir ; je fus conduite sous une douche, et aspergée de décontaminant. Je me déshabillai, et fus de nouveau noyée sous une eau brûlante et savonneuse. Il y avait autour des étagères chargées de pyjamas et de bottines de chirurgie, et je me séchai les cheveux avec une serviette. Suivant les instructions qui m'avaient été données, je laissai mes vêtements par terre au milieu, avec tout ce que j'avais sur moi.

Une infirmière m'attendait dans le couloir, qui me guida d'un bon pas. Nous passâmes devant une salle d'opération, puis devant des murs d'autoclaves qui me rappelèrent des cloches de plongée. L'atmosphère empestait une odeur d'animaux de laboratoire stérilisés par la chaleur. Je devais rester dans le Quartier 200, où une ligne rouge peinte juste sur le seuil de la chambre indiquait aux patients en confinement qu'ils ne devaient pas mettre le pied au-delà. J'examinai le petit lit d'hôpital avec sa couverture chauffante moite, son ventilateur, son réfrigérateur, et sa petite télévision suspendue dans un coin. Je remarquai les tuyaux d'air jaunes en serpentins reliés aux conduits sur les murs, le passe-plats en acier dans la porte, par l'intermédiaire duquel les plateaux de repas parvenaient aux patients, puis étaient passés aux UV avant d'être récupérés.

Je m'assis sur le lit, seule et déprimée, me refusant à envisager la situation dans laquelle je me trouvais peut-être. Plusieurs minutes s'écoulèrent. Une porte extérieure se ferma bruyamment, et la mienne s'ouvrit en grand.

— Bienvenue au Mitard ! annonça le colonel Fujitsubo.

Il portait une cagoule Racal et une lourde combinaison de vinyle bleue, qu'il brancha sur l'un des tuyaux d'air.

— John, je ne suis pas prête.

— Soyez raisonnable, Kay.

Son visage solide paraissait sévère et même effrayant derrière le masque de plastique, et je me sentis seule et vulnérable.

— Il faut que je prévienne plusieurs personnes de l'endroit où je me trouve, lui dis-je.

Il marcha jusqu'au lit, et déchira un emballage en papier, une petite fiole et un compte-gouttes dans sa main gantée.

— Voyons votre épaule. Il est temps de vous revacciner. Et nous allons également vous offrir une petite dose d'immunoglobulines, pour faire bonne mesure.

— Décidément, c'est mon jour de chance.

Il me frotta l'épaule avec un tampon d'alcool. Je demeurai de marbre lorsqu'il m'incisa la peau à deux reprises à l'aide d'un scarificateur, et déposa le sérum.

Il ajouta :

— Espérons que tout ceci est inutile.

— Nul ne le souhaite plus que moi.

— La bonne nouvelle, c'est que vous devriez avoir une magnifique réaction anamnestique, avec un niveau d'anticorps plus élevé que jamais. La vaccination dans les vingt-quatre à quarante-huit heures suivant l'exposition au virus est en général radicale.

Je ne répondis pas, car il savait aussi bien que moi qu'il était peut-être déjà trop tard.

— Nous procéderons à l'autopsie demain à neuf heures, et nous vous garderons encore quelques jours, pour plus de sûreté, dit-il en jetant les emballages dans la poubelle. Avez-vous des symptômes, quels qu'ils soient ?

— J'ai mal à la tête, et je suis de mauvaise humeur.

Il sourit en me regardant. Fujitsubo était un brillant médecin qui avait grimpé les échelons de l'AFIP, l'institut de pathologie des forces armées, avant de prendre la direction de l'USAMRIID. Il était divorcé, et un peu plus âgé que moi. Il prit une couverture pliée au pied du lit, la déroula et m'en entoura les épaules. Puis il tira une chaise, et s'assit à califourchon, les bras sur le dossier.

— J'ai été exposée au virus il y a près de deux semaines, John.

— Dans cette affaire d'homicide.

— Je devrais l'avoir, maintenant.

— Quoi que ce puisse être, Kay, le dernier cas de variole recensé l'a été en octobre 1977, en Somalie. Elle a depuis été éradiquée de la surface de la terre.

— Je sais ce que j'ai vu au microscope électronique. Le virus a pu être transmis par une exposition anormale.

— Vous voulez dire, délibérée ?

— Je ne sais pas.

J'éprouvais beaucoup de mal à garder les yeux ouverts.

— Mais ne trouvez-vous pas bizarre que la première personne dont on pense qu'elle ait été infectée ait également été assassinée ?

— Je trouve tout ça bizarre, déclara-t-il en se levant, mais nous ne pouvons pas faire grand-chose, sinon vous offrir, à vous et au corps, un protocole de confinement biologique fiable.

— Bien sûr que si, vous pouvez faire plus.

Je ne voulais pas entendre parler de ses conflits de juridiction, et ajoutai :

— Vous pouvez tout faire.

— A cet instant, nous sommes en présence d'un problème de santé publique, qui ne regarde en rien l'Armée. Vous savez très bien que nous ne pouvons pas retirer cette affaire de force des mains du CCPM. Au pire nous sommes confrontés à un début d'épidémie quelconque, et ils sont les plus qualifiés en la matière.

— Tangier Island devrait être placé en quarantaine.

— Nous en reparlerons après l'autopsie.

— Que j'ai bien l'intention d'effectuer, ajoutai-je.

— Nous verrons comment vous vous sentez, dit-il tandis qu'une infirmière apparaissait à la porte.

Il s'entretint brièvement avec elle, puis sortit. Elle revint, vêtue d'une autre combinaison bleue. Jeune et d'une bonne humeur exaspérante, elle m'expliqua qu'elle travaillait au Walter Reed Hospital, mais venait aider ici lorsqu'ils avaient des patients en isolement, ce qui n'était pas fréquent, heureusement.

— La dernière fois, nous avons eu deux techniciens de laboratoire exposés à du sang de rat des champs partiellement décongelé et contaminé par le virus Hanta. Ces maladies hémorragiques sont terribles. Je crois qu'ils sont restés une quinzaine de jours. Le docteur Fujitsubo a dit que vous vouliez un téléphone.

Elle étendit sur le lit un peignoir léger.

— Je vous trouverai ça plus tard. Voilà de l'Advil et de l'eau, ajouta-t-elle en les posant sur la table. Vous avez faim ?

— Quelque chose comme des crackers et du fromage, ce serait parfait.

J'avais l'estomac vide au point d'en être malade.

— Comment vous sentez-vous, à part le mal de tête ?

— Bien, merci.

— Eh bien, espérons que ça durera. Pourquoi

n'allez-vous pas dans la salle de bains, vous vider la vessie, vous laver, et puis ensuite vous coucher ? La télévision est là, dit-elle en la désignant du doigt, me parlant comme si j'étais demeurée.

— Où sont toutes mes affaires ?

— Ne vous inquiétez pas, ils vont les stériliser, répondit-elle avec un sourire.

Je ne parvenais pas à me réchauffer, et pris une autre douche. Mais rien n'était capable d'effacer cette fichue journée. La vision d'une bouche édentée et béante, d'yeux aveugles à demi fermés, d'un bras raide pendant d'un lit de mort immonde hantait mon cerveau. Lorsque je sortis de la salle de bains, je trouvai un plateau de crackers et de fromage, et la télévision allumée, mais toujours pas de téléphone.

— Oh, la barbe, marmonnai-je en me recouchant.

Le lendemain matin, on fit glisser mon petit déjeuner par le passe-plats. J'installai le plateau sur mes genoux, et regardai « Today », ce qui ne m'arrivait jamais d'habitude. Martha Stewart battait quelque chose au fouet avec de la meringue, pendant que je chipotais avec mon œuf à la coque presque froid. J'étais incapable de manger, et je ne parvenais pas à déterminer si j'avais mal au dos parce que j'étais fatiguée, ou pour une raison que je me refusais à envisager.

L'infirmière apparut, respirant à travers sa combinaison et son filtre à particules :

— Et comment nous sentons-nous ?

Désignant sa combinaison de ma fourchette, je demandai :

— Vous n'avez pas chaud, là-dedans ?

— Oh, si j'y restais trop longtemps, sûrement, répondit-elle en brandissant un thermomètre digital. Bien. Ceci ne prendra qu'une minute.

Elle me le fourra dans la bouche tandis que je levais les yeux sur la télévision. On y interrogeait un médecin sur l'épidémie de grippe de cette année, et je fermai les yeux, en attendant que le signal sonore du thermomètre retentisse.

200

— 35,8 °C. Votre température est un peu basse. Elle devrait être de 37,2 °C.

Elle m'enroula un tensiomètre autour du bras.

— Bien ! Maintenant, votre tension.

Elle pressa vigoureusement la poire pour pomper de l'air.

— 9,7. Vous êtes presque morte.

— Merci bien, marmonnai-je. J'ai besoin d'un téléphone. Personne ne sait où je suis.

— Ce dont vous avez besoin, c'est de beaucoup de repos.

Elle avait maintenant sorti son stéthoscope, qu'elle me colla sur la poitrine.

— Respirez à fond.

L'appareil demeurait glacé où qu'elle le promène, et elle écoutait, l'air concentré et sérieux.

— Encore une fois.

Puis elle passa à mon dos, et nous continuâmes les examens d'usage.

— Pouvez-vous demander au colonel Fujitsubo de venir me voir ?

— Je lui laisserai un message, bien sûr. Maintenant, rhabillez-vous.

Elle me remonta les couvertures jusqu'au menton, puis continua :

— Je vais vous donner encore un peu d'eau. Comment va votre migraine ?

Je mentis :

— Bien. Il faut vraiment que vous lui demandiez de venir.

— Je suis certaine qu'il vous rendra visite dès que possible. Je sais qu'il est très occupé.

Ses manières condescendantes commençaient à me porter sur les nerfs.

— Excusez-moi, dis-je d'un ton impératif, mais j'ai réclamé un téléphone à plusieurs reprises, et je commence à avoir le sentiment d'être en prison.

Elle répliqua d'un ton enjoué :

— Vous savez comment on appelle cet endroit, non ? La règle veut que les patients n'aient pas...

— Je me fiche de ce que veut la règle, l'interrompis-je en lui lançant un regard dur.

Son attitude changea, son regard brilla derrière le masque de plastique, et elle m'intima d'une voix aiguë :

— Calmez-vous, maintenant !

— N'est-ce pas qu'elle est insupportable ? Les médecins font toujours des malades exécrables, déclara le colonel Fujitsubo en pénétrant à grands pas dans la chambre.

Elle le regarda, pétrifiée. Puis elle me lança un regard rancunier, comme si elle ne croyait pas qu'il fût possible que je sois médecin.

— Le téléphone arrive, annonça-t-il, tout en déposant au pied du lit une combinaison orange toute neuve. Beth, je suppose que vous avez fait la connaissance du docteur Scarpetta, médecin expert général de l'Etat de Virginie et consultante du FBI. Enfilez ça, dit-il en s'adressant à moi. Je reviens vous chercher dans deux minutes.

L'infirmière ramassa mon plateau avec un froncement de sourcils et s'éclaircit la gorge avec embarras.

— Vous avez laissé presque tous vos œufs.

Elle déposa le plateau dans le passe-plats, tandis que j'enfilais ma combinaison.

— D'habitude, une fois que vous êtes là-dedans, ils ne vous laissent plus ressortir.

Elle referma le passe-plats.

Je nouai ma cagoule et branchai l'arrivée d'air.

— Mais ce n'est pas comme d'habitude, rétorquai-je. L'autopsie de ce matin est une de mes affaires.

Je voyais bien qu'elle faisait partie de ces infirmières qui n'aiment pas les femmes médecins, et préfèrent obéir aux ordres des hommes. Ou peut-être avait-elle voulu être médecin, et lui avait-on raconté que les filles deviennent infirmières, avant d'épouser des médecins. Ce n'étaient que des suppositions, mais je me souvenais que lorsque j'avais fait mon internat au Johns Hopkins Hospital, l'infirmière en chef m'avait un jour agrippée par le bras en plein hôpital, et je n'avais jamais oublié sa haine lorsqu'elle m'avait craché que son fils n'avait pas été pris en internat parce que je lui avais volé sa place.

Fujitsubo revint, et me tendit avec un grand sourire un téléphone qu'il brancha dans une prise.

— Un seul coup de fil, pas plus, dit-il en levant l'index. Ensuite, on y va.

J'appelai Marino.

Le laboratoire de confinement de niveau 4 se trouvait à l'arrière d'un labo normal, mais la différence entre les deux zones était considérable. Le N-4 était réservé aux chercheurs qui menaient la guerre contre les virus Ebola, Hanta, et les maladies inconnues contre lesquelles il n'y avait pas de remède. L'aération se faisait en sens unique et sous contrepression pour empêcher les micro-organismes hautement infectieux de se répandre dans d'autres sections du bâtiment. L'air était vérifié par des filtres à particules à haute capacité avant de pénétrer l'atmosphère et nos organismes, et tout était stérilisé à la vapeur dans les autoclaves.

Bien que peu fréquentes, les autopsies se pratiquaient dans un espace aménagé en sas, baptisé le « sous-marin », derrière deux portes massives en acier inoxydable avec des dispositifs d'étanchéité identiques à ceux que l'on trouve dans les sous-marins. Pour entrer, nous devions passer par un autre côté, après avoir parcouru un labyrinthe de vestiaires et de douches où seules des ampoules colorées indiquaient quel sexe se trouvait dans quelle cabine. Le vert désignait apparemment les hommes, aussi allumai-je l'ampoule rouge, puis me déshabillai, avant de mettre un pyjama et des chaussons propres.

Je franchis un autre sas, dont les portes en acier s'ouvrirent et se refermèrent automatiquement, et pénétrai dans le vestiaire interne, ou chambre de chauffe. Le long des murs de la pièce étaient suspendues des combinaisons de vinyle bleu épais d'un seul tenant, des pieds jusqu'aux capuchons pointus. Je m'assis sur un banc et en enfilai une dont je remontai la fermeture Eclair, puis fixai les rabats avec ce qui ressemblait à un couvercle de Tupperware en diagonale. J'ajustai ensuite des bottes en caoutchouc, puis plusieurs couches de gants pesants, la dernière paire étant scotchée aux poignets. Je commençais déjà à mourir de chaleur, lorsque des portes se refermèrent derrière moi et que d'autres encore plus épaisses s'ouvrirent pour me laisser pénétrer dans la salle d'autopsie la plus claustrophobique que j'avais jamais vue.

Je m'emparai d'un serpentin jaune et le branchai sur le raccord rapide situé au niveau de ma hanche. Le souffle de l'arrivée d'air me fit penser à une petite piscine en train de se dégonfler. En compagnie d'un autre médecin, Fujitsubo étiquetait des tubes et rinçait le corps au jet. Sa nudité rendait la maladie encore plus effroyable. Nous travaillâmes pour l'essentiel en silence, car nous n'avions pas pris la peine de nous doter d'équipement de communication, et la seule façon de se parler consistait à pincer les arrivées d'air respectives suffisamment longtemps pour pouvoir entendre ce que disait l'autre.

Nous découpâmes, pesâmes, et j'enregistrai sur une fiche les informations appropriées. La victime présentait les marques artérielles dégénératives caractéristiques : infiltrations et plaques graisseuses aortiques. Son cœur était dilaté, et ses poumons congestionnés indiquaient un début de pneumonie. La cavité buccale se signalait par des ulcérations, et des lésions étaient présentes dans le tube digestif. Mais c'était son cerveau qui racontait la version la plus tragique de sa mort : le cortex était atrophié, les sillons cérébraux élargis et le parenchyme était atteint, tous les indices révélateurs de la maladie d'Alzheimer.

J'imaginai son désarroi lorsqu'elle était tombée malade. Elle avait peut-être été incapable de se souvenir de l'endroit où elle se trouvait, ni même de qui elle était, et avait pu croire dans sa démence qu'une créature de cauchemar traversait ses miroirs. Les ganglions lymphatiques étaient enflés, la rate et le foie boueux et nécrosés, ce qui concordait avec un diagnostic de variole.

C'était apparemment une mort naturelle, dont nous ne pouvions encore déterminer la cause, et deux heures plus tard, nous avions terminé. Je repartis par le même chemin, en commençant par la chambre de chauffe, où je pris une douche de cinq minutes aux produits chimiques dans ma combinaison, debout sur un tapis de caoutchouc, à me nettoyer à fond avec une brosse dure sous le jet furieux des pommes en acier. Dégoulinante, je réintégrai la chambre externe, et y suspendis ma combinaison. Puis je me douchai de nouveau et me séchai les cheveux. J'enfilai une combinaison orange stérile et retournai au Mitard.

Lorsque je pénétrai dans ma chambre, j'y trouvai l'infirmière, qui me dit :

— Janet est là. Elle vous écrit un mot.

— Janet ? répétai-je, ahurie. Lucy est avec elle ?

— Elle vous le donnera à travers le passe-plats. Tout ce que je sais, c'est qu'il y a là une jeune femme qui s'appelle Janet, et qu'elle est seule.

— Où est-elle ? Je dois la voir.

— Vous savez bien que ce n'est pas possible pour l'instant, dit-elle en prenant de nouveau ma tension.

— Même les prisons ont des espaces pour les visites, aboyai-je presque. Il n'y a pas un endroit où je peux lui parler à travers une vitre ? Ou bien elle peut mettre une combinaison et venir jusqu'ici, comme vous ?

Bien entendu, tout ceci était encore une fois sujet à autorisation du colonel, qui décida que la solution la plus simple consistait à ce que je me rende au parloir équipée d'un masque avec un filtre à haute capacité. Le parloir était situé dans le quartier des recherches cliniques, où l'on étudiait les nouveaux vaccins. L'infirmière me fit traverser une salle de loisirs de niveau 3, où des volontaires jouaient au ping-pong et au billard, tandis que d'autres lisaient des revues et regardaient la télévision.

Elle ouvrit la porte de la Cabine B, où Janet était assise de l'autre côté de la vitre, dans une partie du bâtiment non contaminée. Nous décrochâmes nos combinés en même temps.

— C'est invraisemblable ! furent ses premières paroles. Vous allez bien ?

L'infirmière se tenait toujours debout derrière moi dans mon côté de la cabine. Je me retournai et lui demandai de me laisser, mais elle ne bougea pas d'un pouce.

— Vous permettez ? jetai-je, à bout de nerfs. Ceci est une conversation privée.

Elle tourna les talons et ferma la porte, les yeux brillants de colère.

— Je ne sais pas comment je vais, repris-je, mais je ne me sens pas trop mal.

— Combien de temps dure l'incubation ?

La frayeur se lisait dans ses yeux.

— Dix jours en moyenne, quatorze au maximum.

— Alors, c'est plutôt bon, non ?

J'étais déprimée, et répondis :

— Je ne sais pas. Tout dépend du virus auquel nous avons affaire. Mais si tout va bien dans quelques jours, je pense qu'ils me laisseront partir.

Janet était jolie et paraissait très mature dans son tailleur bleu sombre, son pistolet invisible sous sa veste. Et je savais qu'elle n'aurait pas été là s'il ne s'était pas passé quelque chose d'exceptionnel.

Je demandai :

— Où est Lucy ?

— Eh bien, en fait, nous sommes toutes les deux dans le Maryland, près de Baltimore, avec la Brigade 19.

— Elle va bien ?

— Oui. Nous travaillons sur vos fichiers, nous essayons de remonter la piste par AOL et UNIX.

— Et ?

Elle hésita.

— Je pense que le moyen le plus rapide de l'attraper, ce sera sur le service en ligne.

Je fronçai les sourcils, perplexe.

— Je ne comprends pas...

— Est-ce que ce truc est inconfortable ? demanda-t-elle en regardant mon masque.

— Oui.

Mais c'était son apparence qui me gênait le plus : il me recouvrait la moitié du visage comme une hideuse muselière, et je n'arrêtais pas de cogner le combiné dessus en parlant.

— Vous ne pouvez le prendre sur le service en ligne que s'il continue à m'envoyer des messages, non ?

Elle ouvrit un dossier sur la tablette en Formica.

— Vous voulez que je vous les lise ?

Je hochai la tête, tandis que mon estomac se nouait. Elle lut :

— *vers microscopiques, ferments qui se multiplient et miasmes.*

— Pardon ?

— C'est tout. Un message électronique expédié ce matin. Le suivant est arrivé dans l'après-midi. *ils sont vivants mais personne d'autre ne le sera plus.* Puis, environ une heure plus tard : *les êtres humains qui prennent aux autres et les exploitent sont des macro parasites ils tuent leurs hôtes.* Tout ça en minuscules, sans ponctuation.

Elle me fixa à travers la vitre.

— Ce sont des concepts médicaux assez classiques, lui dis-je, qui remontent à Hippocrate et autres praticiens occidentaux, et à leurs théories sur l'origine des maladies. L'atmosphère. La reproduction des particules toxiques générées par la décomposition des matières organiques. Les vers microscopiques, etc. Puis McNeill, un historien, a considéré l'interaction des micro et macro parasites comme un moyen de comprendre l'évolution de la société.

— Alors *mordoc* a reçu une formation médicale, remarqua Janet. Et on dirait qu'il fait référence à cette maladie, quelle qu'elle soit.

— Mais il ne peut pas en avoir connaissance, protestai-je tandis qu'une nouvelle frayeur redoutable m'envahissait. Je ne vois pas comment il pourrait le savoir.

— Il y a eu une brève dans un journal.

Une bouffée de colère monta en moi.

— Qui a encore parlé ? Ne me dites pas que Ring est au courant de ça aussi !

— Le papier disait simplement que votre bureau enquêtait sur une mort suspecte survenue à Tangier Island, une maladie étrange qui avait nécessité l'enlèvement du corps par l'Armée.

— Bon Dieu !

— Le problème, c'est que si *mordoc* a accès à la presse de Virginie, il a pu être au courant avant d'envoyer les messages électroniques.

— J'espère que c'est ce qui s'est produit.

— Pourquoi ne serait-ce pas le cas ?

— Je ne sais pas, je n'en sais rien.

J'étais épuisée, et j'avais mal à l'estomac.

— Docteur Scarpetta, dit-elle en se rapprochant de la vitre, il veut vous parler, à vous. Voilà pourquoi il continue à vous envoyer du courrier.

Je frissonnais de nouveau.

Janet rangea les papiers dans le dossier.

— Voilà ce que nous projetons. Je pourrais vous faire entrer sur un forum privé avec lui. Si nous parvenons à le garder en ligne assez longtemps, nous pouvons remonter sa trace, de central téléphonique en central téléphonique, jusqu'à ce que nous aboutissions à une ville, puis à un endroit précis.

— Je ne pense pas une seconde que cet individu soit disposé à participer. Il est trop malin pour ça.

— Benton Wesley pense que si.

Je demeurai muette.

— Il pense que *mordoc* fait une fixation suffisamment forte sur vous pour accepter d'entrer sur un forum. Il ne veut pas seulement savoir ce que vous pensez, il veut en plus que vous sachiez ce que lui pense. C'est tout au moins la théorie de Wesley. J'ai un portable ici, avec tout ce qu'il faut.

Je secouai la tête.

— Non. Je ne veux pas entrer là-dedans, Janet.

— Vous n'avez rien d'autre à faire dans les jours qui viennent.

Cela m'irritait toujours, quand on m'accusait de ne pas avoir assez de travail.

— Je ne veux pas communiquer avec ce monstre, c'est bien trop risqué. Je pourrais dire ce qu'il ne faut pas, et d'autres gens pourraient en mourir.

Janet me fixait intensément.

— Ils meurent de toute façon. A l'instant où nous parlons, il y en a peut-être même d'autres, dont nous ignorons tout.

J'eus la vision de Lila Pruitt errant seule chez elle, rendue folle par la maladie. Je la vis hurlant devant son miroir.

— Il suffit simplement que vous le fassiez parler, bribe par bribe, continua Janet. Jouez la réticence, faites comme s'il vous prenait au dépourvu, sinon, il se méfiera. Laissez monter la sauce pendant quelques jours, pendant que nous nous efforçons de le localiser. Connectez-vous sur AOL, rendez-vous dans les forums, et trouvez-en un baptisé M. E., d'accord ? Ensuite, contentez-vous de rester là.

— Et puis ?

— Nous espérons qu'il partira à votre recherche, persuadé que c'est là que vous conférez avec des collègues médecins ou chercheurs. Il ne résistera pas à la tentation. C'est la théorie de Wesley, et j'y crois.

— Il sait que je suis là ?

La question était ambiguë, mais elle savait très bien à qui je faisais allusion.

— Oui. Marino m'a demandé de l'appeler.

— Et qu'a-t-il dit ?

— Il voulait savoir si vous alliez bien, répondit-elle d'un ton évasif. Il s'occupe d'une vieille affaire en

Géorgie, deux personnes poignardées dans un magasin d'alcool, et la mafia est impliquée. Dans une petite ville près de Saint Simon Island.

— Oh, alors il est sur la route.

— Je suppose.

— Et vous, où serez-vous ?

— Avec la Brigade. Je serai basée à Baltimore, sur le port.

— Et Lucy ? demandai-je encore une fois, d'une façon qu'elle ne pouvait éluder. Pouvez-vous me dire ce qui se passe vraiment, Janet ?

Inspirant mon air filtré, je dévisageais fixement à travers la vitre une jeune femme dont je savais qu'elle était incapable de me mentir.

— Tout va bien ? insistai-je.

Elle reconnut enfin :

— Docteur Scarpetta, je suis là pour deux raisons. D'abord, Lucy et moi avons eu une grosse altercation sur le fait que vous alliez discuter en ligne avec ce type. Tout le monde a donc pensé qu'il valait mieux que ce soit moi qui vous en parle.

— Oui, je comprends, et je suis d'accord.

— La seconde raison de ma présence ici est beaucoup plus désagréable, continua-t-elle. Il s'agit de Carrie Grethen.

La simple mention de ce nom fit naître en moi une stupéfaction mêlée de colère. Lucy avait travaillé avec Carrie des années auparavant, alors qu'elle mettait au point CAIN. Puis une effraction s'était produite dans les locaux de l'ERF, et Carrie avait veillé à ce que ma nièce en soit tenue pour responsable. En outre, elle avait été la complice d'un psychopathe dans des meurtres effroyables et sadiques.

— Elle est toujours en prison, remarquai-je.

— Oui. Mais son procès est prévu pour le printemps prochain.

— Je le sais, dis-je sans comprendre où elle voulait en venir.

— Vous êtes le principal témoin, et sans vous, le

dossier du Commonwealth n'est pas très solide, tout au moins devant un jury.

— Janet, je n'y comprends rien.

Ma migraine était revenue en force. La jeune femme prit une profonde inspiration :

— Vous savez sans doute qu'à une époque, Lucy et Carrie étaient intimes.

Elle hésita, puis ajouta :

— Très intimes.

— Bien sûr, dis-je avec impatience. Lucy était une adolescente, et Carrie l'a séduite. Oui, oui, je sais tout cela.

— Et Percy Ring aussi.

La stupéfaction me cloua sur place, et elle continua :

— Apparemment, hier Ring est allé voir l'attorney du Commonwealth qui s'occupe de l'affaire, un certain Rob Schurmer. Et Ring lui balance comme ça, entre copains, qu'il a un gros problème, puisque la nièce du témoin clé avait une liaison avec l'accusée.

— Seigneur Dieu ! dis-je, incrédule. Salopard de fils de pute.

J'étais avocate, et je savais ce que cela signifiait. Lucy serait obligée de comparaître, et serait interrogée sur sa liaison avec une femme. La seule solution pour éviter cela, c'était que je renonce à témoigner, et Carrie échapperait alors à l'inculpation de meurtre.

— Ce qu'elle a fait n'a aucun rapport avec les crimes de Carrie.

Ma fureur à l'égard de Ring était telle que je me sentis capable de violence physique.

Janet changea son combiné d'oreille, tentant de garder son calme, mais je voyais sa peur.

— Vous savez comment se passent les choses, là-bas. Tant que c'est motus et bouche cousue, tout va bien. Quoi qu'ils en disent tous, ce n'est pas toléré, et Lucy et moi sommes extrêmement prudentes. Les gens ont peut-être des soupçons, mais pas de certitudes, et comme on ne se promène pas en cuir avec des chaînes...

— Pas vraiment, non.

Janet déclara d'un ton neutre :

— Je crois que ce serait sa perte. Toute cette publicité. Et puis, je n'ose imaginer ce qui se passerait ensuite au HRT, quand elle y réapparaîtrait après ça, avec tous ces gros-bras. Ring ne fait ça que pour la démolir, et peut-être vous avec, également. Et peut-être moi. On ne peut pas dire que ma carrière s'en trouverait favorisée non plus.

Inutile de continuer, je comprenais.

— Sait-on ce que Schurmer a répondu lorsque Ring lui a dit cela ?

— Il a pété les plombs. Il a contacté Marino pour lui confier qu'il ne savait pas quoi faire, que si la défense l'apprenait, il était cuit. Puis Marino m'a appelée.

— Il ne m'a rien dit.

— Il ne voulait pas ajouter à vos inquiétudes. Et il ne pensait pas que ce soit à lui de vous l'apprendre.

— Je vois. Et Lucy, elle sait ?

— Je lui ai dit.

— Et ?

— Elle a défoncé le mur de la chambre à coups de pied, répondit Janet. Puis elle a déclaré que s'il le fallait, elle comparaîtrait.

Elle pressa sa paume contre la vitre en écartant les doigts, et attendit que je fasse de même. C'était le seul geste à notre portée qui se rapprochait le plus d'un contact physique.

Je sentis mes yeux se remplir de larmes, et je m'éclaircis la gorge :

— Je me sens coupable, comme si j'avais commis un crime.

10

L'infirmière transporta l'équipement informatique dans ma chambre et me le tendit sans un mot avant de ressortir illico. Je contemplai un moment l'ordinateur portable, comme si c'était un objet susceptible de me faire mal. J'étais assise dans mon lit, et je transpirais à grosses gouttes tout en me sentant frigorifiée.

J'ignorais si ce que je ressentais était dû à un microbe ou à une sorte de crise émotionnelle consécutive à ce que Janet venait de m'apprendre. Lucy avait toujours voulu être agent du FBI, depuis qu'elle était enfant, et c'était déjà un des meilleurs agents qu'ils aient jamais eus. Tout cela était tellement injuste. Sa seule erreur avait été de se laisser séduire par un être maléfique alors qu'elle n'avait que dix-neuf ans. Je n'avais qu'une envie, sortir de cette pièce et la trouver. Je voulais rentrer chez moi. Je me préparais à appeler l'infirmière lorsqu'une nouvelle entra.

Je lui demandai :

— Pourrais-je avoir un pyjama propre ?

— Je peux vous donner une blouse.

— Non, un pyjama, s'il vous plaît.

— Eh bien, cela sort un peu de l'ordinaire, dit-elle avec un froncement de sourcils.

— Je sais.

Je branchai l'ordinateur sur la prise de téléphone, et l'allumai.

— S'ils ne sortent pas bientôt de cette impasse budgétaire, il n'y aura plus personne pour stériliser les pyjamas, ou quoi que ce soit d'autre.

Elle parlait sans interruption, dans sa combinaison bleue, tout en arrangeant les couvertures sur mes jambes :

— Ce matin aux informations, le Président a dit que les services de restauration des hôpitaux n'avaient plus un sou, que EPA ne nettoyait plus les déchets toxiques, que les tribunaux fédéraux allaient peut-être devoir fermer, et que visiter la Maison-Blanche, il ne fallait même plus y penser. Je vous apporte votre déjeuner ?

— Merci, dis-je tandis qu'elle poursuivait sa litanie de nouvelles.

— Sans parler de la sécurité sociale, de la pollution atmosphérique, de la surveillance de l'épidémie de grippe ou de la détection du parasite Cryptosphosporidium dans les réserves d'eau. Vous avez de la chance d'être là. On sera peut-être fermés, la semaine prochaine.

Je me refusais à penser au blocage du vote du budget, et au bras de fer entamé entre le Président et le Congrès, et dont le résultat avait été le renvoi de milliers de fonctionnaires chez eux. Je consacrais la majeure partie de mon temps à marchander avec les chefs de département et à bombarder de réclamations les législateurs pendant les assemblées générales. Ce qui m'inquiétait, c'était que lorsque la crise fédérale allait se répercuter au niveau de l'Etat, la construction de mon nouveau bâtiment serait interrompue, et mes maigres crédits actuels encore plus brutalement réduits. Les morts n'avaient pas de groupe de pression pour les défendre. Mes patients n'avaient pas de parti, et ne votaient pas.

— Vous avez le choix, dit-elle.

— Pardon ? demandai-je en lui prêtant de nouveau l'oreille.

— Poulet ou jambon.

Je n'avais pas du tout faim.

— Poulet, avec du thé chaud.

Elle débrancha son tuyau d'air, et me laissa à mon silence. J'installai le portable sur le plateau, et me connectai à America Online. J'accédai directement à ma boîte aux lettres, et y trouvai beaucoup de courrier, mais rien de *mordoc* que la Brigade 19 n'ait déjà ouvert. Je suivis les menus pour atteindre les forums, consultai une liste des membres, puis vérifiai combien de gens se trouvaient sur celui baptisé M. E.

Il n'y avait personne, aussi entrai-je seule. Puis je m'appuyai contre mes oreillers, et contemplai l'écran vide avec sa rangée d'icônes au sommet. Il n'y avait littéralement personne avec qui discuter, et je songeai combien cela devait paraître ridicule à *mordoc*, si jamais il avait la possibilité d'observer. N'était-il pas évident que j'étais seule sur ce forum ? Ne donnais-je pas l'impression d'attendre ? Cette pensée m'avait à peine traversé l'esprit qu'une phrase s'afficha sur mon écran, et je me mis à répondre.

QUINCY. — Salut. De quoi parlons-nous aujourd'hui ?
SCARPETTA. — L'impasse budgétaire. En quoi cela vous affecte-t-il ?
QUINCY. — Je travaille à l'administration de Washington. C'est un cauchemar.
SCARPETTA. — Vous êtes médecin légiste ?
QUINCY. — Oui. Nous nous sommes rencontrés à des réunions. Nous avons des connaissances communes. Il n'y a pas grand-monde, aujourd'hui, mais si nous sommes patients, ça peut s'arranger.

Je compris alors que Quincy était un agent déguisé de la Brigade 19. Nous poursuivîmes notre session jusqu'à l'arrivée du déjeuner, puis la reprîmes pendant près d'une heure. Nous discutâmes à bâtons rompus de nos problèmes, échangeant des questions sur des solutions, tout ce qui pouvait nous venir à l'esprit qui puisse donner l'impression d'une conversation normale entre médecins légistes ou avec des interlocuteurs habituels. Mais *mordoc* ne mordit pas à l'hameçon.

Je fis une sieste et me réveillai un peu après quatre heures. Je demeurai un moment sans bouger, ayant oublié où je me trouvais, puis tout me revint avec une promptitude déprimante. Je m'assis, ankylosée sous mon plateau, l'ordinateur toujours allumé. Je me connectai de nouveau sur AOL, puis retournai sur le forum. Cette fois-ci, quelqu'un qui s'était baptisé MEDEX me rejoignit, et nous discutâmes du genre de base de données que j'utilisais en Virginie pour collecter des informations sur mes cas, et effectuer des recherches statistiques.

A cinq heures moins cinq, très exactement, une sonnerie résonna à l'intérieur de mon ordinateur, et la fenêtre des *Messages Urgents* domina soudain mon écran. Je regardai apparaître avec incrédulité un message de *mordoc*, des mots dont je savais que personne d'autre sur le forum ne pouvait les voir.

> MORDOC. — tu te crois si intelligente
> SCARPETTA. — Qui êtes-vous ?
> MORDOC. — tu sais qui je suis je suis ce que tu fais
> SCARPETTA. — Qu'est-ce que je fais ?
> MORDOC. — mort docteur mort tu es moi
> SCARPETTA. — Je ne suis pas vous.
> MORDOC. — tu te crois si intelligente

Il se tut brutalement, et lorsque je cliquai sur la touche Disponible, je vis qu'il s'était déconnecté. Mon cœur battait à se rompre, et j'envoyai un autre message à MEDEX, lui disant que j'avais été retenue avec un visiteur. Je n'obtins pas de réponse, et me retrouvai de nouveau seule sur ce forum.

— Merde ! m'exclamai-je à voix basse.

Tard, vers dix heures du soir, je fis une nouvelle tentative, mais personne ne réapparut, si ce n'est QUINCY, qui me dit qu'il valait mieux remettre notre discussion au lendemain. Tous les autres médecins étaient rentrés chez eux, me dit-il. La même infirmière revint me voir. Elle était adorable, et je compatis aux longues heures qu'elle devait effectuer, et au désagrément de devoir porter une combinaison à chaque fois qu'elle me rendait visite.

Elle prit ma température, et je demandai :

— Où est la garde de nuit ?

— C'est moi. Nous faisons tous de notre mieux pour assurer.

J'acquiesçai d'un hochement de tête : elle faisait allusion au renvoi des fonctionnaires chez eux pour cette journée encore.

Elle continua :

— Il n'y a presque pas de techniciens de laboratoire. Vous pourriez bien vous réveiller toute seule dans l'immeuble, demain.

— Eh bien, avec ça, je suis sûre de faire des cauchemars, répondis-je tandis qu'elle me passait le tensiomètre autour du bras.

— Vous vous sentez bien, c'est le principal. Depuis que je viens ici, je passe mon temps à imaginer que j'ai attrapé ci ou ça. A la moindre migraine, le moindre reniflement, je me dis, mon Dieu, ça y est ! Et vous, quelle est votre spécialité ?

Je le lui dis, et elle m'expliqua :

— Je me préparais à devenir pédiatre, et puis, je me suis mariée.

Je lui souris :

— Sans des infirmières dans votre genre, nous serions dans un drôle de pétrin.

— La plupart des médecins ne le remarquent même pas. Ils ont de ces comportements !

— Pour certains, c'est sûr, acquiesçai-je.

Je tentai de m'endormir, mais passai une nuit agitée. La lueur des lampadaires du parking au-delà de ma fenêtre perçait à travers les stores, et j'eus beau me retourner dans tous les sens, je ne parvins pas à me détendre. J'avais du mal à respirer, et mon cœur refusait d'adopter un rythme plus lent. A cinq heures du matin, je finis par me redresser dans mon lit, et allumai la lumière. Quelques minutes plus tard, l'infirmière apparaissait, l'air épuisé.

— Ça va ?

— Je ne peux pas dormir.

— Vous voulez quelque chose ?

Je fis un signe de dénégation de la tête, et allumai mon ordinateur. Je me connectai sur AOL, et retournai sur le forum M. E., qui était vide. Je cliquai sur Disponible, vérifiai si *mordoc* se trouvait en ligne, et si oui, où il pouvait bien se trouver. Il n'y avait aucune trace de lui, et je commençai à faire défiler les différents forums offerts aux abonnés et à leurs familles.

Il y avait véritablement de tout pour tout le monde, des endroits où draguer, des endroits pour célibataires, gays, lesbiennes, Indiens, Noirs, des endroits pour les esprits attirés par le mal. Ceux qui avaient une prédilection pour le bondage, le sadomasochisme, la sexualité de groupe, la zoophilie, l'inceste, étaient invités à se retrouver, et à échanger leur pornographie. Le FBI n'y pouvait rien, tout cela était légal.

Je me redressai contre mes oreillers, déprimée, et sombrai involontairement dans une sorte de somnolence.

Lorsque je rouvris les yeux une heure plus tard, je me trouvais sur un forum baptisé AMOURDELART. Un message silencieux m'attendait sur l'écran. *Mordoc* m'avait trouvée.

MORDOC. — une photo vaut mille mots

Je vérifiai en hâte s'il était toujours connecté, et le trouvai tranquillement lové dans le cyberespace. Il m'attendait, et je tapai ma réponse :

SCARPETTA. — Qu'est-ce que vous vendez ?

Il ne répondit pas immédiatement. Je fixai l'écran pendant trois ou quatre minutes, puis il revint :

MORDOC. — je ne vends rien aux traîtres je donne pour rien que croyez-vous quil arrive a ces gens la.
SCARPETTA. — Dites-le-moi ?

Le silence s'installa. Je le vis quitter le forum, puis revenir une minute plus tard. Il savait parfaitement ce que nous étions en train de faire, et brouillait sa piste.

MORDOC. — je crois que vous savez
SCARPETTA. — Non.
MORDOC. — vous saurez

218

SCARPETTA — J'ai vu les photos que vous envoyez. Elles n'étaient pas très claires. Que vouliez-vous dire ?

Mais il ne répondit pas, et je me sentis empotée et lente. Je l'avais à portée, et n'étais pas parvenue à le provoquer, à le laisser connecté. Je me laissais aller à mon abattement et mon découragement lorsqu'un autre message urgent apparut sur mon écran, provenant de la Brigade, cette fois-ci.

QUINCY. — T.T.K., Scarpetta. J'ai encore besoin de revoir cette affaire d'immolation avec vous.

C'est alors que je compris que Lucy était Quincy. T. T. K. était son nom de code pour moi, « Toujours Tante Kay ». Elle veillait sur moi, comme j'avais veillé sur elle toutes ces années, et m'intimait de contenir mon exaspération. Je tapai une réponse sur le clavier.

SCARPETTA. — D'accord. Votre affaire est très embarrassante. Comment vous en sortez-vous ?
QUINCY. — Rendez-vous à la barre, vous verrez. A plus tard.

Je me déconnectai avec un sourire, puis m'adossai à mes oreillers. Je ne me sentais plus aussi seule, ni aussi folle.

La première infirmière refit son apparition.

— Bonjour.

— Vous de même, répondis-je tandis que mon humeur s'assombrissait.

— La visite de routine. Comment nous sentons-nous aujourd'hui ?

— Nous nous sentons bien.

— Vous avez le choix entre œufs ou céréales.

— Fruit.

— Ça ne faisait pas partie du choix. Mais on doit pouvoir mettre la main sur une banane.

Elle me fourra le thermomètre dans la bouche et

le tensiomètre autour du bras, sans cesser un instant de parler.

— Il fait tellement froid dehors, on dirait qu'il va neiger. Deux degrés, vous vous rendez compte ? Il y avait du givre sur mon pare-brise. Les glands de chêne sont gros cette année, ça signifie toujours que l'hiver va être rude. Vous n'atteignez toujours pas les 37 °C. Qu'est-ce qui ne va pas chez vous ?

— Pourquoi ne m'a-t-on pas laissé le téléphone ?

— Je vais me renseigner. Votre tension aussi est basse, commenta-t-elle en ôtant le brassard.

— Demandez au colonel Fujitsubo de passer ce matin, s'il vous plaît.

Elle recula et me dévisagea.

— Vous allez vous plaindre de moi ?

— Seigneur, jamais de la vie ! Je veux simplement partir.

— Désolée, mais ce n'est pas de mon ressort. Il y a des gens qui restent ici jusqu'à deux semaines d'affilée.

Rien qu'à cette idée, je perdais les pédales.

Le colonel ne fit son apparition qu'à l'heure du déjeuner, qui consistait en un blanc de poulet grillé, des carottes et du riz. J'y touchai à peine, tout en m'énervant de plus en plus. La télévision, dont j'avais coupé le son, brillait silencieusement en arrière-plan. L'infirmière revint à deux heures, et m'annonça que j'avais une autre visite. J'enfilai donc de nouveau le masque avec son filtre à particules haute capacité, et la suivis le long du couloir jusqu'au centre de soins.

Cette fois-ci, je me retrouvai cabine A, et Wesley m'attendait de l'autre côté de la vitre. Il sourit lorsque nos regards se rencontrèrent, et nous décrochâmes nos combinés tous les deux en même temps. Le soulagement et la surprise de le voir là me firent bafouiller :

— J'espère que tu es venu me délivrer.

— Je n'essaye jamais de lutter contre les médecins. C'est toi qui m'as appris ça.

— Je te croyais en Géorgie.

— C'était le cas, répondit-il. J'ai fait un tour dans un magasin de spiritueux où deux personnes ont été poignardées ; j'ai passé les alentours en revue. Et maintenant, je suis là.

— Et ?

Il leva un sourcil.

— Et ? C'est une histoire de mafia.

— Je ne parlais pas de la Géorgie.

— De quoi me parlais-tu ? J'ai l'impression de perdre mon don de télépathie. Et puis-je ajouter que tu es particulièrement séduisante, aujourd'hui ? souligna-t-il en s'adressant à mon masque.

— Si je ne sors pas d'ici rapidement, je vais devenir dingue. Je dois me rendre au CCPM.

Son regard perdit sa lueur enjouée.

— Lucy me dit que tu as communiqué avec *mordoc* ?

— Assez peu, et sans grand résultat, répondis-je avec emportement.

Entrer en liaison directe avec le tueur m'exaspérait, car c'était exactement ce qu'il recherchait, et le but que je m'étais fixé dans la vie consistait justement à n'apporter aucune satisfaction à des gens comme lui.

— Ne renonce pas, me dit Wesley.

— Il fait allusion à des problèmes médicaux, aux germes et aux maladies. Au vu de ce qui se passe, cela ne t'inquiète pas plus que cela ?

Il eut la même réflexion que Janet :

— Il se tient au courant par la presse.

— Et s'il s'agissait de plus que cela ? La femme qu'il a démembrée paraissait souffrir de la même maladie que la victime de Tangier.

— Mais tu ne peux pas encore le confirmer.

Je me sentais de plus en plus mal.

— Ce n'est pas en bâtissant des hypothèses dénuées de fondement et en tirant des conclusions hâtives que je suis arrivée à mon niveau, tu sais. Je vais procéder aux vérifications dès que possible, mais en attendant, je pense que nous devrions nous laisser guider par le bon sens.

— Je ne suis pas certain de te comprendre, dit-il sans me quitter des yeux.

— Je dis que nous avons peut-être affaire à une guerre biologique. A une sorte de maniaque qui utilise une maladie à la place des colis piégés.

— Je prie Dieu que ce ne soit pas le cas.

— Mais la possibilité t'a également effleuré l'esprit. Ne me dis pas que tu crois qu'une maladie mortelle liée à un démembrement puisse résulter d'une coïncidence !

Je le dévisageai. Je devinais qu'il avait la migraine à cette veine qui saillait sur son front comme une corde bleue.

— Et tu es sûre de te sentir bien ? demanda-t-il.

— Oui. Je m'inquiète plus de toi.

— Et cette maladie ? Quels risques y a-t-il pour toi ?

Il commençait à s'énerver contre moi, comme toujours lorsqu'il pensait que j'étais en danger.

— J'ai été revaccinée.

— Tu as été revaccinée contre la variole. Et si ce n'était pas ça ?

— Alors, nous ne sommes pas sortis de l'auberge. Janet est venue me voir.

— Je sais. Je suis désolé, tu n'avais vraiment pas besoin de ça...

Je l'interrompis :

— Non, Benton. Il fallait me le dire. Ce n'est jamais le bon moment, pour annoncer ce genre de nouvelle. Que crois-tu qu'il va se passer ?

Il se refusa à répondre.

— Alors, toi aussi, tu penses que ça va la démolir, dis-je, désespérée.

— Oh, elle ne sera pas révoquée. Ce qui se produit généralement dans ce cas, c'est qu'on cesse d'être promu, on vous confie des missions dégueulasses, on vous met en poste dans des bureaux perdus au milieu de nulle part. Et Janet et elle se retrouveront à cinq mille kilomètres de distance. L'une des deux, ou les deux finiront par donner leur démission.

Je réagis d'un ton outré et peiné :

— En quoi est-ce mieux que d'être viré ?

— Chaque chose en son temps, Kay.

Il me regarda et ajouta :

— Je démets Ring de ses fonctions à la CASKU.

— Attention aux décisions que tu prends à cause de moi.

— Trop tard, c'est fait.

Fujitsubo ne repassa me voir que le lendemain matin, de bonne heure. Tout souriant, il ouvrit les stores pour laisser pénétrer un soleil si éblouissant que je dus fermer les yeux.

— Bonjour ! Pour l'instant, tout va bien. Je suis ravi que vous n'ayez pas l'air de vouloir tomber malade chez nous, Kay.

— Alors, je peux m'en aller, dis-je prête à sauter du lit.

— Pas si vite, rétorqua-t-il en examinant mes relevés médicaux. Je sais que la situation est difficile à supporter pour vous, mais vous laisser partir aussi vite ne me rassure pas complètement. Restez encore un peu, et vous nous quitterez après-demain, si tout va bien.

Lorsqu'il m'abandonna, je me sentis prête à éclater en sanglots. Je ne voyais pas comment j'allais supporter encore une heure de quarantaine. Malheureuse comme les pierres, je me redressai dans mon lit et contemplai le temps à travers la fenêtre. Sous l'ombre pâle d'une lune matinale, le ciel était bleu vif, semé de nuages en minces volutes, et une douce brise agitait les arbres dénudés. Je songeai à ma maison de Richmond, aux plantes qui attendaient d'être mises en pots, et au travail qui s'accumulait sur mon bureau. Je voulais me promener dans le froid, me cuisiner des brocolis et de la soupe d'orge. J'avais envie de spaghetti avec de la ricotta ou de frittata farcie, de vin et de musique.

Je passai la moitié de la journée à gémir sur mon sort, sans rien faire d'autre que fixer la télévision et somnoler. Puis la nouvelle infirmière de garde entra avec un téléphone, et m'annonça qu'il y avait une communication pour moi. J'attendis que celle-ci soit transférée, puis me saisis du combiné comme s'il s'agissait de l'événement le plus excitant qui me soit jamais arrivé.

— C'est moi, dit Lucy.

— Dieu merci ! m'exclamai-je, transportée de joie.

— Grand-Mère te dit bonjour. La rumeur raconte que tu remportes l'oscar de la malade la plus insupportable.

— La rumeur est exacte. Avec tout le travail qu'il y a au bureau, si au moins je pouvais avoir mes dossiers ici...

— Tu as besoin de repos, pour entretenir tes défenses immunitaires.

Je pensai à Wingo, ce qui fit renaître mon inquiétude.

Elle en vint alors au but de son appel :

— Comment se fait-il que tu ne te sois pas reconnectée ?

Je demeurai muette.

— Tante Kay, ce n'est pas à nous qu'il va parler, mais uniquement à toi.

— Alors, l'un d'entre vous n'a qu'à se faire passer pour moi, répliquai-je.

— Pas question. S'il se doute de ce qui se trame, nous le perdons définitivement. Ce type est tellement malin, ça fiche la frousse.

Je n'eus que mon silence pour commentaire, et Lucy s'engouffra dans la brèche :

— Quoi ? dit-elle avec conviction. Je suis censée faire croire que je suis un médecin légiste avec un diplôme d'avocat qui a déjà travaillé sur au moins une des victimes de ce type ? C'est impossible.

— Je ne veux pas avoir de rapports avec lui, Lucy. C'est exactement ce qui excite les gens comme lui, ils n'attendent que ça, que l'on s'intéresse à eux. Plus je rentre dans son jeu, plus c'est susceptible de l'encourager. Tu y as pensé ?

— Oui. Mais toi, pense à ça : qu'il ait démembré une ou vingt personnes, il va de nouveau agir. Les gens comme lui ne s'arrêtent pas comme ça brusquement. Et bon Dieu, nous n'avons pas le moindre indice, pas la moindre idée de l'endroit où il peut se trouver !

— Ce n'est pas que je craigne pour moi, expliquai-je.

— Mais ta crainte serait fondée.

— Simplement, je ne veux pas aggraver la situation, insistai-je.

C'était bien entendu le risque que l'on courait lorsqu'on se montrait imaginatif ou agressif dans le cours d'une enquête, car le comportement du coupable n'était jamais totalement prévisible. Il ne s'agissait peut-être que d'une impression de ma part, d'une intuition nichée au plus profond de moi-même, mais je sentais que ce tueur-là était différent, et que ses motivations se situaient au-delà de nos compétences. Je craignais qu'il ne sache exactement ce que nous faisions, et ne s'amuse tout simplement avec nous.

— Maintenant, parle-moi de toi. Janet est venue me voir.

— Je ne veux pas en discuter, asséna-t-elle avec une fureur glaciale. J'ai bien mieux à faire que de penser à ça.

— Lucy, quelle que soit ta décision, je suis avec toi.

— Ça, c'est au moins une chose dont j'ai toujours été certaine. Et en voici une autre dont tout le monde peut être certain : quoi que cela puisse me coûter, Carrie Grethen ira pourrir d'abord en prison, et ensuite en enfer !

L'infirmière était revenue dans ma chambre pour m'embarquer de nouveau le téléphone.

Je me plaignis en raccrochant :

— Je ne comprends pas. J'ai une carte de téléphone, si c'est ça qui vous inquiète.

— Ordre du colonel, dit-elle avec un sourire. Il veut que vous vous reposiez, et il sait que ce ne sera pas le cas si vous passez la journée au téléphone.

— Je me repose, protestai-je, mais elle était déjà partie.

Je me demandai pourquoi il m'avait autorisée à garder le portable, et soupçonnai que Lucy ou quelqu'un d'autre lui avait parlé. Je me connectai de nouveau sur America Online avec le sentiment d'être l'objet d'un complot. A peine étais-je entrée sur le forum M. E. que *mordoc* apparut, non pas sous forme de message invisible instantané, mais en tant que membre, c'est-à-dire que quiconque décidait de pénétrer sur le site pouvait également le voir et l'entendre.

MORDOC. — ou étiez vous
SCARPETTA. — Qui êtes-vous ?
MORDOC. — je vous l ai deja dit
SCARPETTA. — Vous n'êtes pas moi.
MORDOC. — il leur donna autorité contre les esprits impurs avec pouvoir de les expulser et de guérir n importe quelle maladie ou langueur manifestations physiopathologiques virus comme le s i d a notre lutte darwinienne contre ceux la ils sont le mal ou bien le sommes nous.
SCARPETTA. — Expliquez-vous.
MORDOC. — il y en a douze.

Mais il n'avait aucune intention de s'expliquer, tout au moins pas maintenant. Le système m'informa qu'il avait quitté le forum. Je patientai encore un peu, pour voir s'il n'allait pas revenir, et me demandai ce qu'il voulait dire par *douze*. Puis j'actionnai un bouton à la tête de mon lit pour appeler l'infirmière, tout en commençant à me sentir coupable. J'ignorais si elle attendait à l'extérieur de la chambre, ou bien si elle enfilait puis ôtait sa combinaison bleue à chaque fois qu'elle apparaissait puis disparaissait.

En tout cas, rien de tout cela ne pouvait être très plaisant, y compris ma mauvaise humeur.

— Dites-moi, y aurait-il une bible quelque part dans les parages ? lui demandai-je lorsqu'elle entra.

Elle hésita, comme si elle ignorait de quoi il pouvait bien s'agir.

— Mince, ça je n'en sais rien.

— Vous pouvez chercher ?

— Vous vous sentez bien ? demanda-t-elle d'un air soupçonneux.

— Tout à fait.

— Ils ont une bibliothèque. Il y en a peut-être une quelque part. Je suis désolée, mais je ne suis pas très pratiquante, continua-t-elle en ressortant.

Environ une demi-heure plus tard, elle revint avec une bible reliée de cuir noir, une édition Cambridge Red Letter, qu'elle m'annonça avoir dénichée dans un bureau. En l'ouvrant, j'y trouvai un nom calligraphié sur la page de garde, ainsi qu'une date, qui indiquait que la bible avait été offerte à son propriétaire pour une occasion particulière environ dix ans auparavant. Tout en la feuilletant, je réalisai que je n'avais pas mis les pieds à la messe depuis des mois, et enviai les gens dont la foi est si solide qu'ils ont régulièrement recours à leur bible.

Hésitant près de la porte, l'infirmière me demanda une nouvelle fois :

— Vous êtes sûre que vous vous sentez bien ?

— Vous ne m'avez jamais dit comment vous vous appeliez.

— Sally.

— Je vous remercie beaucoup pour votre aide. Je sais que ce n'est pas drôle de travailler le jour de Thanksgiving.

Elle parut enchantée de mes paroles, qui lui donnèrent suffisamment d'assurance pour continuer :

— Je ne veux pas me mêler de ce qui ne me regarde pas, mais je n'ai pas pu m'empêcher d'entendre ce dont parlent les gens. Cette île de Virginie d'où vient votre victime, ils ne font que de la pêche au crabe, là-bas, non ?

— Pratiquement, oui.

— Du crabe bleu.

— Et à carapace molle.

— Et personne ne s'inquiète de ça ?

Je savais où elle voulait en venir. Si, je m'inquiétais. J'avais en plus une raison toute personnelle de me faire du souci pour Wesley et moi.

Elle poursuivit :

— Ils exportent ces trucs partout dans le pays, hein ?

Je hochai la tête.

— Et si la maladie de cette femme avait été transmise par l'eau ou la nourriture ? dit-elle, les yeux brillants derrière son capuchon. Je n'ai pas vu son corps, mais j'en ai entendu parler, c'est effrayant.

— Je sais. J'espère que nous aurons bientôt une réponse à tout cela.

— A propos, il y a de la dinde pour le déjeuner, ne vous attendez pas à quelque chose de très folichon.

Elle débrancha son arrivée d'air et cessa de parler, puis ouvrit la porte, me fit un petit signe et disparut. Je me replongeai dans la Concordance, et dus chercher un moment sous plusieurs entrées avant de trouver le passage que m'avait cité *mordoc*. Il s'agissait de l'Evangile selon saint Matthieu, 10, verset 1, dont le texte intégral était : *Ayant appelé ses douze disciples, Il leur donna autorité sur les esprits impurs, avec pouvoir de les expulser et de guérir n'importe quelle maladie ou langueur.* Le verset suivant identifiait tous les apôtres par leur nom, puis Jésus les envoyait en mission à la recherche des brebis perdues, pour leur proclamer que le Royaume des Cieux était proche. Il leur enjoignait de guérir les malades, ressusciter les morts, purifier les lépreux, expulser les démons. A cette lecture, je demeurai incapable de déterminer si ce tueur qui se baptisait *mordoc* se sentait investi d'un message, si *douze* faisait référence aux apôtres, ou s'il s'amusait simplement.

Je me levai pour faire les cent pas dans ma chambre et regardai la faible lumière du jour. La nuit tombait vite, maintenant, et j'avais pris l'habitude de regarder les gens sortir du bâtiment pour regagner leurs voitures. Leur haleine se concrétisait en buée, mais aujourd'hui, le parking était presque vide en raison du congé forcé. Deux femmes, dont l'une maintenait la portière d'une Honda ouverte, bavardèrent un moment, avec des haussements d'épaules et de grands gestes pleins de conviction. On aurait cru qu'elles s'essayaient à résoudre les grandes questions métaphysiques de la vie. Je les observai derrière les stores, jusqu'à ce qu'elles s'en aillent.

Je tentai de m'endormir très tôt, afin de m'évader, mais j'étais de nouveau agitée. Je me retournais dans mon lit et remontais les couvertures, toutes les deux heures. Des images flottaient sous mes paupières comme si on m'avait projeté de vieilles bobines de film sans montage, dans le désordre. Je vis deux femmes discuter à côté d'une boîte aux lettres. L'une d'elles avait un grain de beauté sur la joue. Il se transforma en éruption de boutons qui se propagea sur tout le visage, et elle se cacha les yeux de la main. Puis, des palmiers se tordaient dans un vent violent alors qu'un ouragan arrivait de la mer en grondant, et les feuilles arrachées s'envolaient. Un torse nu, une table ensanglantée jonchée de pieds et de mains tranchés.

Je me redressai en sueur, et attendis que mes muscles crispés se relâchent. J'avais l'impression d'un dérèglement électrique dans tout mon organisme, et le sentiment que j'allais avoir une crise cardiaque. Je me forçai à inspirer longuement et profondément, vidai mon esprit, puis demeurai immobile. La vision une fois évanouie, j'appelai l'infirmière.

A la vue de mon expression, elle ne discuta pas à propos du téléphone. Elle l'apporta immédiatement, et je contactai Marino, qui demanda :

— Vous êtes toujours en taule ?

— Je crois qu'il a tué son cobaye.

— Ouaouh ! Vous pouvez répéter ça, s'il vous plaît ?

— *Mordoc*. La femme qu'il a tuée et démembrée pouvait être son cobaye. Quelqu'un qu'il connaissait et qu'il avait sous la main.

— Doc, je dois avouer que je comprends que dalle à ce que vous me racontez.

Je sentais à son ton qu'il s'inquiétait de ma santé mentale.

— Le fait qu'il ait été incapable de la regarder devient logique. Le M. O. se tient.

— Là, je suis complètement paumé.

J'expliquai :

— Si votre but était de supprimer des gens à l'aide d'un virus, il faudrait d'abord que vous mettiez au point un moyen pour ça. La voie de transmission, par exemple : ce peut être un aliment, une boisson, la poussière. La propagation de la variole s'effectue par l'atmosphère, elle peut se répandre par l'intermédiaire de gouttelettes, ou de fluides provenant des lésions. Une personne ou ses vêtements peuvent servir de vecteur.

— Première question : où cette personne a-t-elle dégotté ce virus, pour commencer ? Ce n'est pas vraiment un truc qu'on commande par correspondance.

— Je l'ignore. A ma connaissance, seuls deux endroits au monde conservent la variole en archives, le CCPM et un laboratoire à Moscou.

— Alors, tout ça c'est peut-être encore un coup des Russes, ricana-t-il.

— Laissez-moi·bâtir un scénario. Le tueur entretient une rancune contre quelqu'un ou quelque chose, ou bien sa psychose lui dit qu'il est investi d'une mission divine, et qu'il doit faire renaître une des pires maladies que cette terre ait jamais connues. Il doit mettre au point un moyen d'infecter les gens au hasard, et il doit être sûr que ça puisse marcher.

— Il a donc besoin d'un cobaye.

— Exactement. Supposons qu'il ait pour voisin,

ou pour parent, une personne âgée et malade. Peut-être même s'agit-il de quelqu'un dont il s'occupe. Quel meilleur moyen d'expérimenter le virus, si ce n'est sur elle ? Et si ça marche, il la tue, puis met en scène sa mort, pour la faire passer pour autre chose. Il ne peut bien entendu pas la laisser mourir de la variole, pas s'il existe un lien quelconque entre eux. Nous pourrions remonter sa piste. Alors, il lui tire une balle dans la tête, et la démembre, pour que nous soyons persuadés qu'il s'agit encore de ces meurtres en série.

— Et comment faites-vous le lien avec la femme de Tangier Island ?

— Elle a été exposée au virus.

— Comment ? On lui a livré quelque chose ? Elle a reçu un truc par la poste ? Ça s'est transmis par l'air ? Elle a été piquée dans son sommeil ?

— Je ne sais pas comment.

Marino me demanda alors :

— Vous croyez que *mordoc* vit à Tangier Island ?

— Non, je ne pense pas. Je crois qu'il l'a choisie parce que c'est un endroit idéal pour démarrer une épidémie : c'est petit, on y vit en circuit fermé. Il est également facile à placer en quarantaine, ce qui signifie que le tueur n'a pas l'intention d'annihiler toute la société d'un seul coup. Il fait ça petit à petit, en nous découpant en petits morceaux.

— Ouais, comme il a fait à la vieille femme, si vous ne vous trompez pas.

— Il veut quelque chose, et Tangier Island est destiné à attirer l'attention sur lui.

— Sans vous offenser, Doc, j'espère que vous vous trompez.

— Demain matin, je me rends à Atlanta. Ce serait une bonne idée que vous alliez demander à Vander s'il a tiré quelque chose de cette empreinte de pouce ?

— Pas pour l'instant. On dirait bien que la victime n'était fichée nulle part. Si jamais j'apprends quoi que ce soit, j'appelle votre Pager.

— Merde, marmonnai-je, car l'infirmière me l'avait également confisqué.

Le reste de la journée s'étira de façon interminable, et ce n'est qu'après le dîner que Fujitsubo apparut pour me dire au revoir. Le fait de me laisser partir impliquait que je n'étais ni infectée ni infectieuse, mais il portait néanmoins une combinaison bleue, qu'il connecta sur l'arrivée d'air.

Mon cœur se remplit d'appréhension lorsqu'il attaqua tout de suite :

— Je devrais vous garder plus longtemps. La durée d'incubation est en moyenne de douze ou treize jours, mais elle peut s'étendre jusqu'à vingt et un. Je veux dire que vous pouvez encore tomber malade.

— Je comprends, dis-je en attrapant un verre d'eau.

— La revaccination peut aider, ou pas. Tout dépend de l'étape à laquelle vous vous trouviez lorsque je l'ai pratiquée.

J'acquiesçai et rétorquai :

— Je ne serais pas si pressée de partir si vous aviez pris toute cette affaire en charge, au lieu de m'envoyer au CCPM.

— Je ne peux pas, Kay, dit-il d'une voix étouffée par le masque de plastique. Vous savez que cela n'a rien à voir avec ce que je voudrais faire. Je ne peux pas retirer un dossier des mains du CCPM, pas plus que vous ne pouvez vous emparer d'une affaire qui n'est pas sous votre juridiction. Je leur ai parlé. Ils sont très inquiets. Ils redoutent une éventuelle épidémie, et commenceront à procéder aux examens dès que vous arriverez avec les échantillons.

Je refusai de lâcher prise :

— Je crains qu'il s'agisse d'un acte de terrorisme.

— Tant que nous ne disposons pas d'indices en la matière — et j'espère bien que nous n'en aurons pas — nous ne pouvons rien faire de plus pour vous ici, déclara-t-il avec un regret sincère. Allez à Atlanta et voyez ce qu'ils peuvent vous dire. Eux aussi travaillent avec une équipe réduite au minimum. Cela ne pouvait pas plus mal tomber.

— Ou peut-être n'en est-ce que plus délibéré. Si vous étiez un malfaiteur qui projette de commettre des meurtres en série à l'aide d'un virus, quel meilleur moment choisir que lorsque toutes les agences sanitaires fédérales sont réduites à leur plus simple expression ? Ces congés forcés durent depuis un moment, et il n'est pas prévu que la situation s'améliore à court terme.

Il demeura muet.

— John, vous avez assisté à l'autopsie, continuai-je. Avez-vous jamais vu une telle maladie ?

— Uniquement dans les manuels, dit-il d'un ton morne.

— Comment la variole peut-elle réapparaître comme cela toute seule ?

— S'il s'agit bien de la variole.

Je tentai de discuter :

— Quoi que ce soit, c'est virulent, et ça tue.

Mais il ne pouvait rien faire de plus, et je passai le reste de la nuit à errer de forum en forum sur AOL. Toutes les heures, je vérifiais ma messagerie électronique. *Mordoc* demeura silencieux jusqu'au lendemain matin six heures, où il pénétra sur M. E. Mon cœur fit un bond dans ma poitrine lorsque son nom apparut sur l'écran, et j'eus une poussée d'adrénaline, comme à chaque fois qu'il s'adressait à moi. Il était connecté, c'était à moi de jouer. Je pouvais le coincer, si seulement j'arrivais à lui faire commettre un faux pas.

MORDOC. — dimanche j etais a l eglise pas vous je parie
SCARPETTA. — Quel était le sujet de l'homélie ?
MORDOC. — le sermon
SCARPETTA. — Vous n'êtes pas catholique.
MORDOC. — prends garde aux hommes
SCARPETTA. — Matthieu, 10. Que voulez-vous dire ?
MORDOC. — dire qu'il se repent
SCARPETTA. — Qui est-il ? Et qu'a-t-il fait ?
MORDOC. — la coupe que je dois boire vous la boirez

Avant que j'aie pu répondre, il s'était évanoui, et je me mis à feuilleter la bible. Cette fois-ci, le verset cité provenait de l'Evangile selon saint Marc, et c'était de nouveau Jésus qui parlait, ce qui pouvait laisser penser, à défaut d'autre chose, que *mordoc* n'était pas juif. Il n'était pas non plus catholique, à en juger par ses réflexions sur l'église. Je n'étais guère experte en théologie, mais la coupe à boire semblait évoquer la crucifixion à venir du Christ. *Mordoc* avait-il donc été crucifié, et je le serais également ?

Ce furent les dernières heures que je passai là, et Sally, l'infirmière, se montra plus généreuse avec le téléphone. J'expédiai un message sur le Pager de Lucy, qui me rappela presque instantanément.

— Je suis en liaison avec lui, dis-je. Vous êtes là, vous ?

— Nous sommes là. Il faut qu'il reste plus longtemps en ligne, dit ma nièce. Il y a tellement de centraux téléphoniques, et nous devons lister toutes les compagnies téléphoniques dont il faut retrouver la trace. Ton dernier appel provenait de Dallas.

— Tu plaisantes ? dis-je, effondrée.

— Ce n'est pas l'origine de l'appel, juste un aiguillage sur lequel il a été transmis. Nous n'avons pas pu remonter plus loin parce qu'il s'est déconnecté. Mais continue, on dirait que ce type est une espèce de cinglé de la religion.

11

Je partis en taxi plus tard dans la matinée, alors que le soleil était déjà haut dans les nuages. Je n'avais que les vêtements que je portais sur le dos, qui avaient été stérilisés à l'autoclave ou décontaminés au gaz. J'étais pressée, et veillais sur une grande boîte en carton blanc, sur laquelle étaient imprimées diverses mentions en gros caractères bleus, dont PERIS-SABLE, URGENT ! IMPORTANT, NE PAS RENVERSER.

Mon paquet était une sorte de poupée russe, des boîtes enfermées dans d'autres boîtes, contenant des Biopacks. A l'intérieur de ceux-ci se trouvaient des éprouvettes avec des prélèvements du foie, de la rate et du liquide rachidien de Lila Pruitt, protégées par des écrans d'aggloméré et des emballages plastiques gaufrés. Tout ceci était entouré de neige carbonique, et des étiquettes marquées DANGER et SUBSTANCES INFECTIEUSES mettant en garde quiconque dépassait la première couche. Je ne pouvais de toute évidence quitter des yeux ma cargaison, car non seulement elle présentait un danger qui n'était plus à démon-trer, mais elle pouvait également se transformer en pièce à conviction, s'il s'avérait que la mort de Lila Pruitt était un homicide. A l'aéroport international de Baltimore — Washington, je trouvai une cabine téléphonique et appelai Rose.

Je ne perdis pas de temps en précautions ora-toires :

— L'USAMRIID a ma sacoche et mon micro-scope, lui annonçai-je. Voyez si vous pouvez vous débrouiller pour les expédier ce soir. Je suis à l'aéro-port de Baltimore, et je me rends au CCPM.

— J'ai essayé de vous contacter par Pager.

— Ils peuvent peut-être aussi me rendre ça, dis-je en essayant de me souvenir de ce qui pouvait encore manquer. Et mon téléphone, ajoutai-je.

— Il est arrivé un rapport que vous allez peut-être trouver intéressant, à propos des poils retrouvés sur le torse : il s'agit de poils de lapin et de singe.

— Bizarre.

Ce fut tout ce que je trouvai à dire.

— Maintenant, j'ai des nouvelles désagréables. Les médias ont appelé à propos de l'affaire Carrie Grethen. Apparemment, il y a eu des fuites.

— Nom de Dieu ! m'exclamai-je en pensant à Ring.

— Que voulez-vous que je fasse ?

— Appelez donc Benton. Je ne sais pas quoi ajouter, je suis un peu dépassée.

— Vous en avez l'air.

Je consultai ma montre.

— Rose, il faut que je déniche une place sur un vol. Ils ne voulaient pas me laisser franchir le contrôle des rayons X, et je sais ce qui va se passer quand je vais essayer de monter avec ce truc.

Tout se déroula exactement comme je m'y attendais. Lorsque je pénétrai dans la cabine, une hôtesse me lança un coup d'œil et me sourit, puis tendit les mains :

— Tenez, donnez-moi ça, je vais le mettre avec les bagages.

— Cette boîte ne doit pas me quitter.

— Elle ne rentrera pas dans le compartiment au-dessus de votre tête, ni sous votre siège, dit-elle tandis que son sourire se faisait plus nerveux, et que la queue derrière moi s'allongeait.

Je m'écartai dans la cuisine, en demandant :

— Nous pouvons en discuter sans gêner la circulation ?

— Madame, dit-elle en me serrant de près, ce vol est surchargé, nous n'avons tout simplement pas de place.

— Tenez, lui dis-je en lui montrant tous les formulaires.

Son regard parcourut la Déclaration de transport de denrées dangereuses, bordée de rouge, et se figea sur un paragraphe qui indiquait que je transportais des « Substances infectieuses pouvant affecter des êtres humains ».

Elle parcourut la cuisine d'un œil affolé, et m'entraîna plus près des toilettes.

J'expliquai d'un ton raisonnable :

— La réglementation stipule que seule une personne habilitée peut manipuler ce genre de substances dangereuses. Le paquet doit donc rester avec moi.

236

— Qu'est-ce que c'est ? demanda-t-elle, les yeux écarquillés.

— Des spécimens d'autopsie.

— Sainte Mère de Dieu !

Elle s'empara immédiatement de son plan de cabine, et m'escorta peu après jusqu'à une rangée vide en première classe, près de l'arrière.

— Placez-le sur le siège à côté de vous. Ça ne risque pas de fuir, ou quelque chose de ce genre ?

Je lui promis :

— Je veillerai dessus comme sur la prunelle de mes yeux.

— A moins qu'il n'y ait beaucoup de gens surclassés, il devrait y avoir pas mal de places libres ici. Mais ne vous inquiétez pas, de toute façon, je guiderai tout le monde à l'écart, dit-elle en esquissant un mouvement comme si elle était au volant d'une voiture.

Personne ne s'approcha de moi ni de ma boîte. Je dégustai du café durant un vol paisible jusqu'à Atlanta, ravie de me retrouver seule, même si je me sentais nue sans mon téléphone et mon Pager. A l'aéroport d'Atlanta, je dus parcourir des tapis roulants et des escalators pendant ce qui me parut être des kilomètres, avant de gagner l'intérieur du bâtiment, puis de trouver un taxi.

Nous remontâmes l'autoroute 85 Nord jusqu'à Druid Hills Road, où nous dépassâmes des magasins de location de voitures et des bureaux de prêteurs sur gage, puis d'immenses jungles de sumacs vénéneux et de ku-dzus, et des centres commerciaux. Le Centre de contrôle et de prévention des maladies se trouvait au milieu de l'entrelacs de parkings de l'Emory University. C'était un bâtiment de brique ocre orné de moulures grises, situé en face de l'American Cancer Society. Je me présentai à la réception, gardée par des plantons et un système de surveillance vidéo interne.

— Ceci va au niveau 4, où j'ai rendez-vous avec le docteur Bret Martin dans l'atrium, expliquai-je.

— Vous allez avoir besoin d'une escorte, madame, dit l'un des gardes.

— Tant mieux, répliquai-je tandis qu'il s'emparait d'un téléphone. Je me perds toujours.

Je le suivis à l'arrière du bâtiment, où les installations toutes neuves étaient placées sous une protection très stricte. Il y avait des caméras partout, les vitres étaient blindées, et il fallait emprunter des passerelles métalliques grillagées pour se déplacer. Nous passâmes devant les labos d'études des bactéries et de la grippe, puis la zone de béton et de brique rouge consacrée à la rage et au Sida.

Je n'étais pas venue depuis plusieurs années, et je remarquai à voix haute combien c'était impressionnant.

— Oh oui, ils ont tous les systèmes de sécurité possibles et imaginables. Caméras, détecteurs de mouvement à toutes les entrées et sorties. Toutes les ordures sont bouillies et brûlées, et ils utilisent des filtres à air spéciaux pour que tout ce qui rentre soit éliminé. Sauf les chercheurs, dit-il en riant.

Il utilisa une carte magnétique pour ouvrir une porte, et demanda :

— Alors, quelles mauvaises nouvelles apportez-vous ?

— Je suis là pour les découvrir.

Nous nous trouvions maintenant dans l'atrium.

La zone de niveau 4 n'était rien de plus qu'une gigantesque hotte à flux laminaire avec de gros murs de béton et d'acier. C'était un bâtiment à l'intérieur d'un autre bâtiment, aux fenêtres fermées de stores. Les labos se trouvaient derrière d'épaisses parois de verre, et les seuls chercheurs en combinaison bleue qui s'affairaient en ce jour de congé étaient ceux qui prenaient leur travail suffisamment à cœur pour venir quand même.

Le garde secoua la tête en remarquant :

— Qu'est-ce qu'ils croient, au gouvernement ? Que des maladies comme le virus Ebola vont attendre qu'ils aient réglé leurs problèmes de budget ?

Il m'escorta le long de chambres de confinement plongées dans l'obscurité et de labos vides, puis des cages à lapins dans un couloir, vides elles aussi, et des animaleries réservées aux grands primates. Un singe me fixa à travers des barreaux et une vitre, et son regard si semblable à celui d'un être humain me démonta. Je repensai à ce que m'avait appris Rose. *Mordoc* avait transféré sur une victime, dont je savais qu'il l'avait touchée, des poils de lapin et de singe. Peut-être travaillait-il dans un endroit comme celui-ci ?

Tandis que nous continuions notre marche, le garde remarqua :

— Ils vous jettent des ordures, exactement comme leurs commandos de défense des animaux. Qui se ressemble s'assemble, non, vous croyez pas ?

Mon inquiétude allait en grandissant.

— Où nous rendons-nous ?

— Là où le bon docteur m'a dit de vous amener, m'dame.

Nous nous trouvions maintenant sur un autre niveau de passerelles, et nous dirigions vers une autre partie du bâtiment.

Nous franchîmes une porte, derrière laquelle se trouvaient des congélateurs à ultra basse température qui avaient l'air d'ordinateurs de la taille de grandes photocopieuses. Fermés à clé, ils paraissaient incongrus dans ce couloir où un homme corpulent en blouse de labo, aux cheveux blonds et fins comme ceux d'un bébé, m'attendait en transpirant.

Il se présenta en me tendant la main :

— Bret Martin. Merci, ajouta-t-il à l'adresse du garde, lui signifiant que nous n'avions plus besoin de lui.

Je lui confiai ensuite ma boîte en carton. Il eut un signe de tête en direction des congélateurs, tout en posant le paquet sur l'un d'eux :

— C'est là que nous conservons notre stock de variole, à moins soixante-dix degrés centigrades.

Il haussa les épaules et expliqua :

— Ces congélateurs sont dans le couloir parce que nous n'avons pas de place ailleurs, en confinement maximal. C'est une coïncidence curieuse, que vous me donniez ça. Encore que je ne m'attende pas que votre maladie soit identique.

— Tout cela, c'est de la variole ? demandai-je, stupéfaite.

— Non, pas tout, et plus pour très longtemps, puisque pour la première fois sur cette terre, nous avons pris en pleine connaissance de cause la décision d'éliminer une espèce.

— L'ironie veut que l'espèce dont vous parlez ait éliminé des millions de gens, remarquai-je.

— Vous pensez donc que nous devrions tout simplement prendre la source de cette maladie et la balancer à l'autoclave ? dit-il avec une expression à laquelle j'étais habituée.

La réalité était bien plus compliquée que je ne la présentais, et seuls des gens comme lui en connaissaient les nuances subtiles. Je répliquai :

— Je ne dis pas qu'il faille détruire quoi que ce soit, pas du tout. Au contraire, même, et à cause de cela, dis-je en regardant la boîte que je lui avais donnée. Ce n'est pas parce que nous passerons la variole à l'autoclave qu'elle aura disparu. On peut en dire autant de n'importe quelle autre arme.

— Nous sommes bien d'accord. Je donnerais cher pour savoir où les Russes cachent leur stock de variole en ce moment, et s'ils en ont vendu au Moyen-Orient ou à la Corée du Nord.

— Vous allez passer ça à la PCR ?

— Oui.

— Tout de suite ?

— Aussi vite que possible.

— Je vous en prie. Il s'agit d'une urgence.

— C'est pour ça que je suis là avec vous. Le gouvernement considère que je ne suis pas indispensable, je devrais être chez moi.

— J'ai des photos que l'USAMRIID a été assez aimable pour développer tandis que je me trouvais au Mitard, l'informai-je avec une pointe d'ironie.

— Je veux les voir.

Nous reprîmes l'ascenseur pour monter au quatrième étage. Il me conduisit dans une salle de conférence où le personnel se réunissait pour mettre au point des stratégies contre d'épouvantables fléaux qu'il n'était pas toujours capable d'identifier. D'habitude, les bactériologistes, les épidémiologistes, les gens responsables des quarantaines, des voies de transmission, des pathogènes et des PCR se retrouvaient ici, mais aujourd'hui, il n'y avait que nous deux, et tout était silencieux.

— Pour l'instant, vous n'avez personne d'autre que moi pour vous aider, déclara Martin.

Je sortis de mon sac une enveloppe épaisse, et il entreprit d'examiner les photos. Il fixa les épreuves couleur du torse et celles de Lila Pruitt, pétrifié.

— Bon Dieu ! Nous devrions vérifier tout de suite les voies de transpiration. Tous les gens susceptibles d'avoir été en contact. Et vite !

— Nous pouvons faire ça à Tangier Island. Peut-être.

— Il est certain qu'il ne s'agit pas de varicelle ou de rougeole. Jamais de la vie. Et il est tout aussi certain que c'est apparenté à la variole.

Les yeux écarquillés, il fixa sans ciller les photos des pieds et des mains tranchés, la lumière se reflétant sur ses lunettes.

— Ouaouh ! Qu'est-ce que c'est que ce truc ?

— Il s'est baptisé *mordoc*. Il m'a envoyé des fichiers graphiques par AOL, de façon anonyme, bien sûr, et le FBI tente de remonter sa piste.

— Et cette victime, là, il l'a démembrée ?

Je hochai la tête. Il scruta les vésicules sur le torse :

— Elle présente des manifestations similaires à la victime de Tangier Island ? demanda-t-il.

— Jusqu'à présent, oui.

— Vous savez, dit-il, la variole du singe me préoccupe depuis des années. Nous surveillons de près l'Afrique occidentale, du Zaïre à la Sierra Leone, où des cas se sont produits, ainsi que des varioles blanches. Mais pour l'instant, aucun virus de la variole. Pourtant, je redoute qu'un de ces jours, un virus animal apparenté à la variole ne trouve le moyen de se transmettre à l'homme.

Je repensai encore une fois à ma conversation téléphonique avec Rose à propos des poils d'animaux.

— Pour cela, il suffit simplement, disons, qu'un micro-organisme passe dans l'air, et trouve ensuite un hôte receveur.

Il revint à Lila Pruitt, à son corps déformé et torturé sur son lit de douleur.

— Elle a de toute évidence été suffisamment exposée pour développer la maladie de façon spectaculaire, remarqua-t-il, tellement absorbé qu'il avait l'air de se parler à lui-même.

— Docteur Martin, la maladie se déclare-t-elle chez les singes, ou n'en sont-ils que des vecteurs ?

— Elle se déclare et ils la transmettent lorsqu'il y a contact entre les animaux, dans les forêts tropicales africaines. Il existe neuf virus virulents de la variole connus sur la planète, et seuls deux d'entre eux sont transmissibles à l'homme. Le virus *variola*, ou variole, que Dieu merci nous ne voyons plus, et le *molluscum contagiosum*.

— Des indices retrouvés sur le torse ont été identifiés comme des poils de singe.

Il se retourna vers moi en fronçant les sourcils :

— Quoi ?

— Ainsi que des poils de lapin. Je me demande s'il n'y a pas quelqu'un dans la nature qui procède à ses propres expériences de laboratoire.

Il se leva.

— Nous allons nous y mettre tout de suite. Où puis-je vous joindre ?

— A Richmond.

Je lui tendis ma carte tandis que nous quittions la salle de réunion.

— Quelqu'un peut-il m'appeler un taxi ?

— Bien sûr, l'un des gardes à la réception. J'ai bien peur qu'il n'y ait pas d'autres employés. C'est un cauchemar, continua-t-il en appuyant sur le bouton de l'ascenseur avec son coude, la boîte à la main. Nous avons une salmonellose à Orlando, à cause d'un jus d'orange non pasteurisé, une autre intoxication potentielle à Escherischia Coli entéro-toxinogène sur un bateau de croisière, probablement encore due à du steak haché insuffisamment cuit. Nous avons du botulisme à Rhode Island, et une maladie respiratoire dans une maison de retraite. Mais le Congrès ne veut pas nous subventionner.

— Ne m'en parlez pas.

Nous fîmes halte à chaque étage, où d'autres gens montèrent, et Martin continua de parler.

— Imaginez-vous une résidence dans l'Iowa, où on soupçonne une shigellose parce que les chutes de pluie ont fait déborder les puisards. Essayez donc de faire intervenir l'EPA.

— C'est ce qu'on appelle une *mission impossible*, remarqua quelqu'un d'un ton sardonique alors que les portes s'ouvraient de nouveau.

— Si même l'EPA existe encore, renchérit Martin. Nous recevons quatorze mille appels par an, et nous ne disposons que de deux standardistes. D'ailleurs, à cet instant, nous n'en avons aucune. Celui qui est dans le coin décroche, moi y compris.

Nous atteignîmes l'entrée, et je le suppliai :

— Je vous en prie, ne laissez pas ça en attente.

— Ne vous inquiétez pas, j'ai trois types que je vais appeler chez eux pour les faire revenir tout de suite.

Je passai une demi-heure à téléphoner puis à patienter dans l'entrée, et mon taxi arriva enfin. Je voyageai en silence, contemplant les immenses places de marbre et de granit poli, les complexes sportifs qui me rappelèrent les jeux Olympiques, et les immeubles de verre et d'acier. Atlanta était une ville où tout aspirait au grandiose, et les luxueuses fontaines paraissaient un symbole de libéralité sans frein. Je me sentais la tête légère, glacée, et anormalement fatiguée pour quelqu'un qui venait de passer presque une semaine au lit. A l'approche de la porte d'embarquement, je commençais à avoir mal au dos sans parvenir à me réchauffer, j'avais le cerveau embrumé, et je savais que j'avais de la fièvre.

Lorsque j'atteignis Richmond, j'étais malade. Marino m'attendait, et à ma vue, la peur se peignit sur son visage.

— Bon Dieu, Doc, vous avez une tête de déterrée.

— Je me sens comme une déterrée.

— Vous avez des bagages ?

— Non. Et vous, vous avez des nouvelles ?

— Ouais. Dont une croustillante, qui va vous mettre en rogne. Ring a arrêté Keith Pleasants hier soir.

— Sur quel motif ? m'exclamai-je en toussant.

— Tentative de fuite. Ring prétend qu'il l'a suivi après que Pleasants avait quitté son travail à la décharge et qu'il a essayé de l'arrêter pour excès de vitesse. Il prétend que Pleasants a refusé d'obtempérer. Il est en prison, et vous le croirez jamais, mais sa caution est fixée à cinq mille dollars. Il risque pas de sortir de sitôt.

Je me mouchai.

— C'est du harcèlement. Ring le harcèle, il harcèle Lucy, moi.

— Non, sans blague ? Vous auriez peut-être dû rester au lit dans le Maryland, remarqua-t-il tandis que nous prenions l'escalator. C'est pas pour vous offenser, mais je vais pas l'attraper, ce truc, hein ?

Qu'il s'agisse de radiations ou de virus, tout ce qui était invisible terrifiait Marino.

— Je ne sais pas ce que j'ai, dis-je. La grippe, peut-être.

— La dernière fois que je l'aie eue, je suis resté hors circuit pendant deux semaines.

Il ralentit le pas, et se tint à distance derrière moi.

— En plus, ajouta-t-il, vous avez été en contact avec d'autres trucs.

Je tranchai d'un ton sec :

— Alors, ne m'approchez pas, ne me touchez pas et ne m'embrassez pas.

— Hé, arrêtez de vous en faire comme ça !

Nous sortîmes dans l'air froid de l'après-midi.

— Ecoutez, je vais prendre un taxi pour rentrer, décrétai-je, au bord des larmes tellement j'étais en colère contre lui.

— Mais non, je ne veux pas, protesta-t-il, l'air effrayé et nerveux.

Je déglutis avec force et détournai le visage, tout en hélant un taxi Blue Bird, qui se dirigea vers moi.

— Ce n'est pas le moment que vous attrapiez la grippe, non ? Ce n'est pas le moment que Rose attrape la grippe, ni personne, d'ailleurs, dis-je d'un ton furieux. Et puis, je n'ai presque plus un sou sur moi. C'est l'horreur. Regardez mon tailleur. Vous croyez qu'un autoclave, ça repasse en laissant une bonne odeur ? Mes collants sont fichus, je n'ai pas de manteau pas de gants, je suis là, et il fait combien ? - 1, - 2 °C ? continuai-je en ouvrant à toute volée la portière d'un taxi peint du bleu de la Caroline.

Marino me regarda monter sans piper mot, puis me tendit un billet de vingt dollars, en prenant bien garde de ne pas m'effleurer les doigts.

— Vous avez besoin de courses ? cria-t-il tandis que la voiture s'éloignait.

Mes yeux et ma gorge se gonflèrent de larmes. Je repêchai des mouchoirs en papier au fond de mon sac, me mouchai et pleurai silencieusement.

— C'est pas pour vous embêter, ma p'tite dame, mais où est-ce qu'on va ? me demanda le chauffeur, un vieil homme corpulent.

— Windsor Farms. Je vous indiquerai quand on y sera, dis-je avec un hoquet.

Il secoua la tête.

— Ah, les disputes, c'est l'enfer, hein ? Je me souviens d'une fois, ma femme et moi, on a commencé à s'engueuler dans une de ces gargotes où vous pouvez manger tout le poisson que vous voulez. Elle a pris la voiture, et moi, j'ai dû rentrer à pinces. Sept kilomètres à travers des quartiers pourris.

Il me regardait dans le rétroviseur tout en continuant de hocher la tête, apparemment persuadé que Marino et moi venions d'avoir une querelle d'amoureux.

— Comme ça, vous êtes mariée à un flic ? Je l'ai vu quand il est arrivé. Y a pas une voiture banalisée qui m'échappe, affirma-t-il en se frappant la poitrine.

J'avais une migraine effroyable, et le visage brûlant. Je m'appuyai contre la banquette et fermai un moment les yeux tandis qu'il continuait son bavardage, à propos d'une vie antérieure à Philadelphie, et du fait qu'il espérait qu'il ne neigerait pas trop cet hiver. Je sombrai dans un sommeil fiévreux, puis me réveillai sans savoir où j'étais.

Le chauffeur disait d'une voix forte :

— M'dame ? M'dame ? On y est ! Où je vais, maintenant ?

Il avait tourné dans Canterbury et s'était immobilisé à un stop.

— Par là, et prenez à droite sur Dover.

Je le guidai dans mon quartier. Au fur et à mesure que nous dépassions des demeures géorgiennes ou de style Tudor entourées de hauts murs dans l'une des parties les plus riches de la ville, je voyais à son expression qu'il était de plus en plus dérouté. Lorsqu'il s'arrêta devant ma porte, il contempla la maison de pierre, le terrain boisé tout autour, et me scruta de près tandis que je descendais.

Je lui tendis un billet de vingt dollars et lui dis de garder la monnaie.

— Vous inquiétez pas, m'dame, j'ai tout vu, moi, dans ma vie, et j'suis toujours resté bouche cousue, dit-il avec un clin d'œil en joignant le geste à la parole.

Pour lui, j'étais de toute évidence la femme d'un

homme riche qui avait une liaison tumultueuse avec un policier.

— Voilà un excellent principe, rétorquai-je en toussant.

Je fus accueillie par le bip de l'alarme. Je ne m'étais sentie aussi soulagée de ma vie de me retrouver chez moi. Je ne perdis pas de temps à me débarrasser de mes vêtements stérilisés, et fonçai droit sous une douche brûlante, où j'inhalai la vapeur, tentant de faire disparaître le râle de mes poumons. Le téléphone sonna alors que j'enfilais un peignoir de bain moelleux. Il était exactement quatre heures.

Il s'agissait de Fielding.

— Docteur Scarpetta ?

— Je viens de rentrer.

— Vous ne m'avez pas l'air en forme.

— Je ne le suis pas.

— Eh bien, ce ne sont pas les nouvelles que je vous apporte qui vont vous arranger. Ils ont peut-être deux autres cas à Tangier Island.

— Oh, non.

— Une mère et sa fille. 40,5 °C de fièvre, et une éruption. Le CCPM a déployé une équipe sur un périmètre de neuf mètres, avec des lits en isolateurs.

Je demandai :

— Comment va Wingo ?

Il s'interrompit, comme surpris :

— Bien. Pourquoi ?

— Il m'a aidée avec le torse, lui rappelai-je.

— Ah oui. Eh bien, il est comme d'habitude.

Je m'assis et fermai les yeux, soulagée.

— Que se passe-t-il, avec les échantillons que vous avez emmenés à Atlanta ?

— J'espère qu'ils procèdent à des tests, avec le peu de personnel qu'ils ont réussi à réunir.

— Nous ne savons donc pas encore de quoi il s'agit.

— Jack, tout indique la variole. Pour l'instant, c'est à cela que ça ressemble.

— Je ne l'ai jamais vue. Et vous ?

— Pas avant aujourd'hui. Il n'y a que la lèpre qui me paraisse pire. Une maladie qui en plus d'être mortelle, vous défigure au cours de son développement, c'est affreux.

J'avais très soif, et fus prise d'une nouvelle quinte de toux.

— Je vous verrai demain matin, et nous déciderons de ce que nous allons faire.

— A vous entendre, je n'ai pas le sentiment qu'il soit très judicieux que vous sortiez.

— Vous avez parfaitement raison. Mais je n'ai pas le choix.

Je raccrochai et tentai de contacter Bret Martin, au CCPM, mais tombai sur sa messagerie vocale, et il ne me rappela pas. Je laissai également un message à Fujitsubo, mais lui non plus ne me rappela pas, et j'en conclus qu'il se trouvait chez lui, comme la plupart de ses collègues. La guerre du budget faisait rage.

Je mis de l'eau à bouillir sur la cuisinière, cherchai du thé dans un placard, et jurai toute seule :

— Merde, merde, merde, et merde !

Vers cinq heures, j'appelai Wesley. A Quantico, au moins, les gens travaillaient encore.

— Dieu merci, il y a encore quelqu'un pour répondre au téléphone quelque part ! m'exclamai-je en tombant sur sa secrétaire.

— Ils n'ont pas encore compris à quel point je n'étais pas indispensable.

Je demandai :

— Il est là ?

Wesley décrocha, l'air tellement énergique et joyeux que cela m'énerva instantanément.

— Tu n'as pas le droit d'être aussi en forme.

— Tu as la grippe.

— Je ne sais pas ce que j'ai.

— C'est bien ça, non ? insista-t-il d'un ton inquiet et d'une humeur changée.

— Je ne sais pas. On ne peut que le présumer.

— Je ne veux pas me montrer alarmiste...

Je le coupai :

— Alors, abstiens-toi.

— Kay, dit-il d'un ton ferme. Tu dois regarder les choses en face. Si ce n'était pas la grippe ?

Je ne répondis rien, incapable d'affronter de telles pensées.

Il continua :

— Je t'en prie, n'évacue pas le problème. N'agis pas comme si de rien n'était, comme tu as l'habitude de le faire.

— Vous me mettez hors de moi ! éclatai-je d'un ton brusque. J'arrive dans ce putain d'aéroport, Marino ne veut pas de moi dans sa voiture. Je prends un taxi, le chauffeur pense que nous avons une liaison et que mon riche mari ne le sait pas, et moi, pendant ce temps-là, j'ai de la fièvre, mal partout, et tout ce que je veux, c'est rentrer chez moi !

— Le chauffeur de taxi croit que tu as une liaison ?

— Laisse tomber.

— Comment sais-tu que tu as la grippe ? Qu'il ne s'agit pas de quelque chose d'autre ?

— Je n'ai pas d'éruption. C'est ça que tu veux entendre ?

Il y eut un long silence, puis :

— Et si tu en as une ?

— Alors, je vais probablement mourir, Benton, dis-je dans une nouvelle quinte de toux. Tu ne me toucheras probablement plus jamais. Et je ne veux plus que tu me revoies, si la maladie suit son cours. Il est plus facile de s'occuper des meurtriers, des serial killers, des gens qu'on peut éliminer avec une arme. Mais ce sont les tueurs invisibles que j'ai toujours redoutés. Ceux-là s'attaquent à toi par une belle journée ensoleillée dans un endroit public, et se glissent dans ta limonade. J'ai été vaccinée contre l'hépatite B, mais ce n'est qu'un des tueurs, au milieu d'une énorme population. Et la tuberculose, le sida, et Hanta, et Ebola ? Qu'est-ce qu'on fait de ceux-là ? Seigneur ! dis-je en prenant une profonde inspiration. Cela a commencé avec un torse, et je ne le savais pas.

— J'ai appris pour les deux nouveaux cas, dit-il d'une voix devenue douce et pleine de bonté. Je peux être là dans deux heures. Tu veux me voir ?

— A cet instant précis, je ne veux voir personne.

— Aucune importance. Je viens.

— Benton, ne fais pas ça.

Mais il avait pris sa décision, et il était presque minuit lorsqu'il s'engagea dans mon allée, dans sa BMW au moteur ronronnant. Je le reçus sur le pas de la porte, et nous ne nous touchâmes pas.

— Installons-nous devant le feu, proposa-t-il.

Il me fit gentiment une nouvelle tasse de café décaféiné. Je m'assis sur le canapé, lui dans un fauteuil, et des flammes entretenues au gaz enveloppèrent une bûche artificielle. J'avais baissé les lumières.

— Je ne mets pas en doute ta théorie, dit-il en savourant son cognac.

— Peut-être en saurons-nous plus demain.

Je transpirais tout en frissonnant, et fixais le feu.

— Pour l'instant, je me fous de tout ça comme de ma première chemise, déclara-t-il en me regardant d'un air farouche.

— Mais tu ne dois pas t'en foutre.

Je m'épongeai le front de ma manche.

— Si.

Je restai muette.

— La seule chose qui m'importe, c'est toi.

Je ne répondis toujours rien, et il m'agrippa le bras.

— Kay !

— Ne me touche pas, Benton, dis-je en fermant les yeux. Ne me touche pas. Je ne veux pas que tu tombes malade, toi aussi.

— Tu vois, voilà qui tombe encore à pic pour toi ! Tu es malade, et je ne peux pas te toucher. Et toi, tu es le noble docteur qui prend ma santé plus à cœur que la tienne.

Je demeurai silencieuse, décidée à ne pas pleurer.

— Comme c'est pratique. Tu veux tomber malade maintenant, que personne ne puisse t'approcher. Marino ne peut pas te raccompagner chez toi, je ne peux pas poser la main sur toi. Et Lucy ne peut pas te voir, et Janet est obligée de te parler derrière une vitre.

Je le regardai.

— Où veux-tu en venir ?

— C'est une maladie fonctionnelle.

— Oh ! Je suppose que tu as étudié ça à l'université. Ça faisait partie de ta maîtrise de psychologie, non ?

— Ne te moque pas de moi.

— Je ne me suis jamais moquée de toi.

Je détournai le visage en direction du feu et serrai les paupières. Je sentais à quel point il était blessé.

— Kay, tu n'as pas intérêt à me laisser tomber en mourant !

Je ne dis rien.

— Ne t'avise pas de faire une chose pareille ! dit-il d'une voix tremblante. Ne me fais pas ça !

— Oh, tu ne te débarrasseras pas de moi aussi facilement, déclarai-je en me levant. Allons nous coucher.

Il dormit dans la chambre de Lucy, et je restai éveillée une bonne partie de la nuit à tousser, tentant en vain de trouver une position confortable. Il était debout à six heures et demie, et le café passait lorsque je pénétrai dans la cuisine. La lumière du jour filtrait à travers les arbres, et aux feuilles de rhododendron repliées sur elles-mêmes je sus qu'il faisait un froid mordant.

— C'est moi qui prépare le petit déjeuner, annonça Wesley. Qu'est-ce que tu veux ?

— Rien, je crois.

Je me sentais faible, et j'avais l'impression que mes poumons se déchiraient lorsque je toussais.

— De toute évidence, ça empire, dit-il.

L'inquiétude se lisait dans ses yeux.

— Tu devrais aller voir un médecin.

— Je suis médecin, et il est trop tôt pour en consulter un.

Je pris de l'aspirine, des décongestionnants et mille milligrammes de vitamine C. Puis je mangeai un *bagel*, et commençais presque à me sentir revivre lorsque Rose appela et mit tout par terre.

— Docteur Scarpetta ? La femme de Tangier Island est morte tôt ce matin.

— Oh, Seigneur, non !

Assise à la table de la cuisine, je me passai la main dans les cheveux.

— Et la fille ?

— Etat grave. En tout cas, il l'était il y a quelques heures.

— Le corps ?

Wesley, debout derrière moi, massait mon cou et mes épaules douloureuses.

— On ne l'a pas encore bougé. Personne ne sait très bien comment procéder, et le Bureau du médecin légiste de Baltimore a essayé de vous contacter, ainsi que le CCPM.

— Qui, au CCPM ?

— Un certain docteur Martin.

— C'est lui que je dois joindre en premier, Rose. Entre-temps, appelez Baltimore, et dites-leur qu'ils ne doivent expédier ce corps à leur morgue sous aucun prétexte avant d'avoir eu de mes nouvelles. Quel est le numéro du docteur Martin ?

Elle me le donna, et je l'appelai immédiatement. Il répondit à la première sonnerie, l'air soucieux.

— Nous avons effectué des PCR sur les échantillons que vous avez apportés. Trois amorces, dont deux qui correspondent à la variole, et un témoin.

— Alors, il s'agit de la variole ou pas ?

— Nous avons passé en revue la séquence de génomes. Elle ne correspond à aucun virus de la variole référencé dans aucun laboratoire. Docteur

252

Scarpetta, je crois que vous avez là un virus qui a muté.

— Ce qui signifie que la vaccination ne va pas marcher.

J'éprouvai la sensation que mon cœur venait de tomber dans ma poitrine.

— Tout ce que nous pouvons faire, c'est procéder à des examens sur animaux. Il nous faudra au moins une semaine avant de savoir, et avant de pouvoir même commencer à penser à un nouveau vaccin. Nous appelons cette chose variole pour des raisons pratiques, mais en réalité, nous ne savons foutrement pas de quoi il s'agit. Je vous rappelle également que nous travaillons sur un vaccin contre le sida depuis 1986, et que nous ne sommes guère plus avancés qu'alors.

— Tangier Island doit immédiatement être placé en quarantaine. Nous devons contenir cette épidémie, m'exclamai-je dans un état proche de la panique.

— Nous en sommes conscients, croyez-moi. Nous réunissons une équipe, et nous allons mobiliser la Garde côtière.

Je raccrochai dans tous mes états, et annonçai à Wesley :

— Je dois partir. Nous avons une épidémie de quelque chose dont personne n'a jamais entendu parler, qui a déjà tué au moins deux personnes. Peut-être trois, et peut-être même quatre.

Il me suivit dans le couloir pendant que je continuais de parler :

— C'est la variole, mais ce n'est pas exactement la variole non plus. Nous devons découvrir comment elle se transmet. Lila Pruitt connaissait-elle la femme qui vient de mourir ? Etaient-elles en contact, ou bien était-ce la fille ? Vivaient-elles même près l'une de l'autre ? Et qu'en est-il de l'approvisionnement en eau ? Un château d'eau. Bleu. Je me souviens que j'en ai vu un.

J'étais en train de m'habiller. Wesley était debout sur le seuil, le visage presque gris, les traits figés.

— Tu vas retourner là-bas.

— Je dois d'abord me rendre en ville, dis-je en le regardant.

— Je prends le volant.

12

Wesley me déposa, en m'annonçant qu'il se rendait au Bureau local de Richmond pour un moment, et qu'il m'appellerait plus tard. Je descendis le couloir, mes pas résonnant bruyamment, en souhaitant le bonjour à des membres de mon personnel. Lorsque j'atteignis les bureaux, Rose se trouvait au téléphone, et ce que j'entrevis de ma table à travers la porte de communication était accablant. Des centaines de rapports et de certificats de décès attendaient mon paraphe, et le courrier et les messages téléphoniques débordaient de ma corbeille d'arrivée.

Elle raccrocha et je déclarai :

— Ce n'est pas possible, on dirait que je suis partie depuis un an !

— Mais c'est exactement ça que nous ressentons.

Elle se frottait les mains avec de la lotion, et je remarquai une petite boîte de spray facial Vita sur le bord de mon bureau, un produit d'aromathérapie, avec son emballage postal ouvert à côté. Il y en avait également un sur le bureau de Rose, à proximité de sa crème de soins intensifs. Mon regard alla d'un flacon à l'autre, et mon subconscient décrypta ce que je voyais avant même que mon cerveau ne se mette à raisonner. Le monde parut s'écrouler, et je me retins au chambranle de la porte. Rose bondit, envoyant promener son fauteuil sur ses roulettes, et contourna son bureau pour venir me soutenir.

— Docteur Scarpetta !

— Où avez-vous eu ça ? demandai-je en fixant le spray.

— C'est juste un échantillon, dit-elle, abasourdie. On nous en a envoyé quelques-uns par la poste.

— Vous l'avez utilisé ?

Elle me regarda, l'air sérieusement inquiet :

— Il vient d'arriver, je ne l'ai pas encore essayé.

— N'y touchez pas ! dis-je d'un ton impératif. Qui d'autre en a reçu ?

— Mon Dieu, je n'en ai pas la moindre idée. Qu'est-ce qu'il y a ? Que se passe-t-il ? demanda-t-elle d'une voix aiguë.

Je pris des gants dans mon bureau, m'emparai du spray facial et le plaçai dans un emballage triple épaisseur.

— Tout le monde dans la salle de réunion, et tout de suite !

Je courus à la réception, où je fis la même déclaration. En quelques minutes, tout mon personnel, y compris les médecins en pyjamas de travail, se trouvait réuni. Hors d'haleine, pour certains, ils me fixaient tous d'un air éreinté et désemparé.

Je brandis le sac à pièces à conviction transparent qui contenait l'échantillon de spray Vita, et demandai à la ronde :

— Qui a reçu un flacon de ça ?

Quatre personnes levèrent la main.

— Qui l'a utilisé ? J'ai besoin de savoir si qui que ce soit s'en est servi.

Cleta, une employée de la réception, eut l'air effrayé :

— Pourquoi ? Que se passe-t-il ?

— Vous êtes-vous pulvérisé le visage avec ?

— Non, j'en ai mis sur mes plantes.

— Les plantes doivent être mises en sac et brûlées, décrétai-je. Où est Wingo ?

— Au Medical college of Virginia.

Je m'adressai à tout le monde :

— Je n'en suis pas certaine à cent pour cent, et je prie pour que ce ne soit pas le cas, mais il est possible que nous ayons affaire à la contamination criminelle d'un produit. Ne paniquez surtout pas, mais personne ne doit toucher à ce spray, sous aucun prétexte. Savons-nous exactement comment ils ont été expédiés ?

Cleta intervint.

— Je suis arrivée avant tout le monde ce matin. Comme d'habitude, il y avait des rapports de police glissés dans la fente de la boîte aux lettres, et il y avait ça aussi, dans des petits tubes à expédition. Il y en avait onze, je les ai comptés pour voir si on pouvait en donner à tout le monde.

— Ce n'est donc pas le postier qui les a distribués, ils ont simplement été fourrés dans la boîte de l'entrée.

— Je ne sais pas qui les a apportés, mais ils avaient l'air d'avoir été postés.

— Vous pouvez me donner tous les tubes qui vous restent ?

Personne ne les avait ouverts, et ils furent tous réunis puis déposés dans mon bureau. J'enfilai des gants de coton et des lunettes, puis étudiai le tube d'expédition qui m'était destiné. C'était de toute évidence un échantillon de fabricant, affranchi au tarif forfaitaire, et je trouvai tout à fait inhabituel qu'un objet de cette sorte soit adressé à un individu spécifique. J'examinai l'intérieur du tube, et y trouvai un coupon d'achat pour le spray. En l'inspectant à contre-jour, je remarquai que les bords en étaient imperceptiblement inégaux, comme si le papier avait été découpé avec des ciseaux, et non par une machine.

J'appelai :

— Rose ?

Elle pénétra dans la pièce.

— Le tube que vous avez. A qui était-il adressé ?

— Ils étaient anonymes, je crois, dit-elle, l'air tendu.

— Alors, le seul à porter un nom est le mien.

— Je crois, oui. Tout ça est terrible.

— Oui. Regardez, dis-je en prenant le tube d'expédition. Les lettres ont toutes la même dimension, et le cachet de la poste est sur la même étiquette que l'adresse. Je n'ai jamais vu ça.

— Comme si cela provenait d'un ordinateur, remarqua-t-elle avec un étonnement grandissant.

— Je vais au labo d'ADN de l'autre côté de la rue, déclarai-je en me levant. Appelez tout de suite l'USAMRIID, et dites au colonel Fujitsubo que nous devons organiser immédiatement une réunion avec lui, le CCPM et Quantico.

— Où voulez-vous qu'on la fasse ? demanda-t-elle tandis que je sortais d'un pas pressé.

— Pas ici. Voyez ce qu'en dit Benton.

Une fois dehors, je parcourus le trottoir au pas de course, dépassai mon parking, et traversai la 14e Rue. Je pénétrai dans le bâtiment où divers labos d'expertise, notamment celui de l'ADN, avaient été déménagés plusieurs années auparavant. A la réception, j'appelai le chef de département, le docteur Douglas Wheat, qui, malgré son sexe, avait été affublée d'un prénom masculin.

Je lui expliquai :

— J'ai besoin d'une hotte et d'une pièce avec un système d'aération en circuit fermé.

— Venez derrière.

Un long couloir en pente, toujours luisant de propreté, menait à une série de laboratoires qui ressemblaient à des cages de verre, où des chercheurs armés de pipettes, de gels et de sondes radioactives veillaient sur des séquences de codes génétiques pour leur faire révéler leur identité. Douglas Wheat, qui se débattait presque autant que moi avec la paperasserie, était installée à son bureau, et tapait à son ordinateur. C'était une femme amicale d'une quarantaine d'années, pleine d'une sorte de charme solide.

— Alors, dans quels ennuis vous êtes-vous fourrée, cette fois-ci ? demanda-t-elle avec un sourire.

Puis elle regarda mon sac, et ajouta :

— J'ai peur de poser la question.

— Possible contamination criminelle d'un produit manufacturé. Il faut que j'en pulvérise un peu sur une lame, mais il ne doit à aucun prix se répandre dans l'air, sur moi ou sur qui que ce soit.

Son sourire l'avait abandonnée, et elle se leva, l'air sombre.

— Qu'est-ce que c'est ?

— Peut-être un virus.

— Comme celui de Tangier Island ?

— Je le crains.

— Vous ne croyez pas qu'il serait plus sage d'expédier ça au CCPM, et de les laisser...

Je fus reprise d'une quinte de toux, et expliquai patiemment :

— Oui, Douglas, ce serait plus sage, mais nous n'avons pas le temps. Je dois savoir. Nous n'avons aucune idée du nombre de ces échantillons qui peuvent se trouver entre les mains des consommateurs.

Son laboratoire disposait de plusieurs hottes en circuit fermé entourées de vitrages de protection biologique, car les pièces à conviction examinées ici étaient du sang. Elle me conduisit au fond d'une salle, où nous enfilâmes des masques, des gants et pour moi, une blouse de laboratoire. Elle brancha la sorbone qui aspira l'air dans la hotte, à travers des filtres à particules haute densité.

Je sortis de son sac le spray facial.

— Prête ? Il faut faire vite.

Je maintins une lame propre et le petit flacon sous la hotte, puis pulvérisai.

— Plongeons ça dans une solution à dix pour cent de chlore, dis-je ensuite. Puis nous la placerons dans un emballage triple épaisseur, et nous l'expédierons avec les dix autres à Atlanta.

— Je reviens tout de suite, dit Douglas Wheat en s'éloignant.

La lame sécha quasi instantanément. Je versai dessus quelques gouttes de colorant Nicolaou, et la scellai avec une lamelle. J'étais déjà en train de l'examiner au microscope lorsque Douglas revint avec un conteneur de solution de chlore. Elle y plongea plusieurs fois le Vita spray, tandis que toutes mes appréhensions s'amalgamaient en un monstrueux cumulus sombre et que je sentais ma veine jugulaire palpiter dans mon cou. J'avais sous les yeux les corpuscules de Guarnieri que j'avais appris à redouter.

Lorsque je relevai les yeux, Douglas lut à livre ouvert sur mon visage.

— Ce n'est pas bon.

— Non, ce n'est pas bon.

J'éteignis le microscope, et jetai mon masque et mes gants dans la poubelle destinée aux déchets toxiques.

Les sprays Vita provenant de mon bureau furent expédiés par avion à Atlanta, et un avertissement préliminaire fut diffusé sur tout le territoire à destination de quiconque pouvait détenir un tel échantillon. Le fabricant avait lancé un avis de rappel immédiat, et les compagnies d'aviation internationales procédaient au retrait des sprays dans les trousses de toilette destinées aux passagers de première classe et de classe affaire. Si *mordoc* avait touché à des centaines ou des milliers de sprays faciaux, l'ampleur de la propagation éventuelle de la maladie était atterrante. Nous pourrions nous retrouver à nouveau confrontés à une épidémie mondiale.

La réunion eut lieu à une heure, au bureau fédéral du FBI dans Staples Mill Road. Un vent violent faisait claquer au sommet de leurs mâts le drapeau fédéral et celui de l'Etat, arrachait aux arbres des feuilles brunes et faisait paraître l'après-midi beaucoup plus froid qu'il ne l'était en réalité. C'était un bâtiment de brique neuf, doté d'une salle de réunions sûre, équipée de matériel audiovisuel, et notamment d'un système de vidéoconférence. Un jeune agent de sexe féminin se trouvait face à une console à une extrémité de la table. Wesley et moi prîmes place sur nos sièges et rapprochâmes nos micros. Des écrans vidéo étaient installés sur les murs.

— Qui d'autre attendons-nous ? demanda Wesley tandis que l'agent spécial responsable, l'ASR, entrait avec une montagne de dossiers.

— Miles, répondit celui-ci en faisant référence au commissaire à la Santé, mon supérieur immédiat. Et la garde côtière.

Il jeta un coup d'œil à ses papiers et ajouta :

— Le chef de station de Crisfield, dans le Maryland. Il arrive par hélicoptère. Cela ne devrait pas lui prendre plus d'une demi-heure, dans un de leurs gros oiseaux.

Il venait à peine de terminer que nous distinguâmes dans le lointain un faible battement de pales. Quelques minutes plus tard, le Jayhawk rugissait au-dessus de nos têtes et atterrissait sur l'héliport situé derrière le bâtiment. Je n'avais pas le souvenir qu'un tel hélicoptère de sauvetage se soit jamais posé dans notre ville, ou l'ait même simplement survolée à basse altitude, et les gens sur la route avaient dû être impressionnés à cette vue. Lorsqu'il apparut, le chef Martinez ôtait son manteau. Je remarquai son pantalon d'uniforme, son pull commando bleu foncé, et la situation m'apparut de plus en plus sombre.

L'agent à la console manipulait ses commandes, puis le commissaire Miles entra, et prit un siège à côté de moi. C'était un homme âgé à l'abondante chevelure grise plus rebelle que l'ensemble de son personnel réuni. Aujourd'hui, ses mèches pointaient dans toutes les directions, et il chaussa ses lunettes noires, sous un front lourd et sévère.

Tout en prenant des notes, il remarqua :

— Vous avez l'air un peu souffrante.

— Oh, c'est ce truc qui traîne partout en ce moment.

— Si j'avais su, je ne me serais pas assis à côté de vous.

260

Je savais qu'il pensait ce qu'il venait de dire.

— J'ai dépassé le stade contagieux, lui dis-je, mais il ne m'écoutait pas.

Des écrans s'allumèrent dans la pièce, et sur l'un d'eux, je reconnus le colonel Fujitsubo, puis Bret Martin apparut, nous regardant droit dans les yeux.

— Caméra branchée, dit l'agent à la console. Micros branchés. Quelqu'un veut faire le décompte pour moi ?

— Cinq, quatre, trois, deux, un, dit l'ASR dans son micro.

— Le niveau est bon ?

— Ici, c'est bon, dit Fujitsubo depuis Frederick, dans le Maryland.

— C'est bon, dit Martin depuis Atlanta.

— Quand vous voulez, annonça l'agent à sa console en parcourant la table du regard.

Je commençai :

— Un bref résumé, pour être sûr que tout le monde est au courant. Nous sommes confrontés à l'émergence de ce qui paraît être un virus apparenté à la variole, qui semble pour l'instant restreinte à l'île de Tangier, à vingt-neuf kilomètres de la côte de Virginie. Pour l'instant, nous avons dénombré deux décès, et une personne malade. Il est également très probable qu'une récente victime d'homicide ait été infectée par le virus. Quant au mode de transmission, nous soupçonnons une contamination délibérée d'échantillon de spray facial Vita.

Miles intervint :

— Ceci n'a pas encore été déterminé.

— Les échantillons devraient arriver d'un moment à l'autre, dit Martin à Atlanta. Nous procéderons immédiatement aux examens, et avec un peu de chance, nous aurons une réponse avant demain soir. En attendant, les sprays sont retirés de la circulation, jusqu'à ce que nous sachions exactement ce à quoi nous avons affaire.

— Vous pouvez les passer au PCR pour voir s'il s'agit du même virus, suggéra Miles.

— Oui, acquiesça Martin.

Miles regarda l'assistance.

— Bien, que concluons-nous donc ? Nous avons un cinglé sur les bras, un nouveau tueur au Tylenol qui a décidé d'utiliser cette fois-ci une maladie ? Comment savons-nous si ces petites bouteilles de spray ne sont pas répandues partout dans la nature ?

Wesley prit la parole, sur le domaine qu'il possédait à fond :

— Je crois que le tueur veut prendre son temps. Il a commencé par une victime unique. Après ce premier succès, il s'est attaqué à une île minuscule. Il a réussi là aussi, et s'est alors attaqué à un département de santé en ville. (Il me regarda.) Si nous ne l'arrêtons pas, ou si nous ne développons pas un vaccin, il va passer à l'étape suivante. L'autre raison pour laquelle je soupçonne que nous en sommes encore à une attaque locale, c'est qu'il semble que les sprays aient été livrés directement, avec de fausses oblitérations sur les emballages, pour faire croire qu'ils avaient été postés.

— Vous affirmez donc qu'il s'agit d'une contamination criminelle, lui dit le colonel Fujitsubo.

— J'affirme qu'il s'agit de terrorisme.

— Et quel en serait l'objet ?

— Nous l'ignorons encore, répondit Wesley.

J'intervins :

— Mais ceci est bien pire que le tueur au Tylenol, ou bien celui aux colis piégés. Les dégâts causés par ceux-là sont limités aux gens qui avalent les comprimés ou ouvrent les paquets. Dans le cas d'un virus, celui-ci va se propager bien au-delà de la première victime visée.

Miles demanda :

— Docteur Martin, que pouvez-vous nous dire de ce virus ?

— Nous avons quatre méthodes traditionnelles d'identification de la variole, dit-il en nous regardant d'un air guindé depuis son écran. Le microscope électronique, avec lequel nous avons observé une visualisation directe de *variola*.

— Une épidémie de variole ? cria presque Miles. Vous en êtes sûr ?

— Attendez, l'interrompit Martin. Laissez-moi finir. Nous avons également une méthode de vérification antigénique sur gel d'agar. Les cultures de membranes choriales d'embryon de poulet, ainsi que les autres cultures tissulaires, vont prendre deux ou trois jours. Nous n'aurons donc pas les résultats tout de suite, mais nous avons la PCR, qui a identifié un virus variolique. Simplement, nous ne savons pas lequel. Il est très bizarre, ne ressemble à rien de connu, ni au virus de la variole du singe, ni à celui de la variole blanche. Bien qu'il semble apparenté, il ne s'agit pas d'un virus classique de la variole majeure ou mineure.

Le docteur Fujitsubo intervint :

— Docteur Scarpetta, à votre connaissance, de quoi se compose le spray facial ?

— D'eau distillée avec du parfum. Il n'y a aucun ingrédient répertorié, mais c'est généralement le cas avec ce genre de spray.

Il prit des notes, et ajouta :

— Le produit est stérile ?

— Je l'espère, étant donné que le mode d'emploi vous encourage à le pulvériser sur le visage et les lentilles de contact.

— Ma question est la suivante, poursuivit Fujitsubo par satellite : quelle peut être la durée de vie de ces sprays contaminés ? Le virus de la variole n'est pas très stable en conditions humides.

— Juste, dit Martin en ajustant son oreillette. Il apprécie les milieux secs, et peut survivre des mois, jusqu'à une année, à température ambiante. Il est sensible à la lumière, mais dans un atomiseur cela ne lui pose pas de problème. Il n'aime pas la chaleur, ce qui malheureusement, lui rend cette période de l'année tout à fait propice.

— Alors, suivant ce que les gens en font quand ils

les reçoivent, il pourrait y avoir beaucoup de sprays sans effet.

— Possible, dit Martin avec espoir.

— De toute évidence, remarqua Wesley, l'individu que nous cherchons a des connaissances en matière de maladies infectieuses.

— Il ne peut pas en être autrement, répondit Fujitsubo. Le virus doit être cultivé, propagé, et si nous nous trouvons réellement en présence d'un acte terroriste, cela signifie que les techniques expérimentales de base sont très familières au coupable. Il savait comment manipuler quelque chose comme ça, et comment se protéger. Nous partons du principe qu'une seule personne est en cause ?

— C'est ma théorie, mais nous ne disposons d'aucune certitude, dit Wesley.

— Il s'est baptisé *mordoc*, remarquai-je.

Fujitsubo fronça les sourcils :

— Comme dans Docteur Mort ? Il veut nous signifier qu'il est médecin ?

Encore une fois, c'était difficile à dire, mais la question la plus inquiétante était également la plus difficile à résoudre.

— Docteur Martin, dis-je tandis que Martinez s'appuyait en silence contre le dossier de sa chaise, attentif. Nous présumons que vos installations et un laboratoire en Russie constituent les deux seules sources d'isolats du virus. Vous avez une idée de la façon dont quelqu'un a pu mettre la main dessus ?

— C'est le point crucial, renchérit Wesley. Aussi déplaisante que puisse être cette perspective, nous devons vérifier la liste de votre personnel. Pas de licenciements ou de démissions récentes ? Quelqu'un est parti ces derniers mois, ou ces dernières années ?

Martin répondit avec assurance :

— Notre source d'approvisionnement en virus de la variole est aussi méticuleusement surveillée et inventoriée que du plutonium. J'ai déjà vérifié tout cela personnellement, et je peux vous certifier qu'il n'y a pas eu de manipulation malveillante. Rien ne manque. Et il est impossible d'accéder à l'un des congélateurs verrouillés sans autorisation, ni sans avoir connaissance des codes des alarmes.

Tout le monde demeura un moment silencieux, puis Wesley parla :

— Je crois que ce serait une bonne idée de récupérer la liste des gens qui ont disposé d'une telle autorisation au cours de ces cinq dernières années. En me basant sur l'expérience, je pars du principe que nous avons affaire à un homme, blanc, probablement âgé d'une quarantaine d'années. Il vit très probablement seul, mais si ce n'est pas le cas, ou s'il sort avec quelqu'un, une partie de sa résidence se trouve à l'écart, l'endroit qui lui sert de labo...

— Alors il s'agit très probablement d'un ancien technicien de laboratoire, intervint l'ASR.

— Ou quelqu'un dans ce genre. Un diplômé, avec une expérience. Introverti, ce que je base sur un certain nombre de choses, notamment sa tendance à écrire en minuscules. Son refus d'utiliser la ponctuation indique qu'il est persuadé d'être différent des autres, et que leurs règles ne s'appliquent pas à lui. Il n'est pas bavard, et les gens qui le fréquentent doivent le trouver réservé ou timide. Il dispose de temps libre, et par-dessus tout, il a le sentiment d'avoir été maltraité par le système. Il pense qu'il a droit à des excuses de la part des gens les plus importants, de notre gouvernement, et je suis convaincu que c'est là la clé de sa motivation.

— Donc nous parlons de vengeance pure et simple, remarquai-je.

— Si seulement ce pouvait être pur et simple, dit Wesley. Mais ce n'est jamais le cas. Pourtant, je crois que la vengeance est le nœud du problème, et c'est la raison pour laquelle il est important que toutes les agences gouvernementales qui s'occupent de maladies infectieuses nous obtiennent les dossiers de tous les employés réprimandés, licenciés, démis de leurs fonctions, mis en congé, ou quoi que ce soit de ce genre, au cours de ces dernières années et de ces derniers mois.

Fujitsubo s'éclaircit la gorge :

— Bien, parlons de logistique, maintenant.

C'était au tour de la garde côtière de présenter un plan. Martinez se leva et fixa de grandes cartes sur des tableaux adhésifs, tandis que les caméras changeaient d'angle pour que nos hôtes à distance puissent voir.

— Vous pouvez les capter ? demanda Martinez à l'agent à la console.

— Je les ai, confirma-t-elle. Et vous ? dit-elle en s'adressant aux écrans.

— Parfait.

— Je ne sais pas. Vous pouvez zoomer encore un peu plus ?

Elle rapprocha la caméra tandis que Martinez sortait une baguette laser dont il dirigea le point rose intense sur la frontière entre la Virginie et le Maryland, dans la Chesapeake Bay, qui traversait Smith Island, juste au nord de Tangier Island.

— En remontant par là en direction de Fishing Bay et de la Nanticoke River, dans le Maryland, se trouvent un certain nombre d'îles : Smith Island, South Marsh Island, Bloodsworth Island, énumérat-il tandis que le point rose sautait de l'une à l'autre. Puis, nous nous retrouvons sur le continent, et ici, vous avez Crisfield, qui n'est qu'à quinze milles nautiques de Tangier. (Il nous regarda.) Nombre de pêcheurs amènent leurs crabes à Crisfield, et beaucoup d'habitants de Tangier ont des parents à Crisfield. Ça, ça m'inquiète beaucoup.

— Et je m'inquiète de ce que les habitants de Tangier ne soient pas du tout prêts à coopérer, intervint Miles. Une quarantaine va les priver de leur unique source de revenus.

— Oui, monsieur, acquiesça Martinez en regardant sa montre. Et à l'instant même où nous parlons, nous sommes en train de couper l'île du monde. Nous avons des bateaux et des vedettes qui viennent d'aussi loin qu'Elizabeth City pour nous aider à l'encercler.

— Donc, à partir de maintenant, plus personne ne quitte l'île, dit Fujitsubo, dont le visage nous dominait depuis son écran vidéo.

— C'est cela.

— Bien.

Je posai la question qui paraissait évidente :

— Et si les gens résistent ? Qu'est-ce que vous allez leur faire ? Vous ne pouvez pas les arrêter et risquer de vous exposer à la maladie.

Martinez hésita, puis regarda Fujitsubo :

— Commandant, pouvez-vous dire ce qu'il en est à ce sujet ?

— Nous avons déjà longuement discuté de cette éventualité, répondit celui-ci. J'ai parlé au secrétaire d'Etat aux Transports, au vice-amiral Perry, et bien entendu, au secrétaire d'Etat à la Défense. En bref, cette affaire est en train de remonter à la Maison-Blanche pour obtenir l'autorisation nécessaire.

— L'autorisation de quoi ? demanda Miles.

— D'avoir recours à la force armée, si tout le reste échoue, nous dit Martinez.

— Seigneur, marmonna Wesley.

— Nous n'avons pas le choix, expliqua calmement Fujitsubo. Si les gens paniquent, se mettent à fuir l'île et refusent d'obéir aux injonctions des garde-côtes, ils vont — et c'est une certitude — apporter la variole sur le continent. Et nous parlons ici d'une population qui n'a pas été vaccinée en trente ans, ou dont l'immunisation a été faite il y a si longtemps qu'elle n'a plus aucune efficacité. Ou bien d'une maladie qui a muté au point que notre vaccin actuel n'offre aucune protection. En d'autres termes, il n'existe pas un seul scénario satisfaisant.

Je ne savais pas si mon mal à l'estomac provenait de ce que j'étais mal fichue ou bien de ce que je venais d'entendre. Je repensai à ce village de pêcheurs battu par les vents, avec ses pierres tombales penchées et ses habitants silencieux et étranges, qui voulaient juste qu'on les laisse en paix. Ils n'étaient pas du genre à obéir à quiconque, car ils ne répondaient qu'à l'autorité supérieure de Dieu et des tempêtes.

— Il doit exister un autre moyen, dis-je.

Mais il n'y en avait pas.

Fujitsubo énonça l'évidence en s'écriant :

— Nous savons que la variole est une maladie infectieuse hautement contagieuse ! Ce début d'épidémie doit être contenu. Nous devons nous préoccuper des mouches qui tournent autour des malades, des crabes qui se déplacent vers le continent. Bon Dieu, comment être certains qu'il n'y a pas à s'inquiéter d'une transmission par les moustiques ? Nous ignorons même l'étendue de tout ce qui doit nous inquiéter, puisque nous ne pouvons pas encore identifier complètement la maladie !

Martin me regarda.

— Nous avons déjà des équipes là-bas, des infirmières, des médecins, des lits sous isolateurs pour garder ces gens chez eux, et ne pas les mettre dans des hôpitaux.

Je demandai :

— Et la contamination par les cadavres ?

— Selon la loi en vigueur, ceci constitue une urgence sanitaire de classe 1.

— Je sais bien, rétorquai-je avec impatience, car il se montrait un peu trop bureaucrate. Venez-en au fait.

— Ordre de tout brûler, sauf le patient. Incinérer les corps. La maison de Lila Pruitt sera passée au lance-flammes.

Fujitsubo tenta de nous rassurer.

— Une équipe de l'USARMIID se rend là-bas. Nous allons parler aux habitants, essayer de leur faire comprendre.

Je songeai à Davy Crockett et son fils, à ces gens et à leur panique lorsque des scientifiques en tenues d'astronautes allaient s'emparer de leur île et commencer à brûler leurs maisons.

— Et sommes-nous certains que le vaccin contre la variole ne va pas marcher ? demanda Wesley.

Martin répondit :

— Ce n'est pas encore un fait établi. Les tests sur animaux de laboratoire vont prendre des jours, des semaines. Et même si la vaccination est protectrice sur un modèle animal, cela ne signifie pas qu'elle le soit sur les humains.

— Etant donné que l'ADN du virus a été altéré, nous mit en garde Fujitsubo, je n'ai pas grand espoir que le vaccin soit efficace.

— Je ne suis pas médecin, dit Martinez, mais je me demandais si on ne pourrait pas quand même vacciner tout le monde, juste au cas où ça marcherait.

— Trop risqué, répondit Martin. S'il ne s'agit pas de la variole, pourquoi exposer délibérément les gens, en risquant que certains développent éventuellement la pathologie ? Et lorsque nous aurons mis au point le nouveau vaccin, nous n'allons pas revenir quelques semaines plus tard pour les revacciner, avec un virus différent, cette fois-ci.

— En d'autres termes, renchérit Fujitsubo, nous ne pouvons pas utiliser les gens de Tangier Island comme des animaux de laboratoire. Si nous les gardons sur cette île, et que nous arrivons à mettre au point un vaccin le plus vite possible, nous devrions pouvoir contenir cette chose. Le seul avantage de la variole, c'est qu'il s'agit d'un virus stupide, qui tue ses hôtes tellement vite qu'il finit par s'épuiser si on peut le cantonner dans une zone restreinte.

— D'accord. Alors comme ça, une île entière est détruite sous nos yeux, et nous la regardons brûler, me dit Miles avec colère. Je ne peux pas y croire, bon Dieu !

Il frappa du poing sur la table.

— Ce n'est pas possible qu'un truc comme ça nous arrive en Virginie ! (Il se leva.) Messieurs, j'aimerais connaître notre plan d'action si d'autres cas se déclarent dans d'autres parties de l'Etat. Le gouverneur m'a tout de même nommé à ce poste pour veiller à la santé de la Virginie.

Son visage avait pris une teinte rouge brique, et il transpirait abondamment.

— Nous sommes censés faire comme les Yankees, et mettre le feu à nos villes ? fulmina-t-il.

— Si l'épidémie se propage, dit Fujitsubo, il est clair que nous devrons utiliser nos hôpitaux, et ouvrir des services spéciaux, comme nous l'avons déjà fait dans le passé. Le CCPM et mes gens sont déjà en train d'alerter le personnel médical local, et ils travailleront en étroite collaboration avec eux.

Martin ajouta :

— Nous savons très bien que le personnel hospitalier est exposé à un risque énorme. Ce serait bien si le Congrès pouvait mettre un terme à ces foutus congés, que je puisse travailler sans être pieds et poings liés.

— Croyez-moi, le Président et le Congrès le savent.

— Le sénateur Nagle m'a assuré que ce serait terminé demain matin.

— Ils sont toujours sûrs de tout, et disent toujours la même chose.

L'emplacement où j'avais été vaccinée, sur l'épaule, était enflé et me démangeait, me rappelant en permanence qu'on m'avait inoculé un virus probablement pour rien.

Lorsque je regagnai le parking avec Wesley, je me plaignis tout au long du chemin :

— J'ai été réexposée au virus, et je suis malade, je ne sais pas ce que j'ai, ce qui signifie que par-dessus le marché, je suis sans doute immunodéprimée.

— Comment sais-tu que tu ne l'as pas attrapée ? demanda-t-il avec précaution.

— Je ne sais pas.

— Alors, tu pourrais être contagieuse.

Qu'il puisse suggérer que je courais le risque d'infecter quelqu'un avec un simple rhume me fit bouillir de façon déraisonnable :

— Non, je ne veux pas ! L'éruption est le premier signe de virulence, et je vérifie tous les jours. A la moindre ombre de bouton, je retournerais en quarantaine. Je ne pourrais pas t'approcher à moins de trente mètres, toi ou qui que ce soit d'autre, Benton.

Il me jeta un coup d'œil tout en ouvrant les portières, et je savais qu'il était bien plus préoccupé qu'il ne le laissait paraître.

— Que veux-tu que je fasse, Kay ?

— Que tu me ramènes chez moi pour que je récupère ma voiture.

Je longeai des kilomètres d'épaisses forêts de pins tandis que le jour tombait rapidement. Dans les champs en friche, des lambeaux de coton s'accrochaient encore à leurs tiges mortes, et le ciel était humide et froid comme un gâteau en train de décongeler. En rentrant chez moi après la réunion, j'avais trouvé un message de Rose. A deux heures de l'aprèsmidi, Keith Pleasants avait appelé depuis la prison, demandant que je passe le voir à tout prix, et Wingo était rentré chez lui avec la grippe.

Au fil des ans, j'étais souvent entrée à l'intérieur du tribunal de Sussex County, et j'avais fini par apprécier son pittoresque datant d'avant la guerre civile, ainsi que ses incommodités. Construit en 1825 par le maître maçon de Thomas Jefferson, c'était un bâtiment de brique rouge aux colonnes et aux moulures blanches qui avait survécu à la guerre de Sécession, bien que les Yankees aient d'abord réussi à détruire toutes ses archives. Je me remémorai les longues journées d'hiver passées sur la pelouse avec des policiers, à attendre que l'on m'appelle à la barre. Je me souvenais par leur nom de toutes les affaires que j'avais présentées ici.

Les audiences se déroulaient maintenant dans le nouvel immeuble spacieux élevé à côté, et la tristesse m'envahit lorsque je le longeai en voiture pour rejoindre l'arrière. Ces constructions étaient des monuments témoins de la hausse de la criminalité, et je regrettai le temps où tout était plus simple, lorsque j'étais arrivée en Virginie, impressionnée par ses vieilles briques et ses souvenirs d'une guerre qui ne s'éteindrait jamais. A cette époque-là, je fumais. Je suppose que comme presque tout le monde, je parais le passé de couleurs romantiques. Mais la cigarette me manquait, tout comme ces attentes par mauvais temps à l'extérieur d'un tribunal à peine chauffé. Le changement me donnait le sentiment d'avoir vieilli.

Les quartiers du shérif étaient construits de cette même brique rouge avec ses moulures blanches. Le parking et la prison étaient cernés d'une clôture surmontée de fil de fer barbelé. A l'intérieur, deux détenus en survêtement orange essuyaient une voiture banalisée qu'ils venaient de laver et de polir. Ils m'observèrent à la dérobée tandis que je me garais, et l'un des deux poussa l'autre du coude avec sa peau de chamois.

Lorsque je passai devant eux, l'un d'eux murmura :

— Yo. Ça boume ?

Je les regardai tous les deux et répondis :

— Bonjour.

Ils se désintéressèrent de quelqu'un qu'ils ne pouvaient pas intimider, et reprirent leur occupation tandis que j'ouvrais la porte d'entrée. A l'intérieur, les bureaux étaient modestes, presque déprimants, et à l'image de presque toutes les administrations du monde, semblaient déborder de leur environnement. Il y avait des distributeurs automatiques de Coca et de snacks, et les murs étaient tapissés d'avis de recherche, ainsi que du portrait d'un officier abattu dans l'exercice de ses fonctions. Je m'arrêtai au poste de garde, où une jeune femme farfouillait dans des papiers en mâchant son stylo.

— Excusez-moi, je viens voir Keith Pleasants, annonçai-je.

— Vous êtes sur sa liste ?

Ses lentilles de contact la faisaient plisser des yeux, et elle portait un appareil dentaire rose.

— Il m'a demandé de venir, j'espère donc y être.

Elle feuilleta un classeur, et s'arrêta sur la bonne page.

— Voilà, vous êtes là. Venez avec moi, déclara-t-elle en se levant.

Elle contourna son bureau et déverrouilla une porte vitrée pourvue de barreaux. De l'autre côté se trouvait une étroite zone de transit pour la prise d'empreintes et les photos anthropométriques, un bureau de métal cabossé derrière lequel trônait un assistant du shérif à la forte carrure. Au-delà s'ouvrait une autre lourde porte avec des barreaux, et je pouvais entendre derrière les échos de la prison.

L'assistant me dit :

— Vous allez devoir laisser votre sac.

Il prit son émetteur et demanda :

— Tu peux venir ici ?

— Dix-quatre. J'arrive, répondit une voix de femme.

Je posai mon sac sur le bureau et fourrai mes mains dans les poches de mon manteau. On allait me fouiller et je n'aimais pas ça.

— On a une petite pièce ici où ils voient leurs avocats, dit l'assistant en levant le pouce comme s'il faisait du stop. Mais certaines de ces brutes écoutent le moindre mot, si c'est un problème, allez là-haut. On a un endroit là-haut.

— Je crois que c'est préférable.

Une femme bien charpentée, avec des cheveux blancs coupés court, apparut avec son détecteur de métal.

— Ecartez les bras. Vous avez des objets métalliques dans vos poches ?

— Non, dis-je tandis que le détecteur crachait comme un chat mécanique.

Elle le passa de haut en bas, de chaque côté, sans que l'appareil cesse de se déclencher.

— Ôtez votre manteau.

Je le pliai sur le bureau, et elle fit un nouvel essai.

Le détecteur se déclencha de nouveau. Elle fronça les sourcils et refit un essai.

— Vous avez des bijoux ?

Je secouai la tête, et me souvins brusquement que je portais un soutien-gorge à armature métallique, dont je n'avais certes pas l'intention de faire mention. Elle posa le détecteur et entreprit de me palper tandis que l'assistant, assis derrière son bureau, nous regardait la bouche ouverte, comme s'il visionnait un film porno.

Une fois assurée que j'étais inoffensive, elle annonça :

— OK. Suivez-moi.

Pour monter à l'étage, nous devions traverser le quartier des femmes. Les clés cliquetèrent lorsqu'elle déverrouilla une lourde porte de métal qui se referma brutalement derrière nous avec fracas. Les détenues étaient jeunes, l'air dur dans leurs uniformes de jean. Les cellules étaient à peine assez grandes pour un animal, avec un lit, un lavabo et une cuvette blanche. Les femmes jouaient au solitaire, s'appuyaient à leurs cages. Elles avaient suspendu leurs vêtements aux barreaux, et des fûts à ordures débordaient des aliments dont elles n'avaient pas voulu pour le dîner. L'odeur de la vieille nourriture me souleva le cœur.

— Salut, la belle !

— Visez-moi ça !

— Une vraie dame. Hum, hum, hum...

— Hubba, hubba, hubba !

Des mains se tendirent à travers les barreaux, essayant de me toucher au passage. Quelqu'un imita des bruits de baiser, tandis que d'autres femmes émettaient des grognements rauques et ulcérés qui étaient censés être des rires.

— Laissez-la ici, juste un quart d'heure ! Ooh, viens donc voir maman !

— J'ai besoin de cigarettes.

— La ferme, Wanda. Tu as toujours besoin de quelque chose.

— Vous allez toutes vous calmer, oui, dit la gardienne sur un ton traînant et blasé tandis qu'elle ouvrait une autre porte.

Je la suivis à l'étage, et réalisai que je tremblais. La pièce dans laquelle elle me fit entrer était encombrée et en désordre, comme si elle avait autrefois rempli une fonction précise. Des panneaux de liège reposaient contre un mur, un chariot était rangé dans un coin, et des dépliants ou des bulletins étaient éparpillés partout. Je m'assis sur une chaise pliante devant une table en bois couverte de noms et d'obscénités gravées au stylo à bille.

— Installez-vous, il va arriver, dit-elle avant de me laisser seule.

Je m'aperçus que mes pastilles pour la toux et mes mouchoirs en papier se trouvaient dans mon sac et mon manteau, que j'avais laissés en bas. Reniflant, je gardai les yeux fermés, jusqu'à ce que j'entende un pas lourd. Lorsque l'assistant fit entrer Keith Pleasants, je faillis ne pas le reconnaître. Il était pâle, les traits tirés, l'air amaigri dans son jean ample. Ses mains menottées devant lui le gênaient. Lorsqu'il me vit, ses yeux se remplirent de larmes, et ses lèvres tremblèrent lorsqu'il tenta de sourire.

— Assieds-toi et ne bouge pas, lui intima le gardien. Que j'entende pas le moindre problème ici. Compris ? Sinon, je reviens, et tintin pour la visite.

Pleasants attrapa une chaise, défaillant à moitié.

— Il a vraiment besoin d'être menotté ? demandai-je. Il est là pour une infraction à la circulation.

— M'dame, il n'est plus dans le périmètre de sécurité, c'est pour ça qu'il est menotté. Je reviens dans vingt minutes, annonça-t-il.

— C'est la première fois qu'il m'arrive quelque chose de ce genre. Ça ne vous dérange pas si je fume ?

Il eut un rire nerveux qui confinait à l'hystérie et s'assit.

— Ne vous gênez pas.

Ses mains tremblaient tellement que je dus lui allumer sa cigarette.

— On dirait qu'il n'y a pas de cendrier. On n'est peut-être pas censé fumer, ici, s'inquiéta-t-il en jetant autour de lui des regards affolés. Ils m'ont mis en cellule avec ce type qui est dealer, vous vous rendez compte ? Il est couvert de tatouages, et il ne veut pas me laisser tranquille. Il n'arrête pas de me chercher, de me traiter de trouillard.

Il inhala une énorme bouffée de fumée, et ferma brièvement les yeux.

— Je ne fuyais personne, dit-il en me regardant.

J'avisai par terre un gobelet en plastique, et le ramassai pour qu'il s'en fasse un cendrier.

— Merci.

— Racontez-moi ce qui s'est passé, Keith.

— Je rentrais en voiture chez moi, comme d'habitude, depuis la décharge, et d'un seul coup, derrière moi, il y a cette voiture banalisée avec la sirène et le gyrophare. Alors, je me suis arrêté immédiatement. C'était ce connard d'enquêteur qui est en train de me rendre cinglé !

— Ring.

La fureur me martela les tempes.

Il hocha la tête.

— Il a dit qu'il me suivait depuis deux kilomètres, et que je n'avais pas obtempéré à ses appels de phare. Eh bien, moi, je vous dis que c'est un mensonge, pur et simple ! jeta-t-il, les yeux brillants. Il me met tellement les nerfs en pelote, je peux vous jurer que s'il avait été derrière moi, je l'aurais vu.

Je demandai :

— Il vous a dit autre chose, quand il vous a fait arrêter ?

— Oh oui, m'dame. Il m'a dit que mes ennuis ne faisaient que commencer. Ce sont ses paroles exactes.

— Pourquoi vouliez-vous me voir ?

Je pensais bien le savoir, mais je voulais entendre ce qu'il avait à me dire.

— Je suis dans la merde, docteur Scarpetta.

Ses yeux s'emplirent de nouveau de larmes.

— Ma mère est vieille, elle a personne d'autre que moi pour s'occuper d'elle, et il y a des gens qui pensent que je suis un assassin ! Je n'ai jamais rien tué de ma vie ! Même pas des oiseaux ! Au boulot, les gens ne veulent plus être près de moi.

— Votre mère est alitée ?

— Non, m'dame. Mais elle a bientôt soixante-dix ans, et elle souffre d'emphysème, à cause de ça, ajouta-t-il en tirant de nouveau sur sa cigarette. Elle ne conduit plus.

— Qui s'occupe d'elle en ce moment ?

Il secoua la tête et s'essuya les yeux. Il se tenait les jambes croisées, et son pied battait la mesure avec fureur.

— Elle n'a personne pour lui apporter à manger ?

Ses paroles s'étranglèrent dans sa gorge :

— Elle n'a que moi.

Je jetai de nouveau un coup d'œil autour de moi, cherchant de quoi écrire, cette fois-ci, et trouvai un crayon rouge et une serviette de papier brun.

— Donnez-moi son adresse et son numéro de téléphone. Je vous promets que quelqu'un ira s'assurer qu'elle va bien.

Avec un immense soulagement, il me fournit l'information, que je griffonnai, puis se remit à parler :

— Je vous ai appelée parce que je ne savais pas à qui m'adresser. Il n'y a pas quelqu'un qui puisse faire quelque chose pour me sortir d'ici ?

— J'ai cru comprendre que votre caution avait été fixée à cinq mille dollars.

— Exactement ! C'est dix fois plus que d'habitude pour ce genre de chose, m'a dit le type dans ma cellule. Je n'ai pas d'argent, et aucun moyen d'en obtenir. Ça veut dire que je dois rester ici jusqu'au jugement, et ça peut prendre des semaines, des mois !

Il était terrifié, et ses yeux se gonflèrent de nouveau de larmes.

— Keith, est-ce que vous utilisez l'Internet ?

— Quoi ?

— Les ordinateurs.

— A la décharge, oui. Vous vous souvenez, je vous ai parlé de notre système par satellite.

— Alors, vous utilisez l'Internet.

Il ne semblait pas comprendre de quoi je parlais. Je fis un nouvel essai :

— La messagerie électronique.

— On utilise le GPS, le radioguidage, dit-il d'un air déconcerté. Et vous savez, le camion qui a déchargé le corps ? Maintenant, je suis presque sûr que c'était celui de Cole, et la benne venait peut-être d'un chantier de construction. Ils ramassent des déchets dans plein de chantiers de Richmond, sur South Side. Un chantier, ce serait un endroit idéal pour se débarrasser de quelque chose. Vous venez avec votre voiture après les heures de fermeture, et ni vu, ni connu !

— Vous avez dit ça à l'enquêteur Ring ?

Une expression de haine passa sur son visage.

— Je lui dis rien. Plus maintenant. Tout ce qu'il a essayé de faire, c'est me prendre au piège.

— Pourquoi croyez-vous qu'il fasse ça ?

Il devint soudain plus évasif :

— Il doit bien arrêter quelqu'un. Il veut passer pour un héros. Il dit que personne ne fait son boulot correctement. Vous y compris, ajouta-t-il après une hésitation.

— Qu'a-t-il dit d'autre ?

Je me sentais devenir dure et froide comme de la pierre, comme toujours lorsque ma colère se transformait en rage implacable.

— Vous comprenez, quand je lui montrais la maison, tout, il parlait. Il aime beaucoup parler.

Il prit son mégot et le posa maladroitement en équilibre sur une extrémité, pour qu'il se consume sans brûler le plastique du gobelet. Je l'aidai à allumer une autre cigarette, puis il continua :

— Il m'a dit que vous aviez une nièce. Que c'était une sacrée maligne, mais qu'elle avait rien à faire au

FBI, pas plus que vous au bureau du médecin légiste, d'ailleurs. Parce que... Enfin...

— Continuez, dis-je en maîtrisant ma voix.

— Parce qu'elle s'intéresse pas aux hommes. Je crois qu'il pense que vous non plus, d'ailleurs.

— C'est intéressant.

— Il en rigolait, il disait qu'il savait par expérience personnelle que vous sortiez ni l'une ni l'autre avec des hommes, qu'il l'avait bien vu. Et que j'avais qu'à attendre et voir ce qui arrivait aux pervers, parce qu'il allait m'arriver la même chose, à moi.

Je l'interrompis :

— Attendez. Ring vous a véritablement menacé parce que vous êtes gay, ou qu'il croit que vous l'êtes ?

Il baissa la tête.

— Ma mère ne le sait pas, mais il y a des gens qui sont au courant. Je sors dans les bars. D'ailleurs, je connais Wingo.

Je priai pour que ce ne soit pas intimement.

— Je m'inquiète pour Maman, dit-il, de nouveau au bord des larmes. Ce qui m'arrive l'a bouleversée, et ce n'est pas bon pour son état de santé.

— Ecoutez, je vais moi-même passer la voir en rentrant chez moi, le rassurai-je, de nouveau prise de toux.

Une larme coula le long de sa joue, et il l'essuya grossièrement du dos de ses mains menottées.

Des pas résonnèrent dans l'escalier, et je continuai :

— Et je vais faire encore autre chose : je vais voir ce que je peux faire pour vous. Je ne crois pas que vous ayez tué qui que ce soit, Keith. Je vais régler votre caution, et m'assurer que vous disposiez d'un avocat.

La stupéfaction le laissa bouche bée, et les gardiens pénétrèrent bruyamment dans la pièce.

— Vous allez faire ça ? demanda-t-il tandis qu'il se relevait presque en trébuchant, les yeux écarquillés.

— Si vous me jurez que vous dites la vérité.

— Oh oui, m'dame !

— Ouais, ouais, c'est ce qu'ils disent tous, dit un des gardiens.

— Ce ne sera pas avant demain. Je crains que le magistrat ne soit déjà rentré chez lui.

— Allez, on descend, dit un gardien en l'agrippant par le bras.

Pleasants me lança une dernière chose :

— Maman adore le lait chocolaté avec du sirop Hershey. Elle n'arrive plus à manger grand-chose.

Lorsqu'il fut parti, on me reconduisit en bas, et l'on me fit retraverser le quartier des femmes. Cette fois-ci, les détenues étaient maussades, comme si je ne constituais plus une source d'amusement. Lorsqu'elles me tournèrent le dos et que quelqu'un cracha sur mon passage, il me vint à l'esprit qu'on avait dû leur dire qui j'étais.

13

Le shérif Rob Roy était une figure légendaire de Sussex County, et remportait chaque élection sans aucune contestation. Il était plusieurs fois venu me rendre visite dans ma morgue, et je le tenais pour l'un des meilleurs officiers de police que je connaissais. A six heures et demie, je le trouvai au *Virginia Diner*, le restaurant local.

C'était une pièce toute en longueur, avec des tables aux nappes à carreaux rouges et blancs, et des chaises blanches. Le shérif mangeait un sandwich au jambon cuit avec du café, et son émetteur portable posé droit debout à côté de lui résonnait de conversations.

— Non, monsieur, je ne peux pas faire ça. Sinon, qu'est-ce qui va se passer ? Ils vont continuer à vendre du crack, voilà ce qui va se passer, disait-il à un homme émacié et hâlé qui portait une casquette.

— Laissez-les faire.

— Les laisser faire ?

Roy rétorqua :

— Vous ne parlez pas sérieusement.

— Et comment que si.

— Je peux vous interrompre ? dis-je en tirant une chaise.

Roy demeura quelques instants bouche bée, incrédule :

— Eh ben, ça alors ! Juste ciel, que venez-vous faire par ici ? dit-il en se levant et en me serrant la main.

— Je vous cherchais.

— Excusez-moi, je m'en vais, dit l'autre homme, qui se leva également et se découvrit pour me saluer.

— Ne me dites pas que vous êtes là pour affaires, remarqua le shérif.

— Et pour quoi d'autre ?

Mon humeur le rendit sérieux :

— C'est une chose dont je ne suis pas au courant ?

— Si.

— Quoi donc ? Qu'est-ce que vous voulez manger ? Je vous recommande le sandwich au jambon cuit, dit-il tandis qu'une serveuse se rapprochait.

— Non, du thé bien chaud, répondis-je en me demandant si je remangerais jamais un jour.

— Vous n'avez pas l'air dans votre assiette.

— Je me sens encore plus mal que ça.

— Il y a une saloperie qui traîne partout en ce moment.

— Et encore, vous n'êtes pas au courant de tout.

Il se pencha vers moi, totalement attentif, maintenant.

— Que puis-je faire ?

— Je vais payer la caution de Keith Pleasants, annonçai-je. Malheureusement, ce ne sera pas avant demain. Mais je crois que vous devez savoir que Pleasants est innocent et qu'il a été piégé. Il est persécuté parce que l'enquêteur Ring s'est lancé dans une chasse aux sorcières et veut se faire un nom.

— Depuis quand défendez-vous les détenus ? demanda Roy, abasourdi.

— Depuis qu'ils ne sont pas coupables. Et ce type n'est pas plus serial killer que vous et moi. Il n'a pas tenté d'échapper à la police, et il n'y avait probablement pas non plus d'excès de vitesse. Ring ment, et le harcèle. Regardez à combien a été fixée la caution, pour une infraction à la circulation.

Il demeura silencieux.

— La mère de Pleasants est vieille et infirme, et n'a personne pour prendre soin d'elle. Il est sur le point de perdre son boulot. Par ailleurs, je sais que l'oncle de Ring est secrétaire d'Etat à la Sécurité publique, et qu'il est également ancien shérif. Je sais comment marche ce genre de choses, Rob, et j'ai besoin que vous m'aidiez. On doit mettre un terme aux agissements de Ring.

Roy écarta son assiette, et un appel résonna pour lui sur son émetteur.

— Vous êtes vraiment convaincue de ce que vous me racontez ?

— Oui.

— Cinquante et un, répondit-il dans son émetteur, en ajustant le ceinturon de son revolver.

— On a reçu quelque chose à propos du cambriolage ? répliqua une voix.

— Pas encore.

Puis il éteignit son poste, et insista :

— Pour vous, il ne fait aucun doute que ce garçon n'a commis aucun crime ?

Je secouai de nouveau la tête :

— Aucun doute. Le meurtrier qui a démembré cette femme communique avec moi par le biais de l'Internet. Pleasants ne sait même pas ce que c'est que l'Internet. Nous sommes en plein dans une affaire beaucoup plus importante, je ne peux pas entrer dans les détails pour l'instant. Mais croyez-moi, ce qui se passe n'a rien à voir avec ce gamin.

— Vous êtes sûre, pour Ring ? Je veux dire, si je

fais ça, il faut que vous le soyez, continua-t-il en soutenant mon regard.

— Combien de fois dois-je vous le répéter ?

Il lança sa serviette sur la table, puis repoussa violemment sa chaise :

— Alors ça, c'est un truc qui me rend dingue ! Qu'un innocent croupisse dans ma prison, et qu'un flic là-bas donne une mauvaise impression de nous, je n'aime pas ça.

— Vous connaissez Kitchen, le propriétaire de la décharge ?

— Bien sûr, on appartient à la même loge, dit-il en tirant son portefeuille.

— Quelqu'un doit lui parler, pour que Keith ne perde pas son boulot. Nous devons redresser cette situation.

— C'est exactement ce que je vais faire, vous pouvez me croire.

Il laissa de l'argent sur la table et se dirigea vers la sortie d'un pas furieux. Je restai encore un peu à table, le temps de finir mon thé, à regarder des étalages de bonbons marbrés, de sauces barbecue et de cacahuètes de toutes sortes. Lorsque je trouvai une épicerie sur la route 460 et m'y arrêtai pour acheter du lait, du sirop Hershey, des légumes frais et de la soupe, j'avais mal à la tête et je me sentais bouillante. Je parcourus tous les rayons au pas de charge, et me retrouvai avec un chariot plein, depuis le papier hygiénique jusqu'aux plats cuisinés. Puis je sortis une carte et l'adresse que m'avait donnée Pleasants. La maison de sa mère n'était pas trop à l'écart de la route principale, et lorsque j'y parvins, elle était déjà couchée.

— Oh, mon Dieu, dis-je depuis la véranda. Je ne voulais pas vous réveiller.

Elle scruta vainement l'obscurité en défaisant le crochet de la porte :

— Qui est-ce ?

— Le docteur Kay Scarpetta. Vous n'avez aucune raison de...

— Quel docteur ?

Mme Pleasants était une femme voûtée et ratati-
née, le visage ridé comme du papier crépon. Ses
longs cheveux gris flottaient comme des fils de la
Vierge, et je songeai à la décharge, ainsi qu'à la vieille
femme que *mordoc* avait tuée.

— Venez, entrez, dit-elle en ouvrant la porte, l'air
effrayé. Keith va bien ? Il ne lui est rien arrivé, n'est-
ce pas ?

Je la rassurai :

— Je l'ai vu un peu plus tôt dans la journée, il va
bien. Je vous ai apporté à manger, ajoutai-je, les bras
chargés de sacs.

— Ah, ce garçon, dit-elle en secouant la tête et en
m'invitant à pénétrer dans sa petite maison immaculée. Qu'est-ce que je ferais sans lui ? Vous savez,
je n'ai que lui au monde. Quand il est né, j'ai dit :
« Keith, il n'y aura jamais que toi. »

Elle était troublée et inquiète, mais ne voulait pas
le laisser paraître.

Je demandai d'un ton doux :

— Vous savez où il se trouve ?

Elle ne répondit pas, et nous pénétrâmes dans la
cuisine, avec son vieux réfrigérateur trapu, et sa cuisinière à gaz. Elle se mit à ranger les courses,
maniant maladroitement les boîtes de conserve, et fit
tomber par terre le céleri et les carottes.

— Attendez, laissez-moi vous aider.

— Il n'a rien fait de mal, dit-elle en fondant en
larmes. Je sais qu'il n'a rien fait. Et ce policier ne veut
pas le laisser tranquille, il n'arrête pas de venir, de
taper à la porte.

Elle s'essuya le visage de ses mains, debout au
milieu de sa cuisine.

— Keith m'a dit que vous aimiez le chocolat, je
vais vous en faire un. Ordres du docteur.

J'allai chercher un verre et une cuiller sur
l'égouttoir.

— Il rentrera demain, lui dis-je. Et je crois que
vous n'entendrez plus parler de l'enquêteur Ring.

Elle me dévisagea comme si je venais de lui annoncer un miracle.

Je lui tendis le verre de lait un peu chocolaté que je venais de préparer, et lui dis :

— Je voulais simplement m'assurer que vous aviez tout ce qu'il vous fallait jusqu'au retour de votre fils.

— J'essaye juste de comprendre qui vous êtes, remarqua-t-elle enfin. C'est drôlement bon, il n'y rien de meilleur au monde, continua-t-elle avec un sourire.

Elle prit son temps pour déguster son chocolat. Je lui expliquai brièvement comment je connaissais Keith, et quelle était ma profession, mais elle ne comprit pas. Elle en conclut que j'avais un faible pour lui, et que pour vivre, j'accordais des autorisations médicales.

Sur le chemin du retour, je montai le volume du lecteur de disques compacts au maximum afin de me tenir éveillée au volant. L'obscurité était totale, et parfois, il n'y avait que la lueur des étoiles pendant des kilomètres. Puis je décrochai le téléphone.

La mère de Wingo me répondit, et m'informa qu'il était malade et alité, mais alla me le chercher.

— Wingo, je m'inquiète pour vous, lui dis-je avec émotion.

— Je me sens très mal, répondit-il, et l'écho de sa voix me le confirma. Je suppose qu'on ne peut rien contre la grippe.

Je voulais qu'il regarde la réalité en face, et lui assénai :

— Wingo, vous êtes immunodéprimé. La dernière fois que j'ai parlé au docteur Riley, votre compte de T4 n'était pas bon. Décrivez-moi vos symptômes.

— Mon dos et ma nuque me font très mal, et j'ai une migraine terrible. La dernière fois que j'ai pris ma température, j'avais 40 °C. Et j'ai tout le temps soif.

Tout ce qu'il me décrivait déclencha chez moi un signal d'alarme, car il s'agissait également des premiers symptômes de la variole. Pourtant, si c'était au torse qu'il avait été exposé, j'étais surprise qu'il ne soit pas tombé malade plus tôt, surtout en tenant compte de son état de santé vulnérable.

Je lui demandai :

— Vous n'avez pas touché aux sprays que nous avons reçus au bureau ?

— Quels sprays ?

— Les sprays faciaux Vita.

Il ne comprenait pas ce dont je parlais, et je me rappelai qu'il avait été absent pratiquement toute la journée. Je lui expliquai alors ce qui s'était produit.

— Oh, mon Dieu ! s'exclama-t-il soudain, tandis que la peur nous figeait tous les deux. Il y en a un qui est arrivé par la poste. Maman l'avait sur le comptoir de la cuisine.

— Quand ? demandai-je avec inquiétude.

— Je ne sais pas. Il y a quelques jours. Quand exactement, je ne sais pas. On n'avait jamais rien vu d'aussi chouette. Vous vous rendez compte, un truc parfumé pour se rafraîchir le visage.

Mordoc avait donc distribué douze flacons à mon personnel, et son message disait *douze*. C'était le nombre d'employés à plein temps de mon bureau principal, moi incluse. Comment pouvait-il être au courant de détails aussi précis, et même de leurs noms et de leurs adresses, s'il s'agissait d'un anonyme à l'autre bout du pays ?

Je redoutais ma question suivante, car je croyais déjà en connaître la réponse.

— Wingo, l'avez-vous touché en aucune façon ?

— Je l'ai essayé, juste pour voir, répondit-il d'une voix tremblante, s'étouffant dans une quinte de toux. Il était posé là, je l'ai juste pris une fois, pour voir. Ça sentait la rose.

— Qui d'autre l'a essayé, chez vous ?

— Je ne sais pas.

— Je veux être certaine que personne ne touche à ce flacon, vous comprenez ?

— Oui, dit-il en sanglotant.

— Je vais envoyer des gens le chercher chez vous, et prendre soin de vous et votre famille, d'accord ?

Ses sanglots l'empêchèrent de répondre.

Il était minuit passé de quelques minutes lorsque j'arrivai chez moi. J'étais tellement mal fichue que je ne savais par quoi commencer. J'appelai Marino et Wesley, puis Fujitsubo et leur racontai à tous ce qui se passait en insistant sur le fait qu'il fallait immédiatement envoyer une équipe chez Wingo et sa famille. Leurs mauvaises nouvelles répondirent aux miennes : la jeune fille malade de Tangier Island était morte, et un pêcheur était maintenant atteint. Déprimée et d'une humeur de chien, je vérifiai mon e-mail. *Mordoc* était là, avec un message de sa petite écriture mauvaise. Je fus ravie car celui-ci avait été expédié alors que Keith Pleasants se trouvait en prison.

miroir miroir sur le mur ou étais-tu

Je lui hurlai :

— Espèce de salopard !

C'en était trop pour la journée. Tout ça était trop, j'avais le vertige, mal partout, j'en avais par-dessus la tête. Aussi n'aurais-je pas dû me rendre sur ce forum, où je surveillai son apparition comme si nous nous trouvions à O.K. Corral. J'aurais dû patienter, saisir une autre occasion, mais je notifiai ma présence et ruminai intérieurement tout en attendant que le monstre se manifeste. Ce qu'il fit.

MORDOC. — peine et ennuis

SCARPETTA. — Que voulez-vous !

MORDOC. — nous sommes en colere ce soir

SCARPETTA. — Oui, nous le sommes.

MORDOC. — pourquoi vous soucier de pecheurs ignorants et de leurs familles ignorantes et de ces gens ineptes qui travaillent pour vous

SCARPETTA. Arrêtez. Dites-moi ce que vous voulez pour arrêter cela.

MORDOC. — il est trop tard le mal est fait il etait fait bien avant tout cela

SCARPETTA. — Quel mal vous a-t-on fait ?

Mais il ne répondit pas. Curieusement, il ne quitta pas le forum, mais ne répondit plus à aucune question. Je pensai à la Brigade 19, et priai pour qu'ils soient en train d'écouter et de sauter de central en central, de le pister jusque dans sa tanière. Une demi-heure s'écoula, et je finis par me déconnecter, lorsque mon téléphone sonna.

— Tu es géniale !

Lucy était tellement surexcitée qu'elle me déchira les tympans.

— Comment as-tu réussi à le garder aussi longtemps ?

— Comment ? demandai-je, stupéfaite.

— Onze minutes ! Tu as décroché la timbale.

— Je ne suis pas restée avec lui plus de deux minutes, dis-je en tentant de me rafraîchir le front du dos de la main. Je ne comprends pas ce que tu veux dire.

Mais elle ne m'écoutait pas, extatique :

— On a repéré ce fils de pute ! Un camping dans le Maryland, des agents du bureau de Salisbury sont déjà en route. Janet et moi, on saute dans l'avion.

Le lendemain matin, avant mon réveil, l'Organisation mondiale de la santé avait lancé une nouvelle alerte internationale à propos du spray facial Vita. L'OMS rassurait les populations, affirmant que le virus allait être éliminé, que nous travaillions vingt-quatre heures sur vingt-quatre pour trouver un vaccin qui n'allait pas tarder à arriver, mais la panique s'était néanmoins répandue.

Le virus, baptisé Variole Mutante, faisait la couverture de *Newsweek* et *Time*, et le Sénat avait créé une commission d'enquête, tandis que la Maison-Blanche envisageait des mesures d'urgence. Les produits Vita étaient distribués à partir de New York, mais le fabricant était en réalité français. Le souci premier était évidemment que *mordoc* mette sa menace à exécution. Bien qu'aucun malade ne se soit déclaré en France, les relations économiques et diplomatiques étaient tendues, car une usine importante avait été obligée de fermer, et diverses accusations quant au mode de contamination du produit s'échangeaient entre les deux pays.

Des pêcheurs tentaient de fuir Tangier Island sur leurs bateaux, et la Garde côtière avait fait appel à des renforts jusqu'en Floride. Je ne connaissais pas tous les détails, mais d'après ce que j'avais entendu, les forces de l'ordre et les hommes de Tangier Island campaient maintenant chacun sur leurs positions dans le détroit de Tangier, et les bateaux à l'ancre ne sortaient plus, tandis que les vents d'hiver se déchaînaient.

Entre-temps, le CCPM avait déployé chez Wingo une équipe d'isolement composée de médecins et d'infirmières, et la nouvelle s'était répandue. Les journaux étaient hystériques, et les gens évacuaient une ville dans laquelle une quarantaine serait très difficile, sinon impossible, à organiser.

Ce vendredi matin, je buvais mon thé bouillant en robe de chambre, plus bouleversée et malade que je ne l'avais jamais été. Ma fièvre était montée jusqu'à 39 °C, et le médicament que j'avais pris n'avait eu pour effet que de me faire vomir. Les muscles de ma nuque et de mon dos me faisaient souffrir, comme si j'avais passé la nuit à jouer au football contre des gens armés de matraques. Mais je ne pouvais pas rester au lit, il y avait bien trop de choses à faire. J'appelai une officine de caution, et appris malheureusement que le seul moyen de faire sortir Keith Pleasants de prison consistait à me rendre en ville et à régler la somme en personne. Je pris donc ma voiture, et fus obligée de faire demi-tour dix minutes plus tard parce que j'avais oublié mon chéquier sur la table.

— Seigneur, par pitié ! maugréai-je en accélérant.

Je retraversai mon quartier à tombeau ouvert, faisant crisser mes pneus, puis ressortis de chez moi quelques instants plus tard, pour repartir sur les chapeaux de roues. Je me demandai ce qui avait bien pu se passer cette nuit-là dans le Maryland, tout en m'inquiétant pour Lucy, pour qui chaque événemen constituait une formidable aventure. Elle ne rêvai que de poursuites l'arme au poing, de vols en hélicop tères et en avions. Je craignais qu'une telle fougue n soit fauchée dans la fleur de l'âge, car je connaissai trop bien la vie et comment elle pouvait finir. Je m demandai si *mordoc* avait été arrêté, tout en étan persuadée que si tel avait été le cas, j'en aurais ét avertie.

Je n'avais jamais mis les pieds dans une officine d caution. Celle-ci appartenait à un certain Vinc Peeler.

Il s'agissait en fait d'une cordonnerie de Broa Street, située au milieu d'une rangée de magasin abandonnés aux vitrines couvertes de poussière et d graffitis. Vince Peeler était un petit homme frêle au cheveux noirs gominés, vêtu d'un tablier de cui Assis devant une machine à coudre industrielle Sin ger, il ressemelait une chaussure. Je refermai la port derrière moi, et il me lança le regard perçant de celu qui est habitué aux ennuis.

— Vous êtes le docteur Scarpetta ? demanda-t-i sans cesser de coudre.

— Oui.

Je sortis mon chéquier et mon stylo, sans éprou ver le moindre atome de sympathie pour lui à la pen sée du nombre de criminels qu'il avait aidé remettre dans la rue.

— Ça fera cinq mille trente dollars. Si vous vou lez régler par carte de crédit, vous ajoutez trois pou cent.

Il se leva, et se dirigea vers un vieux comptoir su lequel s'empilaient des chaussures et des boîtes d cirage Kiwi. Je sentais son regard ramper sur moi.

— C'est marrant, je vous croyais beaucoup plu vieille. On lit des trucs sur les gens dans les journaux et quelquefois, on se fait des idées complètemen fausses, vous savez.

Je déchirai le chèque et le lui tendis :

— Il sera libéré aujourd'hui.

Ce n'était pas une question, mais un ordre.

— Bien sûr.

Il jeta un regard à sa montre.

— Quand ?

— Quand ? fit-il en écho, pour la forme.

— Oui. Quand sera-t-il libéré ?

— Aussi vite que ça, fit-il en claquant des doigts.

— Bien, répondis-je en me mouchant. Je vais attendre qu'il soit libéré aussi vite que ça, ajoutai-je en claquant moi aussi des doigts. Et si ce n'est pas le cas, devinez ce qui va se passer ? Je suis aussi avocat, et comme je suis d'une humeur particulièrement merdique, je vous tomberai sur le râble. Compris ?

Il me sourit et déglutit avec peine.

— Quel genre d'avocat ? demanda-t-il.

— Le genre que vous ne tenez pas à fréquenter, lui lançai-je en sortant.

J'arrivai au bureau environ un quart d'heure plus tard, et à l'instant où je m'asseyais derrière ma table, mon Pager vibra en même temps que mon téléphone sonnait. Avant que j'aie pu faire quoi que ce soit, Rose apparut, l'air exceptionnellement tendu.

Elle annonça :

— Tout le monde vous cherche.

— Comme toujours, rétorquai-je.

Je fronçai les sourcils à la vue du numéro qui s'affichait sur mon Pager :

— Qu'est-ce que c'est encore que ce fichu numéro ?

— Marino est en route, continua-t-elle. Ils envoient un hélicoptère à l'héliport de la faculté. L'USAMRIID est également en route par les airs. Ils ont averti le bureau du médecin légiste de Baltimore qu'une équipe spéciale allait prendre ce cas en charge, et que le corps serait autopsié à Frederick.

Mon sang se figea dans mes veines, et je la regardai :

— Le corps ?

— Apparemment, le FBI a remonté la trace d'un appel jusqu'à un camping.

— Dans le Maryland, je sais, la coupai-je avec impatience.

— Ils pensent avoir trouvé la caravane du tueur. Je ne connais pas les détails, mais il y a dedans quelque chose comme une sorte de laboratoire, avec un corps à l'intérieur.

Je n'en croyais pas mes oreilles.

— Le corps de qui ?

— Ils pensent qu'il s'agit du sien, et que c'est peut-être un suicide, à l'arme à feu.

Elle me lança un coup d'œil par-dessus ses lunettes, et secoua la tête.

— Vous devriez être au lit, avec un bon bol de ma soupe au poulet.

Le vent soufflait en rafales dans le centre, faisant claquer les drapeaux au sommet des immeubles, lorsque Marino arriva pour me prendre. Il redémarra alors que je venais à peine de claquer la portière, et je compris instantanément qu'il était en colère, d'autant plus qu'il ne pipait mot.

— Merci, dis-je en sortant de son enveloppe une pastille pour la toux.

— Vous êtes encore malade, remarqua-t-il en tournant dans Franklin Street.

— Et comment. Merci de vous en inquiéter.

Je remarquai qu'il n'était pas en uniforme, et il continua :

— Je ne sais pas pourquoi je fais ça. S'il y a un truc dont je n'ai pas envie, c'est bien de mettre les pieds dans une saloperie de labo où quelqu'un a bidouillé des virus !

— Vous aurez une protection spéciale, répliquai-je.

— Etant donné que je suis avec vous, je suis probablement protégé, maintenant.

— J'ai la grippe, et je ne suis plus contagieuse, faites-moi confiance, je connais ces choses-là. Et ne vous en prenez pas à moi, parce que je ne suis pas d'humeur à le supporter.

— Vous feriez mieux d'espérer que c'est rien d'autre que la grippe, ce que vous avez.

— Si j'avais quelque chose de pire, mon état général empirerait aussi, et ma fièvre serait plus élevée. J'aurais une éruption de boutons.

— Ouais, mais si vous êtes déjà malade, ça veut pas dire que vous êtes susceptible d'attraper plus facilement quelque chose d'autre ? Et puis, je comprends pas pourquoi vous voulez faire ce voyage. Putain, moi, j'en ai sûrement pas envie, et j'apprécie pas qu'on me traîne de force là-dedans.

— Alors, déposez-moi là, et allez vous faire voir ailleurs. Arrêtez de me casser les oreilles avec vos gémissements, quand le monde entier est dans le pétrin.

— Comment va Wingo ? demanda-t-il d'un ton plus conciliant.

— Très franchement, je suis morte d'inquiétude pour lui.

Nous traversâmes la faculté de médecine, jusqu'à l'héliport installé derrière une barrière, qui servait aux patients et aux organes transportés à l'hôpital par les airs. L'USAMRIID n'était pas encore arrivé, mais quelques instants plus tard, nous perçûmes le grondement d'un puissant Blackhawk. Piétons et automobilistes s'arrêtèrent pour regarder, et plusieurs conducteurs se rangèrent même sur le côté pour observer le magnifique appareil, qui obscurcit le ciel dans le martèlement de ses pales, et atterrit en faisant tournoyer herbe et débris divers.

La porte s'ouvrit, et Marino et moi grimpâmes dedans. Les sièges d'équipages étaient déjà occupés par des scientifiques de l'USAMRIID. Nous étions environnés de matériel de sauvetage, et un isolateur portable était dégonflé dans un coin comme un accordéon. On me tendit un casque équipé d'un micro, que j'enfilai avant de fixer mon harnais de sécurité, puis je donnai un coup de main à Marino, perché d'un air guindé sur un strapontin qui n'avait guère été conçu pour des gens de sa corpulence.

La lourde porte se referma, tandis que quelqu'u
disait :

— Prions Dieu que les journalistes n'aient pas ven
de tout ceci !

Je branchai le cordon de mon micro sur un pan
neau du plafond, et remarquai :

— Ils le sauront. C'est peut-être même déjà fait.

Mordoc aimait attirer l'attention, et je ne le croyai
pas capable d'avoir quitté ce monde sans un mot, o
sans recevoir ses excuses présidentielles. Oh non
quelque chose d'autre nous attendait, et je me refu
sais à imaginer ce que ce pouvait être. Le vo
jusqu'au Janes Island State Park nous prit moin
d'une heure, mais le campement se trouvait niché a
fond de bois de pins, ce qui nous compliqua la tâche
car il n'y avait pas d'endroit où atterrir.

Nos pilotes nous laissèrent à la station des garde
côtes de Crisfield, dans un port de plaisance du nom
de Somer's Cove, où des voiliers et des yachts au
écoutilles fermées pour l'hiver dansaient sur l'ea
bleu sombre de la Little Annemessex River. Nou
pénétrâmes dans la petite station de brique rouge
juste le temps suffisant pour enfiler des combinai
sons de protection et des gilets de sauvetage, tandi
que le chef Martinez nous présentait la situation.

Arpentant la salle des transmissions où nou
étions tous réunis, il nous annonça :

— Nous sommes confrontés à plusieurs pro
blèmes en même temps. D'une part, les gens de Tan
gier Island ont des parents ici, et nous avons dû pla
cer des gardes armés sur les routes qui sortent de l
ville, car le CCPM s'inquiète maintenant de ce qu
les gens de Crisfield s'en aillent.

— Mais personne ici n'est tombé malade, remar
qua Marino tout en bataillant pour passer son pan
talon sur ses bottes.

— Non, mais je crains qu'au tout début de cett
affaire, des gens n'aient réussi à se faufiler hors d
Tangier Island, pour venir jusqu'ici. Ce que je veu

ouligner, c'est qu'il ne faut pas s'attendre à être accueilli dans le coin à bras ouverts.

Une question fusa :

— Qui se trouve au campement ?

— En ce moment, les agents du FBI qui ont découvert le corps.

— Et les autres résidents ? demanda Marino.

— Voici ce qu'on m'a dit, répondit Martinez. Quand les agents sont arrivés, ils ont trouvé une douzaine de résidents, et un seul avec un branchement téléphonique, l'emplacement numéro seize. Ils ont frappé à la porte, sans réponse, alors ils ont regardé par la fenêtre, et ils ont vu le corps.

— Ils n'ont pas pénétré à l'intérieur ?

— Non. Comprenant qu'il s'agissait peut-être du coupable, ils ont eu peur qu'il soit contaminé. Mais je crains qu'un des rangers ne soit entré, lui.

— Pourquoi ? demandai-je.

— Vous savez ce qu'on dit : « la curiosité a tué le chat ». Apparemment, un des agents était reparti en chercher deux autres qui se trouvaient sur la piste où vous avez atterri. Enfin, un truc de ce genre. A un moment où personne ne faisait attention, le ranger est entré, et il est ressorti illico comme s'il avait le diable à ses trousses. Il a dit qu'il y avait là-dedans un truc qui sortait tout droit d'un Stephen King. Qu'est-ce que vous voulez y faire ? dit-il avec un haussement d'épaules en levant les yeux au ciel.

Je regardai l'équipe de l'USAMRIID.

Un jeune homme, dont les barrettes indiquaient qu'il était capitaine, intervint :

— Nous ramènerons le ranger avec nous. A propos, je m'appelle Clark, me dit-il, et cette équipe est sous ma responsabilité. Ils prendront soin de lui, le placeront en quarantaine, le surveilleront.

— Emplacement numéro seize, dit Marino. On sait qui a loué ça ?

— Nous ne connaissons pas encore ces détails, répliqua Martinez. Tout le monde est harnaché ?

Il nous passa tous en revue, puis il fut temps de partir.

La garde côtière nous achemina dans deux vedettes de Boston, car là où nous allions, les fonds n'étaient pas assez profonds pour des cutters ou des patrouilleurs. Martinez pilotait l'embarcation dans laquelle je me trouvais, droit et calme comme s'il n'y avait rien de plus normal que de foncer à soixante kilomètres heure sur des eaux agitées. Assise sur le côté, je me cramponnais au rebord, persuadée que je pouvais passer par-dessus bord d'une minute à l'autre. J'avais l'impression de faire du rodéo sur un taureau mécanique, et l'air me cinglait si fort la bouche et le nez que j'avais peine à respirer.

Assis en face de moi, Marino avait la tête de quelqu'un qui va être malade. Je tentai d'articuler quelques mots rassurants, mais il me regarda d'un air vide en se cramponnant de toutes ses forces. Nous finîmes par ralentir dans une anse baptisée Fla Cat, envahie de roseaux et de prêles touffus. Des panneaux intimaient « Pas de remous » et nous nous rapprochâmes du camping. Je ne distinguai d'abord rien d'autre que des pins, puis des sentiers apparurent, des douches, un petit poste de ranger, et une seule caravane visible à travers les arbres. Martinez fit glisser l'embarcation jusqu'au quai, puis un autre garde-côte l'attacha à une pile, et le moteur se tut.

Nous débarquâmes avec maladresse, et Marino me glissa à l'oreille :

— Je vais dégueuler.

— Sûrement pas, répliquai-je en lui agrippant le bras.

— Je mets pas le pied dans cette caravane.

Je me retournai et examinai son visage livide.

— Vous avez raison, vous n'irez pas. C'est mon travail. Mais nous avons d'abord besoin de trouver ce ranger.

Marino s'éloigna à grands pas avant que le second bateau n'aborde, et je regardai à travers bois, dans la direction du Mobilhome qui avait abrité *mordoc*

296

Plutôt ancien, dépourvu de ce qui avait bien pu le tirer jusque-là, il était garé le plus loin possible du poste des rangers, protégé par l'ombre des pins à feuilles glabres. Lorsque nous eûmes tous débarqué, l'équipe de l'USAMRIID distribua les familières combinaisons orange, les réserves d'air et des batteries supplémentaires de quatre heures.

— Voici comment nous allons procéder, annonça le nommé Clark, le chef de l'équipe. On enfile ça, et on sort le corps.

J'intervins :

— J'aimerais entrer la première. Seule.

— D'accord, dit-il avec un hochement de tête. Ensuite, nous voyons s'il y a là-dedans quelque chose de toxique, en espérant que non. Nous sortons le corps, et on embarque la caravane.

Je le regardai :

— Il s'agit d'une pièce à conviction. On ne peut pas simplement l'embarquer comme cela.

Rien qu'à son expression, je savais ce qu'il pensait. Le tueur était peut-être mort, l'affaire bouclée. La caravane représentait un danger biologique, et devait être brûlée.

— Non, lui dis-je. On ne boucle pas ça aussi vite. On ne peut pas.

Il hésita, et regarda fixement la caravane avec un soupir de frustration.

— Je vais entrer, annonçai-je. Ensuite, je vous dirai ce que nous devons faire, d'accord ?

— D'accord.

Il éleva la voix :

— Les gars, allons-y. Jusqu'à nouvel ordre, personne ne rentre, sauf le médecin légiste.

Ils nous suivirent à travers bois, portant l'isolateur dans notre sillage, tel un sinistre caisson provenant d'une autre planète. Les aiguilles de pin crissaient sous mes pas comme des grains de blé, et plus nous nous rapprochions, plus l'air était vif et pur. C'était une caravane Dutchman, d'environ cinq mètres de long, avec un auvent repliable de toile rayée orange.

— Un vieux modèle. Je dirais qu'elle a huit ans, remarqua Marino, qui s'y connaissait en la matière.

Je demandai, tandis que nous enfilions nos combinaisons :

— Avec quel genre de véhicule peut-on la tracter ?

— Une camionnette à plateau. Peut-être un van. On n'a pas besoin de beaucoup de puissance pour remorquer un truc comme ça. Qu'est-ce qu'on est censé faire avec ça ? Les mettre par-dessus tout ce qu'on a déjà ?

— Oui, dis-je en remontant ma fermeture Eclair. Ce que j'aimerais savoir, c'est ce qui est arrivé au véhicule qui a apporté ce truc ici.

— Bonne question, remarqua-t-il en soufflant comme un bœuf. Et où est la plaque d'immatriculation ?

Je venais juste de brancher ma réserve d'air lorsqu'un jeune homme en uniforme vert et chapeau couleur fumée émergea des arbres. Il nous contempla tous dans nos combinaisons et capuchons orange, l'air médusé, et je sentis sa peur. Il se présenta comme le ranger du parc chargé de la garde de nuit, tout en se tenant à distance.

Ce fut Marino qui lui adressa la parole le premier :

— Vous avez vu la personne qui résidait ici ?

— Non.

— Et les types des autres patrouilles ?

— Personne ne se souvient d'avoir vu quoi que ce soit, à l'exception de la lumière allumée de temps en temps le soir. C'est difficile à dire. Comme vous voyez, il est garé assez loin du poste. On peut se rendre aux douches ou ailleurs sans se faire nécessairement remarquer.

Je haussai la voix par-dessus l'arrivée d'air sous mon capuchon :

— Il n'y a pas d'autres campeurs par ici ?

— Pas pour l'instant. Il y avait peut-être trois autres personnes quand j'ai découvert le corps, mais je les ai encouragées à partir, parce qu'il pouvait y avoir une espèce de maladie.

— Vous les avez d'abord interrogées ? demanda Marino, irrité par ce jeune ranger qui venait de faire fuir tous nos témoins.

— Personne ne savait rien, sauf quelqu'un qui pensait qu'il l'avait croisé, dit-il avec un hochement de tête en direction de la caravane. Avant-hier soir, aux douches. Un grand type crasseux avec des cheveux et une barbe noirs.

— Il prenait une douche ? demandai-je.

— Non, m'dame. (Il hésita.) Il pissait.

— Il n'y a pas de toilettes dans la caravane ?

— Je ne sais pas du tout.

Il hésita de nouveau :

— Pour dire la vérité, je ne suis pas resté là-dedans. A la seconde où j'ai vu ça... Enfin, quoi que ça puisse être, je suis parti comme une flèche.

— Et vous ne savez pas ce qui a tracté cette chose ? demanda alors Marino.

Le ranger était maintenant très mal à l'aise.

— A cette époque de l'année, vous savez, c'est très calme par ici, et très sombre. Je n'avais aucune raison de remarquer à quel véhicule elle était accrochée, et d'ailleurs, en fait, je ne me souviens pas de l'avoir jamais vue reliée à quoi que ce soit.

Le regard de Marino derrière sa cagoule était dépourvu de toute aménité.

— Mais vous avez un numéro de plaque.

— Bien sûr.

Soulagé, le ranger tira de sa poche un papier plié, qu'il ouvrit.

— J'ai là son inscription. Ken A. Perley, Norfolk, Virginie.

Il tendit le papier à Marino, qui remarqua d'un ton sarcastique :

— Oh, génial. Le nom que ce connard a pris sur la carte de crédit. Comme ça, je suis sûr que le numéro d'immatriculation que vous avez est lui aussi exact. Comment a-t-il payé ?

— Un chèque bancaire.

— Il a donné ça en personne à quelqu'un ?

— Non. Il a fait la réservation par courrier. Per
sonne n'a jamais rien vu d'autre que le papier qu
vous avez en main. Comme je vous ai dit, on l'a
jamais vu.

Il secoua la tête, et jeta un coup d'œil nerveux au
scientifiques en combinaisons qui l'écoutaient atten
tivement. Puis il regarda la caravane et s'humecta le
lèvres.

— Je peux vous demander ce qu'il y a là-dedans
Et qu'est-ce qui va m'arriver parce que je suis entré

Sa voix se brisa, et je crus qu'il allait fondre e
larmes.

— L'endroit pourrait être contaminé par un virus
lui dis-je, mais nous n'en sommes pas certains. Tou
le monde ici va prendre soin de vous.

— Ils ont dit qu'ils allaient m'enfermer dans un
chambre, comme en cellule.

Les yeux fous de peur, il haussa la voix :

— Je veux savoir exactement ce qu'il y a là-dedan
que je peux avoir attrapé !

Je le rassurai :

— Vous serez au même endroit que moi l
semaine dernière, dans une chambre agréable
avec des infirmières agréables, pour quelques jour
d'observation. C'est tout.

— Pensez-y comme à des vacances. Ce n'est vrai
ment pas insurmontable. C'est pas parce qu'on es
tous en combinaisons qu'il faut perdre la boule, ren
chérit Marino, qui était bien placé pour en parler.

Il continua de la sorte comme s'il était le plu
grand des experts en maladies infectieuses, et je le
laissai tous les deux pour me rapprocher seule de la
caravane. Je demeurai un moment à quelque
mètres de distance, et examinai les alentours. A m
gauche s'étendaient des hectares de bois, puis l
rivière où nos bateaux étaient amarrés. A ma droite
à travers d'autres arbres, je percevais l'écho d'un
autoroute. La caravane était garée sur un tapis moel
leux d'aiguilles de pin, et ce que je remarquai tout d

suite, ce fut la zone éraflée sur la languette peinte en blanc.

Je me rapprochai, m'accroupis et passai mes doigts gantés sur les éraflures et les entailles dans l'aluminium, à un endroit où le numéro d'identification du véhicule, le NIV, aurait dû se trouver. Près du toit, je m'aperçus qu'un morceau de vinyle avait été brûlé, et en conclus que quelqu'un s'était servi d'une lampe à propane pour effacer le deuxième NIV. Je contournai ensuite le véhicule.

La porte était déverrouillée, et pas complètement fermée, car elle avait été forcée à l'aide d'un outil. Un signal d'alarme retentit dans mon cerveau, mes idées s'éclaircirent, et mon attention se concentra complètement, comme cela m'arrivait lorsque les indices me racontaient une histoire différente de celle des témoins. Je gravis quelques marches de métal, pénétrai à l'intérieur et demeurai complètement immobile, parcourant des yeux une scène qui pouvait ne rien signifier pour la majorité des gens, mais qui pour moi, confirmait un cauchemar. Je me trouvais dans le laboratoire de *mordoc*.

Tout d'abord, le chauffage était poussé à fond, et je l'éteignis. Je sursautai lorsqu'une malheureuse petite créature blanche me sautilla soudain sur les pieds. Je fis un bond en arrière avec un hoquet, tandis qu'elle se précipitait stupidement contre un mur, puis s'asseyait, tremblante et haletante. Le pathétique lapin de laboratoire avait été tondu par endroits et scarifié, et il arborait d'affreuses éruptions noires. Je remarquai sa cage métallique, qui semblait avoir été renversée d'une table, la porte grande ouverte.

— Viens ici.

Je m'accroupis, et tendis la main. Il m'observait de ses yeux rougis, ses longues oreilles frémissantes.

— Viens, pauvre petite chose, dis-je à l'animal que le ranger avait pris pour un monstre. Je te promets que je ne te ferai pas de mal.

Je le pris doucement dans mes mains. Son cœur

battait la chamade, et il tremblait avec violence. Je le remis dans sa cage, puis me dirigeai vers le fond de la caravane. La petite porte franchie, le corps remplissait presque entièrement la chambre. L'homme aux cheveux bruns bouclés, était étendu face contre terre, sur un tapis pelucheux jaune d'or taché de sang. Lorsque je le retournai, je constatai que la rigidité cadavérique était passée. Il me fit penser à un bûcheron, en veste et pantalon dégoûtants. Sa barbe et sa moustache étaient négligées, et il avait des mains énormes aux ongles sales.

Je le déshabillai à partir de la taille, pour observer les lividités cadavériques, c'est-à-dire ces zones où le sang s'accumule après la mort sous l'effet de la gravité. Le visage et le torse étaient de couleur pourpre violacée, avec des plaques plus blanches là où son corps avait reposé par terre. Je ne vis aucune trace pouvant permettre de croire qu'il avait été déplacé après la mort. Il avait été abattu d'une balle dans la poitrine, à bout portant, peut-être avec le fusil Remington à deux coups qui reposait à côté de lui, près de sa main gauche.

Le faisceau de dispersion des plombs était étroit, et avait formé, au centre de sa poitrine, un grand trou aux bords déchiquetés. De la bourre de plastique blanc adhérait à ses vêtements et à sa peau, ce qui indiquait encore une fois qu'il ne s'agissait pas d'un tir à bout touchant. Je mesurai la longueur de ses bras et de son arme, sans comprendre comment il aurait bien pu atteindre la détente. Je ne voyais rien qui puisse indiquer qu'il ait bricolé un système pour s'aider. Je fouillai ses poches, et n'y trouvai rien d'autre qu'un couteau de chasse éraflé et tordu. Pas de portefeuille, aucun papier d'identité.

Je ne m'attardai pas davantage, et ressortis. L'équipe de l'USAMRIID s'impatientait, comme des gens qui se rendent quelque part et ont peur de rater leur avion. Ils restèrent là à me regarder tandis que je descendais les marches. Un peu à l'écart au milieu des arbres, Marino se tenait les bras croisés sur la poitrine, le ranger à ses côtés.

— La scène du crime est complètement contaminée, annonçai-je. Nous avons un homme blanc décédé et non identifié. J'ai besoin de quelqu'un pour sortir le corps, qui doit être placé en confinement, ajoutai-je ne regardant le capitaine.

— Il rentre avec nous.

J'acquiesçai de la tête.

— Vos hommes peuvent pratiquer l'autopsie, et peut-être demander à quelqu'un du Bureau du médecin légiste de Baltimore de servir de témoin. La caravane, c'est un autre problème. Elle doit être transportée quelque part où on pourra travailler dessus en toute sécurité. Les indices doivent être collectés et décontaminés. Très franchement, ceci n'est pas de mon ressort. Nous devrions peut-être l'emmener en Utah, à moins que vous ne disposiez d'un matériel de confinement susceptible d'abriter quelque chose d'aussi gros.

— A Dugway ? demanda-t-il d'un air dubitatif.

— Oui. Peut-être le colonel Fujitsubo peut-il nous aider.

Dugway Proving Ground était la plus grande installation militaire d'expérimentation et d'essais en matière de défense chimique et biologique. A la différence de l'USAMRIID, installée au cœur de l'Amérique urbaine, Dugway disposait de l'immense étendue du désert du Grand Lac Salé pour tester lasers, missiles téléguidés, écrans de fumée ou méthodes d'éclairage. Plus précisément, elle possédait la seule chambre d'essais des Etats-Unis capable de traiter un véhicule de la dimension d'un tank.

Le capitaine réfléchit un moment, nous regardant alternativement, la caravane et moi, tandis qu'il se décidait et établissait un plan.

— Frank, prends le téléphone, et fais mobiliser ça le plus vite possible, dit-il en s'adressant à l'un des hommes. Pour le transport, le colonel devra voir ça avec l'Aviation, il faut amener quelque chose ici à toute vitesse, parce que je ne veux pas que ça reste là toute la nuit. Et nous allons avoir besoin d'un camion à plateau, et d'une camionnette.

— Avec tous les fruits de mer qu'ils transportent, on devrait trouver ça facilement, intervint Marino. Je m'en charge.

— Bien, continua le capitaine. Il me faut trois housses à cadavre, et l'isolateur. Je parie que vous avez besoin d'un coup de main, me dit-il ensuite.

— Et comment.

Nous nous dirigeâmes vers la caravane. Je tirai la porte d'aluminium tordue, et il me suivit à l'intérieur. Sans nous attarder, nous allâmes directement au fond. Je lisais dans le regard de Clark qu'il n'avait jamais rien vu de pareil, mais au moins, avec son capuchon et sa réserve d'air, l'odeur de chair en décomposition lui était épargnée. Il s'agenouilla d'un côté, moi de l'autre. Le corps était lourd et l'espace affreusement réduit.

— Il fait chaud ici, ou bien c'est moi ? dit-il d'une voix forte tandis que nous nous débattions avec les membres glissants.

J'étais déjà hors d'haleine.

— Quelqu'un a mis le chauffage à fond, pour accélérer la contamination virale, la décomposition. Un moyen très répandu de foutre en l'air une scène du crime. Bien, maintenant, fourrons-le là-dedans. Ça va être serré, mais je crois qu'on peut y arriver.

Les mains et les combinaisons humides de sang, nous entreprîmes de le glisser dans une seconde enveloppe. Il nous fallut encore presque une demi-heure pour faire entrer le corps dans l'isolateur, et lorsque nous le transportâmes à l'extérieur, je sentis mes muscles trembler. Mon cœur battait à se rompre, et je dégoulinais de sueur. Nous fûmes ensuite consciencieusement arrosés de désinfectant, ainsi que l'isolateur, qui fut ramené à Crisfield en camion. Puis l'équipe se mit à travailler sur la caravane.

A l'exception des roues, le véhicule devait être

entièrement enveloppé dans un lourd vinyle bleu avec une couche filtrante haute densité. J'ôtai avec soulagement ma combinaison, et me retirai dans le poste des rangers, bien chauffé et bien éclairé, où je me frottai les mains et le visage. J'avais les nerfs en pelote, et j'aurais donné n'importe quoi pour me mettre au lit, ingurgiter un somnifère et dormir.

Marino entra, et avec lui beaucoup d'air froid.

— Quel bordel !

— S'il vous plaît, fermez la porte, suppliai-je en frissonnant.

— Qu'est-ce qui ne va pas ? demanda-t-il en s'asseyant de l'autre côté de la pièce.

— La vie.

— Je peux pas croire que vous soyez là alors que vous êtes malade. Putain, je crois que vous avez perdu la tête.

— Merci pour vos paroles de réconfort.

— Hé, pour moi non plus, c'est pas des vacances ! Je suis coincé ici, il faut que j'interroge ces gens, et j'ai pas de bagnole.

Il avait les nerfs à vif.

— Qu'est-ce que vous allez faire ?

— Je trouverai bien quelque chose. Le bruit court que Lucy et Janet sont dans le coin, et qu'elles ont une voiture.

— Où ça ? dis-je en faisant mine de me lever.

— Pas la peine de s'exciter, elles aussi elles cherchent des témoignages, comme moi. Bon Dieu, je meurs d'envie d'une cigarette. Ça fait presque toute une journée que j'ai pas fumé.

— Pas ici, lui dis-je en désignant un panneau du doigt.

— Y a des gens qui meurent de la variole et vous m'emmerdez pour des cigarettes.

Je sortis un tube de Motrin et en avalai trois sans eau.

— Alors, qu'est-ce qu'ils vont faire, maintenant, tous nos astronautes ? demanda Marino.

— Certains vont rester dans le coin, pour essayer

de retrouver d'autres gens qui auraient pu être contaminés, soit à Tangier Island, soit sur le campement. Ils travailleront par roulement avec d'autres membres de l'équipe. Je pense que vous serez également en contact avec eux, au cas où vous rencontreriez quelqu'un qui a pu être exposé.

— Quoi ? Je suis censé me balader toute la semaine dans ce truc orange ?

Il bâilla et s'étira.

— Merde, c'est pas l'horreur, ces trucs ? On y crève de chaud, sauf dans le capuchon.

En fait, il était secrètement très fier d'en avoir porté un.

— Non, vous ne porterez pas de combinaison de plastique.

— Et qu'est-ce qui se passe si je découvre que la personne que j'interroge a été exposée ?

— Abstenez-vous de l'embrasser.

— Je ne trouve pas ça drôle.

— Mais ce n'est pas drôle du tout.

— Et le macchabée ? Ils vont l'incinérer alors qu'on ne sait pas qui c'est ?

— On va l'autopsier demain matin. Je suppose qu'ils l'entreposeront aussi longtemps que possible.

— C'est vraiment bizarre, toute cette histoire, remarqua-t-il en se frottant le visage de ses mains. Et vous avez vu un ordinateur là-dedans ?

— Oui, un portable. Mais pas de scanner, ni d'imprimante. J'ai l'impression que cet endroit était une cachette, et que l'imprimante et le scanner sont chez lui.

— Et un téléphone ?

Je réfléchis une minute.

— Je ne me souviens pas d'en avoir vu un.

— La ligne téléphonique va de la caravane au compteur général. On verra ce qu'on peut trouver là-dessus, au nom de qui est l'abonnement, par exemple. Je vais aussi informer Wesley de ce qui se passe.

— Si la ligne téléphonique n'a été utilisée que

pour AOL, dit Lucy en entrant et en refermant la porte derrière elle, il n'y aura pas d'abonnement. Le seul compte que vous trouverez, ce sera celui sur AOL, qui vous ramènera à Perley, le type à qui on a fauché son numéro de carte de crédit.

Elle paraissait en pleine forme, mais un peu échevelée, en jean et blouson de cuir. Elle s'assit à côté de moi, m'examina le blanc des yeux et me palpa les ganglions.

— Tire la langue, dit-elle avec sérieux.

— Arrête !

Je la repoussai en riant et toussant à la fois.

— Comment te sens-tu ?

— Mieux. Où est Janet ? demandai-je.

— En train de parler, quelque part dans les parages. C'était quel genre d'ordinateur ?

— Je n'ai pas pris le temps de l'examiner, répliquai-je. Je n'ai pas remarqué ses caractéristiques.

— Il était allumé ?

— Je ne sais pas, je n'ai pas vérifié.

— Il faut absolument que je voie ce qu'il a dans le ventre.

Je la regardai :

— Qu'est-ce que tu veux faire ?

— Je crois que j'ai besoin d'aller avec toi.

— Ils vont te laisser faire ça ? demanda Marino.

— Et qui sont ces « ils » ?

— Les fainéants pour qui tu travailles, répliqua-t-il.

— Ils m'ont mis sur l'affaire, ils attendent que je l'élucide.

Tandis qu'elle parlait, elle ne quittait pas du regard la porte et les fenêtres, sur le qui-vive. Lucy avait été infectée par le virus du maintien de l'ordre, et elle y avait succombé. Sous son blouson, elle portait un pistolet Sig Sauer 9 mm dans un holster de cuir, avec des chargeurs de rechange, et elle avait probablement dans sa poche un coup de poing américain. Elle se raidit, tandis que la porte s'ouvrait, et qu'un

autre ranger entrait en hâte, les cheveux encore
mouillés de la douche, le regard surexcité et nerveux.

Il ôta sa veste et nous demanda :

— Je peux vous aider ?

— Ouais, dit Marino en se levant. Qu'est-ce que
vous avez comme voiture ?

14

Lorsque nous arrivâmes, le semi-remorque nous
attendait. La caravane entourée de vinyle, encore
fixée à une camionnette, était posée sur le plateau du
camion, brillant d'une inquiétante lueur bleue trans-
lucide sous la lune et les étoiles. Alors que nous nous
garions non loin, sur un chemin de terre en bordure
d'un champ, un gigantesque avion nous survola à
une altitude étonnamment basse, dans un rugissement de moteurs plus sonore que celui d'un avion de
ligne normal.

— Qu'est-ce que c'est que ça ? s'exclama Marino
en ouvrant la portière de la Jeep du ranger.

— C'est notre transport pour l'Utah, remarqua
Lucy, assise avec moi à l'arrière.

Incrédule et comme en transe, le ranger fixait la
scène à travers son pare-brise :

— Oh merde ! Oh bon Dieu ! C'est une invasion !

Enveloppé dans du carton ondulé, reposant sur
une lourde plate-forme de bois, un engin tout-terrain
descendit en premier, entraîné par des parachutes.
Lorsqu'il atterrit sur l'herbe sèche compacte du
champ, le choc de l'impact résonna comme une
explosion, puis la toile de nylon vert se répandit en
se dégonflant sur le véhicule. D'autres corolles s'épa-
nouirent encore dans les cieux : des containers de
chargement supplémentaire qui dérivaient et s'abat-
taient au sol. Puis ce furent des parachutistes, qui

descendirent en oscillant avant d'atterrir prestement et de se débarrasser de leurs harnais. Ils replièrent ensuite leurs toiles gonflées tandis que l'écho de leur C-17 s'éloignait dans le lointain.

L'Air Force's Combat Control Team de Charleston, Caroline du Sud, était arrivée à minuit treize précises. Nous demeurâmes fascinés dans la Jeep, observant les hommes qui vérifiaient la compacité du champ, car l'appareil qui s'apprêtait à se poser dessus était assez lourd pour démolir une piste d'atterrissage ou un tarmac normal. Ils se livrèrent à la prise de diverses mesures et relevés, puis l'équipe installa douze balises lumineuses ACR télécommandées, pendant qu'une femme en tenue de camouflage ôtait l'enveloppe du véhicule tout-terrain, faisait démarrer le bruyant moteur diesel, puis descendait l'engin de sa plate-forme et le déplaçait à l'écart.

— Il faut que je me trouve une piaule, dit Marino en observant le spectacle. Bon sang, comment est-ce qu'ils peuvent faire atterrir un gros avion militaire sur un tout petit champ comme ça ?

— Je peux vous donner des précisions, intervint Lucy, jamais à court d'explications techniques. Apparemment, le C-17 a été conçu pour pouvoir se poser avec un chargement sur des pistes exceptionnellement courtes, comme celle-ci. Ou dans le lit d'un lac asséché, par exemple. En Corée, ils ont même utilisé des routes.

— Ça y est, elle est repartie ! remarqua Marino, sarcastique comme d'habitude.

Elle continua :

— Le seul autre engin susceptible de rentrer comme ça dans un dé à coudre, c'est le C-l30. Et le C-17 peut faire marche arrière, c'est génial, non ?

— Un avion-cargo ne peut sûrement pas faire tout ça, protesta Marino.

— Oh, mais ce bijou-là, si, dit-elle comme s'il s'agissait d'un bébé qu'elle aurait bien aimé adopter.

Marino jeta un regard autour de lui.

— J'ai tellement faim que je pourrais bouffer du

pneu, et je donnerais ma paye pour une bière. Je vais baisser la vitre et m'en griller une.

Je sentis que le ranger ne voulait pas qu'on fume dans sa Jeep immaculée, mais qu'il était trop intimidé pour intervenir.

— Sortons, Marino. L'air frais nous fera du bien.

Nous descendîmes et il alluma une Marlboro, sur laquelle il tira frénétiquement. Les membres de l'équipe de l'USAMRIID responsables du semi-remorque et de sa cargaison redoutable se tenaient à distance, toujours vêtus de leurs combinaisons protectrices orange. Réunis sur le chemin de terre défoncé d'ornières, ils observaient les hommes de l'armée de l'air s'affairer dans la plaine.

Il était presque deux heures du matin lorsqu'une Plymouth sombre banalisée arriva. Lucy courut à sa rencontre. Je la vis discuter avec Janet par la vitre baissée, puis la voiture s'éloigna.

Lucy m'effleura le bras, et me dit doucement :

— Je rentre.

Je savais que la vie qu'elles partageaient n'était pas facile, et je demandai :

— Tout va bien ?

— Pour l'instant, on maîtrise la situation.

Marino, qui fumait comme si sa dernière heure était venue, lança à Lucy :

— Dis donc, 007, c'était sympa de ta part de venir nous aider, aujourd'hui.

— Vous savez, rétorqua-t-elle, se moquer des agents fédéraux constitue une violation de la loi. Et particulièrement de ceux qui appartiennent aux minorités d'ascendance italienne.

— Bon sang, j'espère bien que tu appartiens à une minorité. Des comme toi, on n'en veut pas d'autres, renchérit-il en secouant sa cendre.

L'écho d'un avion résonna au loin.

— Janet reste ici, dit Lucy à Marino. Ça veut dire que vous allez travailler là-dessus ensemble, tous les deux. Alors, on ne fume pas dans la voiture, et si vous l'asticotez, vous êtes mort.

— Chut ! fis-je pour les faire taire.

Le grondement du jet provenait du nord, et nous demeurâmes silencieux à observer le ciel. Soudain, les balises s'illuminèrent, formant une rangée de pointillés, d'abord verts pour l'approche, puis blancs pour marquer la zone de sécurité, et enfin rouge vif pour l'extrémité de la piste d'atterrissage. Je songeai combien cette vision pourrait paraître bizarre à quiconque aurait le malheur de passer par là en voiture, au moment où l'avion entamait sa descente. Je distinguais l'ombre noire de l'appareil et ses feux clignotants tandis qu'il perdait de l'altitude et que le rugissement de ses moteurs devenait effroyable. Le train d'atterrissage sortit, et une lueur vert émeraude se répandit du compartiment des roues, tandis que le C-17 se dirigeait droit sur nous.

J'éprouvai la sensation paralysante d'être témoin d'un crash, et que cette monstrueuse machine gris terne aux extrémités d'ailes verticales et à la forme trapue allait labourer la terre. On aurait dit qu'un ouragan se déchaînait au-dessus de nos têtes, et nous nous bouchâmes les oreilles lorsque ses énormes roues touchèrent terre. Des gerbes d'herbe et de poussière arrachées par paquets aux ornières formées par les grandes roues et les 130 tonnes d'aluminium et d'acier tourbillonnèrent dans les airs. Les ailerons remontèrent, les moteurs s'inversèrent, tandis que le jet s'arrêtait dans un crissement à l'extrémité d'un champ qui n'était même pas assez grand pour jouer au football.

Puis les pilotes passèrent en marche arrière et entreprirent de reculer bruyamment dans l'herbe, dans notre direction, pour disposer ensuite d'une longueur de piste suffisante pour repartir. Lorsque la queue de l'appareil atteignit le bord du chemin de terre, le C-17 s'arrêta, ses réacteurs pointés droit sur nous. L'arrière s'ouvrit, semblable à la gueule d'un requin, et une rampe métallique descendit.

L'équipage et le responsable du chargement avaient revêtu des combinaisons destinées à la guerre bactériologique, avec des capuchons, des lunettes et des gants noirs à l'apparence plutôt effrayante, surtout de nuit. Nous les observâmes, tandis qu'ils faisaient descendre la caravane et le pick-up du semi-remorque, puis les détachaient l'un de l'autre. Ensuite, le véhicule tout-terrain tracta la caravane à l'intérieur du C-17.

— Viens, dit Lucy en me prenant le bras. Un voyage comme ça, ça ne se rate pas.

Nous pénétrâmes dans le champ. Le bruit et la tension des moteurs étaient incroyables. Nous suivîmes la rampe automatique, contournâmes rouleaux et anneaux incorporés au sol métallique, sous une voûte où couraient à nu les câbles et les isolants. L'avion paraissait assez grand pour transporter plusieurs hélicoptères, autocars de la Croix-Rouge et tanks, et il y avait au moins cinquante sièges de saut en parachute. Mais ce soir, l'équipage était réduit, et ne se composait que des parachutistes, du responsable du chargement, et d'un Premier lieutenant nommé Laurel, dont la mission consistait à s'occuper de nous.

C'était une jeune femme séduisante aux courts cheveux bruns, qui nous serra la main avec un grand sourire comme une accueillante maîtresse de maison.

— Vous serez ravies d'apprendre que vous n'êtes pas installées ici, mais là-haut, avec les pilotes. Et vous serez encore plus ravies d'apprendre que j'ai du café à vous offrir.

— Ce serait le paradis, dis-je.

L'équipage arrimait la caravane et le véhicule tout-terrain au sol avec des chaînes et des filets dans un bruit de métal.

Sur l'échelle qui grimpait de la baie de chargement était peint le nom de l'avion, baptisé, de façon tout à fait appropriée, *Heavy Metal*. Le cockpit était énorme, avec un système de contrôle de vol électronique et des cadrans plafonniers comme dans les avions de chasse. Le pilotage s'effectuait par l'intermédiaire de manches à balai, et la profusion d'instruments de bord était complètement intimidante.

Je m'installai sur un siège pivotant, derrière deux pilotes en combinaisons vertes, trop occupés pour nous prêter attention.

— Vous avez des écouteurs pour pouvoir discuter, mais ne parlez pas en même temps que les pilotes, nous avertit Laurel. Vous n'êtes pas obligés de les mettre, mais c'est très bruyant, ici.

Je fixai mon harnais cinq points tout en remarquant le masque à oxygène suspendu à chacun des sièges.

— Je serai en bas, et je viendrai de temps en temps voir si tout va bien, continua le lieutenant. Il y a trois heures de vol pour l'Utah, et l'atterrissage ne devrait pas être trop brutal. Ils disposent d'une piste assez longue pour la navette spatiale. C'est ce qu'ils racontent, en tout cas, mais vous savez comme l'Armée de terre a tendance à se vanter !

Elle redescendit tandis que les pilotes s'exprimaient dans un jargon et des codes qui me demeuraient incompréhensibles. C'était stupéfiant, mais lorsque nous entamâmes la procédure de décollage, il s'était à peine écoulé trente minutes depuis l'arrivée de l'appareil.

— On y va, dit un des pilotes. Chargeur ? Vous êtes tout bon ?

Je supposai qu'il s'adressait au responsable du chargement en bas.

La réponse résonna dans mes écouteurs :

— Oui, monsieur.

— Liste de contrôle effectuée ?

— Oui.

— OK. Ça roule.

L'avion bondit en avant, cahota sur la terre et prit de la puissance d'une façon que je n'avais jamais connue avec aucun décollage. A plus de cent quarante kilomètres à l'heure, il s'éleva dans les airs en rugissant à un angle tellement abrupt que je me retrouvai aplatie contre le dossier de mon siège. Brutalement, les étoiles constellèrent le ciel, et le Maryland apparut comme un réseau de lumières clignotantes.

— Nous naviguons à deux cents nœuds, dit un pilote. Poste de Commandement appareil 30601. Relevez les volets. Exécution.

Je jetai un coup d'œil à Lucy, qui se trouvait derrière le copilote : elle essayait de distinguer ce qu'il faisait tout en écoutant le moindre mot, probablement pour le garder soigneusement en mémoire. Laurel revint avec des tasses de café, mais rien n'aurait pu me tenir éveillée. Je sombrai dans le sommeil à trente-cinq mille pieds de haut, tandis que l'avion volait vers l'ouest à huit cent cinquante kilomètres à l'heure, et émergeai alors qu'une tour de contrôle communiquait avec nous.

Nous avions entamé notre descente au-dessus de Salt Lake City, et Lucy, qui écoutait toujours les pilotes, était aux anges. Elle surprit mon regard, mais sans se laisser distraire. De ma vie, je n'avais rencontré quelqu'un comme elle, qui faisait preuve d'une insatiable curiosité pour tout ce qui pouvait être assemblé, démonté, programmé, et plus généralement, pour toutes les machines auxquelles elle pouvait faire accomplir ce qu'elle voulait. La seule chose qu'elle ne parvenait pas à comprendre, c'étaient les gens.

La tour de contrôle de Clover nous dirigea sur celle de Dugway Range, puis nous reçûmes des instructions pour l'atterrissage. Malgré ce qu'on nous avait dit de la longueur de la piste, nous eûmes le sentiment que nous allions être arrachées de nos sièges, pendant que l'appareil descendait crescendo vers un tarmac où clignotaient des kilomètres de lumières, et que l'air rugissait en se heurtant aux volets relevés. L'arrêt fut tellement brutal que je ne compris pas comment il pouvait être physiquement possible, et je me demandai si les pilotes n'avaient pas décidé de faire un peu d'entraînement.

— *Tally ho !* s'exclama l'un d'eux avec entrain.

15

La base de Dugway avait à peu près la même taille que Rhode Island, et deux mille personnes y vivaient, mais lorsque nous arrivâmes à cinq heures et demie du matin, nous ne vîmes pas grand-chose. Laurel nous confia à un soldat, qui nous fit grimper dans un camion et nous conduisit à un endroit où nous pourrions nous reposer et nous rafraîchir. Nous n'avions pas le temps de dormir, car l'avion repartirait plus tard dans la journée, et nous devions nous trouver à son bord.

On nous installa à L'Antelope Inn, en face du Community Club, dans une chambre à deux lits au premier étage, meublée de chêne clair et entièrement moquettée et peinte de bleu. De l'autre côté de la pelouse, nous avions vue sur les casernes, dont les fenêtres commençaient à s'éclairer avec l'aube.

Lucy s'étira sur son lit, et déclara :

— Tu sais, ce n'est vraiment pas la peine de prendre une douche, puisque nous allons devoir remettre les mêmes vêtements sales.

— Tu as parfaitement raison, dis-je en ôtant mes chaussures. Ça ne te dérange pas si j'éteins la lampe ?

— Au contraire.

La chambre se trouva plongée dans l'obscurité, et je me sentis soudain très bête.

— J'ai l'impression d'être une gamine qui serait restée coucher chez sa copine après le goûter.

— Tu parles d'un goûter !

— Tu te souviens quand tu venais à la maison, lorsque tu étais petite ? Quelquefois nous restions debout la moitié de la nuit. Tu ne voulais jamais aller dormir, tu voulais toujours que je te lise encore une histoire. Tu m'épuisais.

— Moi, je me souviens plutôt du contraire ! Je voulais dormir, et c'est toi qui ne me laissais pas tranquille.

— Faux.

— Parce que tu m'adorais.

— Certainement pas. J'avais du mal à supporter d'être dans la même pièce. Mais je te plaignais, et je voulais être gentille.

Un oreiller voltigea dans l'obscurité et me tomba sur la tête. Je le relançai. Lucy bondit alors de son lit sur le mien, où elle se retrouva sans savoir quoi faire, car elle n'avait plus dix ans depuis longtemps, et je n'étais pas Janet. Elle se releva, regagna son lit et redressa ses oreillers bruyamment.

— Tu m'as l'air de bien mieux te porter, remarqua-t-elle.

— Mieux, mais pas bien mieux. Je survivrai.

— Tante Kay, qu'est-ce que tu vas faire en ce qui concerne Benton ? Tu n'as même plus l'air de penser à lui du tout.

Je répondis :

— Oh, si. Mais ces derniers temps, je suis un peu débordée, et c'est un euphémisme.

— Les gens utilisent toujours ce genre d'excuse. Je le sais, ma mère a passé son temps à me répéter ça.

— Mais pas moi.

— C'est exactement ce que je voulais dire. Qu'est-ce que tu veux faire de Benton ? Vous pourriez vous marier.

Cette simple pensée me démontait de nouveau.

— Je ne crois pas que je puisse faire ça, Lucy.

— Pourquoi ?

— Je suis peut-être trop installée dans mes habitudes, sur un chemin dont je ne peux pas m'écarter. On exige trop de moi.

— Pourtant, tu as besoin d'avoir ta propre vie, toi aussi.

— C'est vrai. Mais ce n'est peut-être pas celle que tout le monde veut pour moi.

— Tu m'as toujours conseillée, dit-elle, c'est peut-être mon tour, maintenant. Je ne crois pas que tu doives te marier.

— Pourquoi ? demandai-je avec plus de curiosité que de surprise.

— Je pense que tu n'as jamais réellement fait ton deuil de Mark. Et tu ne devrais pas te marier tant que tu n'auras pas fait ça. Sinon, tu ne pourrais pas t'y consacrer entièrement, tu sais ?

La tristesse m'envahit, et je fus heureuse qu'elle ne puisse pas me voir dans le noir. Pour la première fois de nos vies, je lui parlai comme à une amie en qui j'avais toute confiance.

— Je ne me suis jamais remise de Mark, et je ne m'en remettrai probablement jamais. Je suppose qu'il a été mon premier amour.

— Je connais ça, continua ma nièce. Je m'angoisse en me disant que s'il se produit quelque chose, il n'y aura jamais quelqu'un d'autre pour moi non plus. Et je ne veux pas passer le reste de ma vie sans ce que j'ai maintenant. Sans quelqu'un à qui je peux parler de n'importe quoi, quelqu'un d'aimant et de bon.

Elle hésita, puis ajouta d'un ton acéré :

— Quelqu'un qui n'est pas jaloux et qui ne me manipule pas.

— Lucy, Ring ne sera plus jamais flic, mais tu es la seule à pouvoir enlever à Carrie le pouvoir qu'elle a sur toi.

— Elle n'a pas de pouvoir sur moi ! s'emporta-t-elle.

— Bien sûr que si, et je le comprends très bien. Moi aussi, je suis furieuse contre elle.

Lucy demeura un moment silencieuse, puis dit enfin d'une petite voix :

— Que va-t-il m'arriver, Tante Kay ?

— Je ne sais pas, Lucy. Je ne connais pas les réponses aux questions, mais je te promets qu'à chaque pas, je serai à tes côtés.

Le chemin détourné qui l'avait menée à Carrie nous ramenait en fin de compte à la mère de Lucy, ma sœur. Je me lançai dans le récit des hauts et des bas de mes années d'enfance, et parlai franchement à Lucy de mon mariage avec son ex-oncle Tony. Je lui confiai ce que je ressentais aujourd'hui à mon âge, alors que je savais que je n'aurais probablement jamais d'enfant.

Le ciel était maintenant clair, et il était temps de démarrer la journée. A neuf heures, le chauffeur du commandant de la base, une jeune recrue qui avait tout juste du poil au menton, nous attendait dans le hall.

Il mit ses Ray-Ban et annonça :

— Une autre personne est arrivée après vous en provenance de Washington, quelqu'un du FBI.

Il avait l'air très impressionné, et ne savait de toute évidence pas ce que faisait Lucy. Celle-ci demeura impassible lorsque je demandai :

— Et que fait-il au FBI ?

— C'est un scientifique, je crois, une grosse légume, dit-il en dévorant du regard Lucy, qui même après une nuit blanche, était d'une beauté saisissante.

Le scientifique en question était Nick Gallwey, directeur de la Brigade des sinistres du FBI, et un expert légiste de formidable réputation. Je le connaissais depuis des années, et lorsqu'il fit son apparition dans le hall, nous nous embrassâmes, et Lucy lui serra la main.

— Ravi de vous rencontrer, agent spécial Farinelli. Et croyez-moi, j'ai beaucoup entendu parler de vous. Alors, Kay et moi, nous allons faire le sale boulot pendant que vous jouez avec l'ordinateur ?

— Oui, monsieur, répondit-elle gentiment.

— Où pouvons-nous prendre un petit déjeuner ? demanda Gallwey au soldat soudain intimidé et plongé dans la confusion.

Il nous conduisit dans la Suburban du commandant de la base, sous un ciel qui paraissait s'étendre à perte de vue. Des chaînes de montagnes de western désertiques nous entouraient à l'horizon, et la sécheresse avait rabougri la flore du désert, la sauge, les sapins et les pins de Virginie. Dans ce Royaume des Mustangs, ainsi qu'était baptisée la base, avec ses bunkers de munitions, ses armes de la Seconde Guerre mondiale et son immense espace aérien interdit, la route la plus proche se trouvait à cinquante-cinq kilomètres. Les eaux qui s'étaient autrefois retirées avaient laissé des traces de sel, et nous repérâmes une antilope et un aigle.

Nous nous dirigeâmes vers les installations destinées aux tests, situées à environ quinze kilomètres de la partie résidentielle de la base. Le Ditto Diner se trouvait sur le chemin, et nous fîmes une pause pour prendre un café et des sandwiches aux œufs. Puis nous atteignîmes le centre d'essais, installé dans de grands bâtiments modernes derrière des palissades surmontées de fil de fer barbelé.

Partout se dressaient des panneaux avertissant que les intrus n'étaient pas les bienvenus, et qu'on tirerait à vue. Sur chaque bâtiment, un code indiquait ce qui était traité à l'intérieur, et je reconnus les symboles du gaz moutarde, des agents neurotoxiques, ainsi que ceux des virus Ebola, Anthrax et Hanta. Le soldat nous informa que l'épaisseur des murs de béton était de soixante centimètres, et que les réfrigérateurs à l'intérieur étaient conçus pour résister aux explosions. Les procédures d'accès n'étaient pas si différentes de celles que je connaissais déjà. Des gardes nous firent traverser les installations de confinement, Lucy et moi pénétrâmes dans le vestiaire des femmes, et Gallwey dans celui des hommes. Nous nous dévêtîmes, et enfilâmes des treillis de l'Armée, puis, par-dessus, des combinaisons de camouflage avec des capuchons et des lunettes, d'épais gants de caoutchouc noir et des bottes. De même que les combinaisons bleues du CCPM et de l'USAMRIID, elles étaient reliées à une aération interne, mais cette fois-ci, la chambre était entièrement en acier, du sol au plafond. Il s'agissait d'un système en circuit fermé, avec des filtres doubles à carbone, où des véhicules contaminés de l'envergure d'un tank pouvaient être inondés et vaporisés de produits chimiques. Nous étions assurés de pouvoir travailler ici aussi longtemps qu'il le fallait sans mettre personne en danger.

Il était peut-être même possible que nous puissions décontaminer et sauver certaines pièces à conviction, mais cela demeurait difficile à dire. Aucun de nous n'avait jamais travaillé sur une affaire de ce genre. Nous commençâmes par ouvrir la porte de la caravane, et installer des projecteurs dirigés sur l'intérieur. C'était très étrange de se déplacer dans ce lieu où le sol en acier se gondolait bruyamment sous nos pas comme une lame de scie. Au-dessus de nos têtes, un chercheur de l'Armée était installé derrière une vitre dans une salle de contrôle, surveillant tout ce que nous faisions.

Je pénétrai de nouveau la première dans le véhicule, car je voulais passer la scène du crime au peigne fin. Gallwey entreprit de photographier les marques d'outils sur la porte, et de passer dessus de la poudre à empreintes, tandis que je grimpais à l'intérieur, regardant autour de moi comme si je n'y avais jamais mis les pieds. La petite zone qui aurait normalement dû contenir une table et une banquette avait été vidée et transformée en un laboratoire doté d'un équipement sophistiqué qui n'était pas récent mais de très bonne qualité.

Le lapin était toujours vivant. Je le nourris et installai sa cage sur un comptoir en contreplaqué construit avec soin et peint en noir. Un réfrigérateur se trouvait en dessous. J'y trouvai des fioles de cultures cellulaires et des cellules embryonnaires de fibroblastes pulmonaires humains. Il s'agissait de cultures tissulaires utilisées de façon tout à fait habituelle pour nourrir les virus de la variole, tout comme on utilise des engrais pour certaines plantes. Pour entretenir ces cultures, le fermier fou de ce laboratoire mobile disposait d'une bonne réserve de milieu de culture Eagle, supplémenté avec dix pour cent de sérum fœtal de veau. Si l'on ajoutait cela au lapin, tout ceci impliquait que *mordoc* faisait davantage qu'entretenir son virus, il se trouvait en plein protocole de culture virale lorsque la catastrophe s'était produite.

Il avait conservé le virus dans un congélateur à azote liquide qui n'avait pas besoin d'être branché, mais simplement rempli tous les deux ou trois mois. L'appareil ressemblait à un Thermos en acier d'une contenance de quarante litres, et lorsque je dévissai le couvercle, j'en tirai six cryotubes si vieux qu'ils étaient en verre, et non en plastique. Les codes qui devaient identifier la maladie ne ressemblaient à rien de ce que je connaissais, mais il y avait une date, 1978, et une provenance, Birmingham, Angleterre, de minuscules abréviations bien propres, écrites à l'encre noire en minuscules. Je remis dans leur logement glacial les tubes contenant cette horreur gelée, puis continuai ma fouille. Je dénichai vingt sprays glaciaux Vita, et des seringues à tuberculine que le tueur avait sans aucun doute utilisées pour introduire le virus dans les flacons.

Bien entendu, il y avait également des pipettes et des poires en caoutchouc, des boîtes de Pétri, et les flacons à bouchons à vis où se développait le virus. Le milieu de culture dans lequel il croissait était rose. Si celui-ci avait été jaune pâle, en réponse à une augmentation de l'acidité du milieu, cette baisse de pH aurait signifié la présence de déchets et la preuve que les cellules pleines du virus n'avaient pas été baignées depuis un moment dans leur milieu de culture nourrissant.

Je conservais assez de souvenirs de la faculté de médecine et de mon expérience de pathologiste pour savoir que pour propager un virus, il faut nourrir les cellules qui lui servent d'hôte. C'est à cela que sert le milieu de culture rose, qui doit être aspiré à la pipette régulièrement, quand les éléments nutritifs ont été utilisés, ceci afin de le renouveler et de le débarrasser de ses déchets. Le milieu étant encore rose, cela signifiait que cette manipulation avait été effectuée récemment, au moins au cours des quatre derniers jours. *Mordoc* était méticuleux. Il avait cultivé la mort avec soin et amour. Il y avait pourtant deux flacons brisés par terre. Peut-être le lapin, accidentellement sorti de sa cage, les avait-il renversés. Car je ne croyais pas à un suicide, mais plutôt à une catastrophe inattendue qui avait poussé *mordoc* à s'enfuir.

Je me déplaçai lentement un peu plus loin, vers le coin cuisine, où un seul bol et une fourchette propres avaient été mis à sécher sur un torchon à côté de l'évier. Les placards aussi étaient bien rangés, et contenaient des flacons d'épices, des paquets de céréales et de riz, ainsi que des boîtes de soupe aux légumes. Il y avait dans le réfrigérateur du lait écrémé, du jus de pomme, des carottes et des oignons, mais pas de viande. Je refermai la porte, de plus en plus perplexe. Qui était-il donc ? Que faisait-il jour après jour dans cette caravane, sinon préparer ses bombes virales ? Regardait-il la télévision ? Lisait-il ?

J'entrepris de chercher des vêtements, et ouvris en vain des tiroirs. Si cet homme avait passé beaucoup de temps ici, pourquoi n'avait-il pas d'autres habits que ceux qu'il portait sur le dos ? Pourquoi n'y avait-il pas de photos, ou de souvenirs personnels ? Des livres, des catalogues pour commander des lignées de cellules, des cultures tissulaires, des ouvrages de références sur les maladies infectieuses ? Question plus évidente encore, qu'était devenu le véhicule qui avait tiré cette caravane ? Qui était parti avec, et quand ?

Je restai plus longtemps dans la chambre. La moquette était noire de sang là où nous avions traîné le corps à travers les pièces pour le sortir. Je ne sentais rien, n'entendais rien d'autre que l'air circuler dans mon capuchon, tandis que je changeais ma batterie de quatre heures. Comme le reste de la caravane, cette pièce était dépourvue de tout élément intime. Je tirai le dessus-de-lit à fleurs, découvris que l'oreiller et les draps étaient froissés sur un côté, indiquant que quelqu'un avait dormi là. Je trouvai u cheveu gris court, que je ramassai avec une pince, en me souvenant que le mort avait les cheveux bruns et plus longs.

Au mur était suspendue une mauvaise photo de bord de mer, que je détachai pour voir si elle portait une mention de l'endroit où elle avait été encadrée. De l'autre côté du lit, sous une fenêtre, j'explorai la banquette recouverte de plastique vert vif sur laquelle reposait un cactus. C'était bien la seule chose vivante de cette caravane, si l'on exceptait ce qui se trouvait dans la cage, l'incubateur et le congélateur. Je tâtai la terre du doigt, constatai qu'elle n'était pas très sèche, puis posai la plante par terre et soulevai le couvercle de la banquette.

Personne ne l'avait ouverte depuis des années, à en juger par la poussière et les toiles d'araignée. J'y trouvai un petit chat en caoutchouc, un vieux chapeau bleu, et une vieille pipe en épi de maïs mâchonnée. J'éprouvai le sentiment que tout ceci n'appartenait pas à la personne qui vivait là, laquelle n'avait même probablement jamais remarqué ces objets. Je me demandai si la caravane avait été celle d'une famille, puis me mis à quatre pattes et rampai jusqu'à ce que je trouve la douille et la bourre de la cartouche, que je scellai également dans un sachet à pièces à conviction.

Lorsque je regagnai le laboratoire, Lucy était installée devant l'ordinateur portable.

— Il y a un mot de passe, annonça-t-elle dans son micro à activation vocale.

— Moi qui espérais que tu tomberais sur quelque chose de difficile.

Elle était déjà entrée dans les fichiers DOS. La connaissant, et l'ayant déjà vue faire, je savais qu'elle allait se débarrasser du mot de passe en quelques minutes.

La voix de Gallwey s'éleva dans mon capuchon :

— Kay ? J'ai quelque chose de bien, ici.

Je descendis les marches en prenant soin de ne pas emmêler mon arrivée d'air. Il se trouvait sur le

devant de la caravane, accroupi devant la languett
sur laquelle le numéro de série du véhicule avait é
effacé. Après avoir poli la surface au papier de ver
fin jusqu'à ce qu'elle ressemble à un miroir, il appl
quait maintenant une solution de chlorure de cuiv
et d'acide chlorydrique pour dissoudre le métal égra
tigné et faire réapparaître le numéro profondémer
embouti en dessous et que le tueur pensait avo
limé.

Sa voix me résonna aux oreilles :

— Les gens ne réalisent pas à quel point il est di
ficile de se débarrasser de ces trucs.

— A moins d'être des voleurs de voiture profes
sionnels.

— En tout cas, celui qui a fait ça n'a pas fait d
très bon travail. Je crois qu'on l'a, ajouta-t-il en pr
nant des photos.

— Espérons que la caravane est immatriculée.

— Qui sait ? Nous aurons peut-être de la chance

— Et les empreintes ?

La porte et son chambranle d'aluminium étaier
barbouillés de poudre noire.

— Quelques-unes, mais Dieu seul sait à qui elle
appartiennent ! dit-il en se relevant et en s'étirant. J
vais m'occuper de l'intérieur dans une minute.

Entre-temps, Lucy explorait les entrailles de l'ord
nateur, sans récolter, elle non plus, grand-chose qu
puisse nous mettre sur la piste de *mordoc*. Ell
trouva cependant des fichiers de nos conversation
sur les forums qu'il avait sauvegardés. Les voir appa
raître sur l'écran donnait le frisson, et je me demar
dai combien de fois il les avait relus. Il y avait égale
ment des notes de laboratoire détaillées sur l
multiplication des cellules infectées par le virus, c
qui était intéressant. Apparemment, il avait entam
son travail très tôt, à l'automne, moins de deux moi
avant que nous ne découvrions le torse.

A la fin de l'après-midi, nous avions fait tout ce qu
nous pouvions, sans découverte fracassante. Nou
prîmes des douches de décontamination, tandis qu

la caravane était aspergée de formaldéhyde gazeux. Je conservai mes treillis de l'armée, car après tout ce qu'avait subi mon tailleur, je ne tenais pas à le remettre.

— Evidemment, c'est une garde-robe un peu particulière, commenta Lucy en quittant le vestiaire. Tu devrais mettre un rang de perles, ça l'égayerait un peu.

Je rétorquai :

— Quelquefois, tu ressembles vraiment à Marino.

Les journées s'étirèrent jusqu'au week-end, et puis celui-ci s'écoula également sans événements particuliers autres qu'exaspérants. J'avais oublié l'anniversaire de ma mère, qui ne m'avait pas traversé l'esprit une seconde.

— Alors, tu as la maladie d'Alzheimer ? me rabroua-t-elle au téléphone. Tu ne viens jamais, et maintenant tu n'appelles même plus. Je ne vais pas en rajeunissant, tu sais.

Elle se mit à pleurer, et je me sentis, moi aussi, proche des larmes.

— Je viendrai à Noël, dis-je comme tous les ans. Je me débrouillerai, j'amènerai Lucy, je te le promets. C'est dans peu de temps.

Je me rendis en ville découragée et épuisée. Lucy ne s'était pas trompée. Au camping, le tueur n'avait utilisé la ligne téléphonique que pour se connecter sur AOL, et nous n'avions rien récolté d'autre que le numéro volé de la carte de crédit de Perley. *Mordoc* n'appelait plus. Vérifier sa présence était devenu pour moi une obsession, et je me retrouvais parfois sur ce forum, l'attendant, alors que je n'étais même pas sûre que le site soit surveillé par le FBI.

L'origine du virus congelé que j'avais retrouvé dans la caravane demeurait inconnue. Les tentatives pour déterminer son ADN continuaient. Les chercheurs du CCPM savaient en quoi le virus était différent, mais sans connaître sa nature, et jusqu'à présent, les primates vaccinés demeuraient sensibles à son action. Quatre autres personnes, dont deux pêcheurs découverts à Crisfield, avaient été touchés par une forme bénigne de la maladie. La quarantaine était maintenue, l'économie de l'île s'effondrait, mais personne d'autre ne semblait être malade. A Richmond, seul Wingo était atteint, son corps souple et son visage doux ravagés de pustules. J'avais tenté de le voir à plusieurs reprises, mais il avait toujours refusé.

J'étais dans un état d'accablement total, et il m'était difficile de me consacrer à d'autres affaires tant que celle-ci n'aboutissait pas. Nous savions que l'homme de la caravane ne pouvait être *mordoc*. Les empreintes nous avaient menés à un vagabond doté d'un épais casier judiciaire avec des arrestations pour vol et trafic de drogue, et deux inculpations pour agression et tentative de viol. Il se trouvait en liberté sur parole lorsqu'il avait utilisé son couteau de poche pour forcer la porte de la caravane, et personne ne doutait plus que sa mort soit autre chose qu'un homicide.

Je pénétrai dans mon bureau à huit heures quinze. Lorsqu'elle m'entendit, Rose fit son apparition sur le seuil de la porte.

— J'espère que vous vous êtes reposée, me dit-elle.

Je ne l'avais jamais vue manifester autant d'inquiétude à mon égard.

— Oui, merci, répondis-je avec un sourire.

Je lisais l'anxiété dans son regard, et je me sentis coupable et honteuse, comme si je m'étais mal conduite. Je demandai :

— Des nouvelles ?

— Rien à propos de Tangier Island. Essayez de penser à autre chose, docteur Scarpetta. Nous avons cinq cas ce matin. Regardez tout ce qui s'empile sur votre bureau. Et j'ai au moins deux semaines de retard dans la correspondance et les registres, que vous n'avez pas pu me dicter pendant votre absence.

— Je sais, Rose, je sais, dis-je avec un soupir. Commençons par le commencement. Essayez de nouveau de m'avoir Phyllis, et si on vous dit encore qu'elle est malade, extorquez-leur un numéro où on puisse la joindre. J'ai tenté de l'appeler chez elle plusieurs jours de suite, mais personne ne répond.

— Si je l'ai, je vous la passe ?

— Bien sûr.

Un quart d'heure plus tard, alors que je me préparais à entrer en réunion, Rose réussit à me transmettre la communication.

— Où diable êtes-vous, et comment allez-vous ? demandai-je à Phyllis Crowder.

— Oh, c'est cette fichue grippe. Débrouillez-vous pour ne pas l'attraper.

— C'est déjà fait, et je suis en train de m'en débarrasser. J'ai essayé de vous appeler chez vous, à Richmond.

— Je suis chez ma mère, à Newport News. Vous savez, je travaille quatre jours par semaine, et depuis des années, je passe les trois autres jours ici.

Je l'ignorais, mais nous n'avions jamais véritablement entretenu de relations suivies.

— Phyllis, je suis désolée de vous déranger alors que vous êtes malade, mais j'ai besoin de votre aide. En 1978, il s'est produit un accident au labo où vous travailliez à Birmingham, en Angleterre. J'ai retrouvé tout ce que j'ai pu à ce sujet, mais je ne sais qu'une chose, c'est qu'une photographe médicale travaillait juste au-dessus d'un labo de variole...

Elle m'interrompit :

— Oui, oui, je connais l'affaire. On pense que la photographe a été exposée au virus par l'intermédiaire d'un conduit de ventilation. Elle est morte, et le virologue s'est suicidé. Le cas est toujours cité par les gens qui sont favorables à la destruction de toutes les souches de virus congelées.

— Vous travailliez dans ce labo lorsque cela s'est produit ?

— Non, Dieu merci ! C'était quelques années après mon départ. Je me trouvais déjà aux Etats-Unis à cette époque.

La déception m'envahit. Elle fut prise d'une quinte de toux, presque incapable de parler.

— Pardon ! C'est dans ces moments-là qu'on déteste vivre seul.

— Vous n'avez personne pour veiller sur vous ?

— Non.

— Et vos courses ?

— Je me débrouille.

— Je peux vous apporter quelque chose.

— Il n'en est pas question.

— Je vous aiderai si vous m'aidez, ajoutai-je. Vous avez des dossiers à propos de Birmingham ? A propos des recherches qui y étaient en cours lorsque vous y travailliez ? Quoi que ce soit que vous pourriez retrouver ?

— Oh, sûrement, ça doit être enterré quelque part dans cette maison, répondit-elle.

— Eh bien, déterrez-les, et je vous apporte un bon ragoût.

La réunion expédiée, je courus à toutes jambes vers ma voiture. Une fois chez moi, je sortis du congélateur plusieurs portions de ragoût maison puis je fis le plein de la voiture avant de m'engager sur la Route 64, en direction de l'est. J'informai Marino par téléphone de ce que j'allais faire.

Il s'exclama :

— Cette fois-ci, vous avez vraiment perdu les pédales ! Vous allez faire cent cinquante kilomètres pour apporter à bouffer à quelqu'un ? Vous auriez pu la faire livrer.

— Le point important n'est pas là, dis-je en mettant mes lunettes de soleil. Le point important, c'est qu'il peut y avoir des éléments chez elle. Elle peut savoir quelque chose qui va nous aider.

— OK, tenez-moi au courant. Vous avez votre Pager, hein ?

— Oui.

A cette heure-là, la circulation était fluide, et je ne dépassai pas les quatre-vingt-quinze kilomètres heure en vitesse de croisière, pour ne pas récolter de ontravention. En moins d'une heure, je dépassais Villiamsburg, et vingt minutes plus tard, je suivais l'itinéraire que Phyllis Crowder m'avait indiqué jusqu'à son adresse à Newport News. Le quartier, du nom de Brandon Heights, abritait des classes sociales de niveaux économiques différents, et les maisons devenaient plus grandes en se rapprochant de la James River. La sienne était une modeste maison à un étage récemment repeinte d'un jaune coquille d'œuf, dont le jardin et les abords étaient bien entretenus.

Je me garai derrière un van, jetai sur mon épaule mon sac et ma serviette, et ramassai les boîtes de ragoût. Lorsque Phyllis Crowder m'ouvrit, elle avait une tête à faire peur, le visage pâle et les yeux brillants de fièvre. Elle portait une robe de chambre de flanelle et des chaussons de cuir qui avaient l'air d'avoir autrefois appartenu à un homme.

— Je ne peux pas croire que vous soyez aussi gentille, dit-elle en m'invitant à entrer. Ou alors, vous êtes folle.

— Tout dépend des gens à qui vous posez la question.

Je m'arrêtai pour regarder les photographies suspendues aux sombres boiseries du couloir de l'entrée. La plupart représentaient des gens en randonnée ou à la pêche, et avaient été prises de longues années auparavant. Mon regard s'attarda sur l'une d'elles, le portrait d'un homme âgé coiffé d'un chapeau bleu pâle, qui tenait un chat en souriant, les dents serrées sur une pipe en épi de maïs.

— Mon père, expliqua Phyllis Crowder. Mes parents vivaient ici, et avant eux, mes grands-parents maternels. Ce sont eux, là, dit-elle en me les désignant du doigt. Quand les affaires de mon père ont commencé à péricliter en Angleterre, ils sont venus ici, et ont emménagé avec la famille de ma mère.

— Et vous ? demandai-je.

— Je suis restée là-bas, à l'école.

Je la dévisageai, persuadée qu'elle n'était pas aussi âgée qu'elle voulait me le laisser croire.

— Vous essayez toujours de me convaincre que vous êtes un dinosaure, comparée à moi, mais je ne crois pas que ce soit le cas, lui dis-je.

— Peut-être les années ont-elles moins de prise sur vous, remarqua-t-elle en soutenant mon regard de ses yeux noirs fiévreux.

Je continuai de contempler les photos, et demandai :

— Vous avez encore de la famille ?

— Mes grands-parents sont morts il y a presque dix ans, mon père il y a cinq ans. Après cela, je suis venue tous les week-ends prendre soin de Maman. Elle s'est accrochée tant qu'elle l'a pu.

— Cela n'a pas dû être facile, avec votre carrière, remarquai-je en examinant une photo d'elle plus jeune, prise à bord d'un bateau. Elle riait et brandissait une truite arc-en-ciel.

— Vous voulez vous asseoir ? Je vais mettre ça dans la cuisine.

— Non, non, insistai-je, montrez-moi le chemin et ne vous fatiguez pas.

Elle me fit traverser une salle à manger qui ne semblait pas avoir été utilisée depuis des années. Le lustre avait disparu, les fils électriques à nu pendaient au-dessus d'une table poussiéreuse, et les rideaux avaient été remplacés par des stores. Je sentis mes cheveux se hérisser sur mon crâne, et lorsque nous pénétrâmes dans la grande cuisine à l'ancienne, je fis un effort surhumain pour garder mon calme tout en posant le ragoût sur le comptoir.

Elle demanda :

— Du thé ?

Elle ne toussait presque plus, maintenant, et même si elle était malade, ce n'était pas la raison pour laquelle elle s'était absentée de son travail.

— Non, rien.

Elle me sourit, mais son regard était perçant, et tandis que nous nous installions à la table de la cuisine, je me demandais frénétiquement ce que j'allais

330

faire. Ce que je soupçonnais ne pouvait être possible, ou bien alors j'aurais dû le deviner plus tôt ? Je la connaissais depuis plus de quinze ans. Nous avions travaillé ensemble sur d'innombrables cas, nous avions échangé des informations, nous apitoyant sur notre sort de femmes. Autrefois, nous avions partagé cafés et cigarettes. Je l'avais toujours trouvée charmante, brillante, sans jamais rien percevoir de sinistre chez elle. Et en même temps que ces pensées me venaient, je réalisais que c'était exactement ce que les gens disaient toujours de leur voisin serial killer, violeur ou pédophile.

— Discutons de Birmingham, lui dis-je.
— Allons-y.

Son sourire s'était évanoui.

— La souche de la maladie a été retrouvée. Les flacons portent des étiquettes datées de 1978, à Birmingham. Je me demande si le labo là-bas ne procédait pas à des recherches sur des souches mutantes de variole. Vous étiez peut-être au courant... ?

Elle m'interrompit :

— Je ne me trouvais pas là-bas en 1978.
— Je crois que si, Phyllis.
— Cela n'a aucune importance, déclara-t-elle en se levant pour préparer une bouilloire.

Je ne répondis rien, et attendis qu'elle vienne se rasseoir.

— Je suis malade, et vous devriez l'être aussi, maintenant, annonça-t-elle.

Je savais qu'elle ne parlait pas de la grippe.

— Je suis surprise que vous n'ayez pas créé votre propre vaccin avant d'entreprendre tout ceci. C'était un peu imprudent pour quelqu'un d'aussi méticuleux que vous.

— Je n'en aurais pas eu besoin si ce salopard ne s'était pas introduit dans la caravane et n'avait pas tout cassé ! aboya-t-elle. Ce porc dégoûtant et crasseux ! ajouta-t-elle en tremblant de rage.

— Pendant que vous me parliez, sur AOL. Voilà pourquoi vous êtes restée en ligne sans vous déconnecter, parce qu'il a commencé à forcer votre porte. Vous l'avez tué, et vous vous êtes enfuie avec votre van. Je suppose que vous ne vous rendiez à James Island que pendant vos longs week-ends, pour pouvoir transférer votre jolie maladie dans de nouveaux flacons, et nourrir vos précieux bébés.

Tout en parlant, je sentais la fureur m'envahir, mais elle ne semblait pas s'en soucier. Au contraire, elle y prenait plaisir.

— Après toutes ces années de médecine, les gens ne sont donc rien de plus pour vous que des lames et des boîtes de Pétri ? Et leurs visages, Phyllis ? J'ai vu les gens à qui vous avez infligé ça, continuai-je en me penchant vers elle. Une vieille femme, qui est morte seule dans son lit souillé, sans personne pour entendre ses appels à l'aide. Et maintenant Wingo qui refuse que je le voie, un jeune homme bon et honnête, qui est en train de mourir. Vous le connaissez, il est venu dans votre labo ! Que vous avait-il fait ?

Elle demeura immobile, rayonnante de colère, elle aussi.

— Vous avez laissé le spray Vita dans une des niches où Lila Pruitt vendait des recettes pour vingt-cinq cents. Dites-moi si je me trompe, continuai-je d'un ton mordant. Elle a pensé que son courrier avait été mal distribué, et qu'un voisin le lui avait déposé. Comme c'était agréable de recevoir un petit échantillon gratuit comme ça, avec lequel elle s'est aspergé le visage ! Elle l'avait posé sur sa table de nuit, et le vaporisait sans cesse pour calmer sa douleur.

Ma collègue demeurait silencieuse, le regard flamboyant.

— Vous avez probablement livré toutes vos petites bombes en même temps à Tangier Island. Puis ensuite celles qui m'étaient destinées, à moi et mon personnel. Et quel était votre plan, après cela ? Le monde ?

— Peut-être, fut tout ce qu'elle trouva à dire.

— Pourquoi ?

— Ce sont les autres qui ont commencé. Œil pour œil, dent pour dent.

Je m'efforçai de contrôler ma voix :

— Que vous a-t-on fait qui puisse seulement se comparer à cela ?

— J'étais à Birmingham quand ça s'est produit. L'accident. On a suggéré que c'était en partie de ma faute, et j'ai été obligée de partir. C'était complètement injuste, un échec total pour moi, alors que j'étais jeune, toute seule, effrayée. Mes parents étaient partis pour les Etats-Unis, pour vivre ici, dans cette maison. Ils aimaient la vie au grand air, camper, pêcher, ils aimaient tout ça.

Elle contempla le vide un long moment, comme si elle s'était replongée dans le passé.

— Cela n'avait pas grande importance, mais j'avais travaillé dur. J'ai trouvé un autre travail à Londres, mais trois échelons en dessous de mon poste précédent. (Son regard se fixa sur moi.) Ce n'était pas juste. C'était le virologiste qui avait provoqué l'accident. Mais parce que je me trouvais là ce jour-là, et que lui avait trouvé commode de se suicider, c'était facile de me faire porter le chapeau. Et puis, je n'étais qu'une enfant, au fond.

— Alors en partant, vous avez volé la souche du virus.

Elle eut un sourire froid.

— Et vous l'avez conservée toutes ces années ?

— Ce n'est pas difficile quand il y a des congélateurs à azote dans tous les endroits où vous travaillez, et quand vous vous portez toujours volontaire pour surveiller l'inventaire, dit-elle avec fierté. Je l'ai gardée.

— Pourquoi ?

— Pourquoi ? répéta-t-elle d'une voix aiguë. C'était moi qui travaillais dessus quand l'accident est arrivé ! Elle était à moi, et je me suis assurée que je l'emportais avec mes autres recherches quand je suis partie. Pourquoi leur aurais-je laissé ? Ils n'étaient pas assez malins pour faire ce que moi j'avais réussi.

— Mais il ne s'agit pas de variole. Pas exactement.

— Eh bien, c'est même pire, non ? dit-elle, les lèvres frémissantes d'émotion alors qu'elle se remémorait cette époque. J'ai inclus l'ADN de la variole du singe dans le génome de la variole.

Ses mains tremblaient, et elle se moucha avec une serviette, de plus en plus surexcitée. Elle continua, les yeux brillants de larmes de fureur :

— Et puis au début de l'année universitaire, on me souffle le poste de chef de département !

— Phyllis, ce n'est pas juste...

— La ferme ! hurla-t-elle. Avec tout ce que j'ai consacré à cette foutue fac ? Je suis la plus ancienne, celle qui a torché tout le monde, vous y compris, et ils donnent le poste à un homme parce que je n'ai pas assez de titres ! cracha-t-elle.

— Ils l'ont donné à un pathologiste de Harvard qui méritait le poste, déclarai-je d'un ton catégorique. Et cela n'a aucune importance. Ce que vous avez fait n'a aucune excuse. Vous avez conservé un virus toutes ces années pour arriver à cela ?

Le sifflement de la bouilloire nous vrillait les tympans. Je me levai et éteignis le gaz.

— Ce n'est pas la seule maladie exotique que j'aie dans mes archives. J'en ai réuni plusieurs. Je voulais me lancer réellement un jour dans un projet important. Etudier les virus les plus redoutés, découvrir encore plus de choses sur le système immunitaire, pour nous épargner d'autres fléaux comme le sida. Je pensais remporter, un jour peut-être, le prix Nobel.

Elle était maintenant d'un calme étrange, et comme satisfaite d'elle-même.

— Non, je ne dirais pas qu'à Birmingham, mon intention était de répandre un jour une épidémie.

— Justement, vous n'y êtes pas parvenue, rectifiai-je.

Ses yeux s'étrécirent, et elle me lança un regard diabolique. Je continuai :

— A l'exception des gens dont on pense qu'ils ont

utilisé le spray facial, personne n'est tombé malade. J'ai été exposée plusieurs fois aux patients, et je vais bien. Le virus que vous avez créé est une impasse, il affecte sa première victime, mais ne se réplique pas. Il n'y a pas d'infection secondaire, pas d'épidémie. Ce que vous avez provoqué, c'est la panique, la maladie et la mort d'une poignée d'innocentes victimes. Et vous avez mis à mal l'industrie de la pêche sur une île peuplée de gens qui n'ont probablement jamais entendu parler du prix Nobel.

Je m'adossai à mon siège et l'observai, mais elle n'avait pas l'air de s'en soucier.

— Pourquoi m'avez-vous envoyé des photos et des messages ? demandai-je avec insistance. Les photos que vous avez prises dans votre salle à manger. Qui vous a servi de cobaye ? Votre vieille mère infirme ? Vous l'avez aspergée avec le virus, pour voir si ça marchait ? Et lorsque vous en avez eu confirmation, vous l'avez tuée d'une balle dans la tête. Vous l'avez démembrée avec une scie d'autopsie pour que personne ne puisse faire le lien entre cette mort et l'empoisonnement des sprays ?

— Tu te crois si intelligente, me dit *mordoc*.

— Vous avez assassiné votre propre mère, et vous l'avez enveloppée dans une bâche parce que vous ne pouviez pas supporter de la regarder pendant que vous la démembriez.

Elle détourna les yeux. Mon Pager vibra à cet instant.

J'y déchiffrai le numéro de Marino, puis sortis mon téléphone sans la quitter du regard un seul instant.

— Oui ? fis-je lorsqu'il répondit.

— On a une touche avec la caravane. On a remonté la piste jusqu'à un fabricant, puis à une adresse à Newport News. J'ai pensé que ça vous intéresserait. Des agents devraient arriver là-bas d'un moment à l'autre.

— J'aurais préféré que le Bureau fasse cette

touche un peu plus tôt. Mais je recevrai les agents à la porte.

— Quoi ? Qu'est-ce que vous racontez ?

Je raccrochai sans répondre.

Mordoc se remit à parler d'un ton suraigu.

— J'ai communiqué avec toi parce que je savais que tu me prêterais attention ! Je voulais que pour une fois, tu perdes la partie, toi, le célèbre docteur, le célèbre expert !

— Vous étiez une collègue et une amie.

— Et je te déteste ! hurla-t-elle, écarlate, la poitrine soulevée de rage. Je t'ai toujours détestée ! Le système t'a toujours mieux traitée que moi, tu as toujours été le centre de l'attention ! Le grand docteur Scarpetta, la légende ! Ha, mais regarde qui a gagné ? En fin de compte, c'est moi qui t'ai eue, hein ?

Je me refusai à répondre.

— Je t'ai fait tourner en bourrique, hein ?

Elle s'empara d'un flacon d'aspirine, et en sortit deux en me regardant.

— Je t'ai fait entrevoir la mort, attendre dans le cyberespace. M'attendre, moi ! dit-elle d'un ton triomphant.

On frappa bruyamment à la porte d'entrée avec un objet métallique. Je repoussai ma chaise.

— Qu'est-ce qu'ils vont faire ? M'abattre ? Ou toi, peut-être ? Je parie que tu as une arme dans un de ces sacs ! grinça-t-elle, hystérique. Moi, j'en ai une dans l'autre pièce, et je vais la chercher tout de suite !

Elle se leva, tandis qu'on continuait de frapper, et une voix impérieuse ordonna :

— FBI, ouvrez !

Je l'agrippai par le bras.

— Personne ne va vous abattre, Phyllis.

— Lâche-moi !

Je la poussai vers la porte.

— Lâche-moi !

— Votre punition sera de mourir comme eux, dis-je en la traînant de force.

Elle hurla :

— NON !

La porte s'ouvrit à toute volée, et le choc du battant contre le mur fit tomber de leurs crochets plusieurs photos.

Deux agents du FBI, dont Janet, pénétrèrent dans la maison, l'arme à la main. Ils passèrent les menottes au docteur Phyllis Crowder, qui s'était effondrée sur le sol. Une ambulance la transporta au Sentara Norfolk General Hospital, où elle mourut vingt et un jours plus tard, entravée sur son lit, couverte de pustules fulminantes. Elle avait quarante-quatre ans.

ÉPILOGUE

Je fus incapable de prendre la décision tout de suite, et la repoussai jusqu'au premier de l'An, où les gens sont censés procéder à des changements, prendre des résolutions, faire des promesses dont ils savent qu'ils ne les tiendront jamais. Benton et moi étions assis par terre devant la cheminée, dégustant du champagne tandis que mon toit d'ardoise grinçait sous le poids de la neige.

Je lui déclarai :

— Benton, je dois me rendre quelque part.

Il eut l'air ahuri, comme si je voulais dire « tout de suite », et répondit :

— Il n'y a pas grand-chose d'ouvert, Kay.

— Non, je parle d'un voyage, en février, peut-être. A Londres.

Il demeura silencieux, sachant de quoi je parlais, puis posa son verre sur le foyer et me prit la main.

— J'espérais bien que tu irais un jour. Aussi pénible que cela puisse être, tu devrais vraiment le faire. Pour mettre un terme à tout cela, avoir l'esprit en paix.

— Je ne suis pas sûre d'être capable d'avoir l'esprit en paix.

Je retirai ma main et repoussai mes cheveux. Pour lui aussi, c'était difficile. Il ne pouvait en être autrement.

— Il doit te manquer, lui dis-je. Tu n'en parles jamais, mais il était comme un frère pour toi. Je me souviens de tout ce que nous avons fait ensemble, tous les trois. Cuisiner, voir des films, discuter de nos affaires, et de la dernière crasse du gouvernement, les impôts, les congés forcés, les suppressions de budgets.

Il eut un léger sourire en fixant les flammes.

— Et moi je pensais que cet enfant de salaud avait bien de la chance de t'avoir ! Je me demandais à quoi cela pouvait ressembler. Maintenant, je le sais, et j'avais raison, il avait vraiment de la veine. C'est probablement la seule personne à qui j'aie jamais réellement parlé, en dehors de toi. C'est bizarre, d'une certaine façon. Mark était un des individus les plus égocentriques que j'aie jamais connus, une de ces créatures magnifiques et profondément narcissiques. Mais il était bon, intelligent, et je ne crois pas qu'on cesse jamais de regretter quelqu'un comme lui.

Vêtu d'un pull de laine blanche et de treillis couleur crème, Wesley était presque radieux à la lueur du feu.

— Si tu sors comme ça ce soir, tu vas disparaître, remarquai-je.

Il me lança un coup d'œil perplexe.

— Habillé comme ça, dans la neige. Si tu tombes dans un fossé, personne ne te retrouvera avant le printemps. Tu devrais porter quelque chose de sombre, par une nuit comme celle-là. Tu sais, par contraste.

— Kay, arrête. Si je faisais du café ?

— C'est comme les gens qui veulent un 4 × 4 pour l'hiver, alors ils achètent une voiture blanche. A quoi ça rime quand on glisse sur une route blanche, sous un ciel blanc, avec des trucs blancs qui voltigent partout ?

— Qu'est-ce que tu racontes, Kay ? dit-il en me regardant.

— Je ne sais pas.

Je sortis la bouteille de champagne de son seau. L'eau dégoulina tandis que je remplissais nos coupes. J'avais deux verres d'avance sur lui. Le lecteur de disques compacts était plein à craquer de tubes des années soixante-dix, et les baffles des murs résonnaient de Three Dog Night. C'était un de ces rares moments où j'étais susceptible de me soûler. Je n'arrêtais pas d'y penser, et de revivre la scène. Je n'avais rien deviné, avant de me retrouver dans cette pièce aux fils électriques pendant du plafond, et de voir l'endroit où des mains et des pieds tranchés ensanglantés avaient été alignés. Ce n'est qu'à cet instant que la vérité s'était imprimée dans mon cerveau, et je n'arrivais pas à me le pardonner.

Je dis doucement :

— J'aurais dû savoir que c'était elle, Benton. J'aurais dû le savoir avant d'aller chez elle, avant de voir les photos, et cette pièce. Je veux dire, je devais le sentir quelque part au fond de moi, et je n'ai pas fait attention.

Il ne répondit pas, ce que je pris pour une accusation supplémentaire.

Je marmonnai de nouveau :

— J'aurais dû deviner que c'était elle. Des gens auraient pu être sauvés.

— C'est toujours facile à dire après coup, répondit-il d'un ton doux mais ferme. Les gens qui vivent à côté des serial killers de ce monde sont toujours les derniers à le savoir, Kay.

— Et ils ne savaient pas ce que je sais, moi, Benton.

Je bus une gorgée de champagne.

— Elle a tué Wingo.

— Tu as fait de ton mieux, me rappela-t-il.

— Il me manque, dis-je avec un soupir de tristesse. Je ne suis pas allée sur sa tombe.

— Si on passait au café ? suggéra-t-il de nouveau.

Je ne voulais pas du moment présent, et je continuai :

— Pourquoi est-ce que je ne peux pas simplement me laisser aller de temps en temps ?

Benton me massa la nuque, et je fermai les yeux.

— Pourquoi faut-il toujours que je sois logique ?

murmurai-je. Précise là-dessus, exacte pour ça. *Compatible avec, caractéristique de* : voilà des mots aussi froids et tranchants que les scalpels que j'utilise. Et à quoi vont-ils me servir au tribunal, quand le sort de Lucy sera en jeu ? Sa carrière, sa vie ? Tout ça à cause de ce salopard de Ring. Moi, le témoin expert, la tante aimante.

Une larme glissa sur ma joue.

— Seigneur, Benton, je suis tellement fatiguée.

Il se déplaça et m'enlaça, me tirant contre lui de façon que je puisse reposer ma tête sur son épaule.

— J'irai avec toi, souffla-t-il dans mes cheveux.

Nous montâmes dans un taxi noir londonien à destination de Victoria Station le 18 février, jour anniversaire d'un attentat à la bombe qui avait déchiqueté une poubelle et fait sauter une entrée de métro, une taverne et un café. Des moellons avaient été projetés dans tous les sens, le verre brisé s'était abattu avec une force terrifiante en une pluie de missiles et de shrapnels. Ce n'était pas Mark que visait l'IRA. Sa mort n'avait rien à voir avec le fait qu'il appartenait au FBI. Il s'était simplement trouvé au mauvais endroit au mauvais moment, comme tant d'autres victimes.

La gare fourmillait d'une foule de banlieusards qui faillit me renverser tandis que nous nous frayions un chemin jusqu'à la zone centrale où des agents des chemins de fer s'affairaient derrière leurs guichets. Les horaires des trains s'affichaient sur des panneaux au mur, des kiosques vendaient des bonbons et des fleurs, et on pouvait changer de l'argent ou se faire faire une photo d'identité. Les poubelles étaient rangées à l'intérieur des McDonald's ou de ce genre de lieux, et je n'en distinguai pas une en plein air.

— Ce n'est plus un bon endroit pour placer une bombe, dit Wesley, qui venait de remarquer la même chose.

— On tire profit de l'expérience, dis-je tout en me sentant trembler intérieurement.

J'examinai les alentours en silence. Les pigeons volaient au-dessus de nos têtes, ou trottinaient à la recherche de miettes. L'entrée du Grosvenor Hotel jouxtait la Victoria Taverne, où l'événement s'était produit. Personne ne savait exactement ce que faisait Mark à ce moment-là, mais on avait supposé qu'au moment de l'explosion, il était installé à l'une des petites tables hautes devant la taverne.

Nous savions qu'il attendait l'arrivée du train de Brighton, et qu'il avait rendez-vous avec quelqu'un. Jusqu'à ce jour, j'ignorais avec qui, car l'identité de cet individu ne pouvait être révélée pour des raisons de sécurité. C'était ce que l'on m'avait dit. Il y avait de nombreux éléments que je n'avais jamais compris, comme la coïncidence du minutage, et si cette personne que Mark devait rencontrer avait également été tuée. Je passai en revue le toit de verre et de poutrelles d'acier, la vieille horloge sur le mur de granit, les arcades. L'explosion n'avait laissé de traces indélébiles que sur les gens.

Je remarquai d'une voix mal assurée :

— C'est drôle de se trouver à Brighton au mois de février. Pourquoi quelqu'un viendrait-il d'une station balnéaire à ce moment de l'année ?

— Je l'ignore, répondit-il en regardant autour de lui. Tout ça était une affaire de terrorisme. Comme tu sais, Mark travaillait là-dessus. Alors, personne ne confie grand-chose, dans ce domaine.

— C'est vrai. Il travaillait là-dessus, il est mort à la suite d'un acte de terrorisme, et personne ne semble penser qu'il puisse y avoir un lien. Personne n'a évoqué la possibilité que ce ne soit pas un hasard.

Il ne dit rien, et je le regardai. J'avais le cœur lourd, il me semblait que mon esprit sombrait dans l'obscurité d'un insondable océan. La foule, les pigeons, les annonces continuelles au tableau se fondirent en un tumulte étourdissant, et l'espace d'un instant, tout devint noir. Wesley me rattrapa alors que je vacillais.

— Tu te sens bien ?

343

— Je veux savoir avec qui il avait rendez-vous.

— Allons, Kay, dit-il avec douceur. Viens, allons nous asseoir quelque part.

Je persistai :

— Je veux savoir si l'explosion a eu lieu parce qu'un certain train arrivait à une certaine heure. Je veux savoir si tout ça n'est pas de la fiction.

— De la fiction ?

Mes yeux se remplirent de larmes.

— Comment puis-je savoir s'il ne s'agit pas d'une ruse, d'une couverture, s'il n'est pas vivant, s'il ne se cache pas quelque part ? S'il n'est pas un témoin protégé, avec une nouvelle identité ?

La tristesse s'était peinte sur le visage de Wesley, et il me prit la main.

— Non, ce n'est pas le cas. Viens.

Mais je refusai de bouger.

— Je dois savoir la vérité. Si ça s'est vraiment passé. Qui devait-il rencontrer, et où se trouve maintenant cette personne ?

— Ne fais pas ça.

La foule nous contournait, sans que personne ne nous prête attention. L'écho de milliers de pas résonnait comme un ressac furieux, et des claquements métalliques provenaient des voies où des ouvriers posaient de nouveaux rails.

Je m'essuyai les yeux, et déclarai d'une voix tremblante :

— Je pense qu'il ne devait rencontrer personne, et que tout ça n'est qu'un vaste mensonge du FBI.

Il soupira, le regard dans le vide.

— Ce n'est pas un mensonge, Kay.

— Alors, qui ? Je dois savoir ! criai-je.

Les gens nous regardaient, maintenant, et Wesley m'entraîna à l'écart, en direction du quai 8, où le train de 11 h 46 partait à destination de Denmark Hill et Peckham Rye. Il me fit gravir une rampe carrelée de bleu et blanc, jusqu'à la consigne, pleine de bancs et de vestiaires. Je sanglotais sans pouvoir m'en empêcher. J'étais désemparée, furieuse, et il me

conduisit dans un coin désert, où il m'assit doucement sur un banc.

— Dis-le-moi, Benton, je t'en prie, il faut que je
sache ! Ne me laisse pas continuer sans connaître la
vérité jusqu'à la fin de mes jours, suppliai-je en suf-
foquant de larmes.

Il me prit les mains.

— Tu peux laisser reposer tout ça en paix. Mark
est mort, je te le jure. Tu crois vraiment que je pourrais entretenir avec toi cette relation si je savais qu'il
est vivant, quelque part ? dit-il avec passion. Mon
Dieu, comment peux-tu même imaginer que je ferais
une chose pareille !

J'insistai :

— Qu'est-il arrivé à la personne avec laquelle il
avait rendez-vous ?

Il hésita.

— Elle est morte, malheureusement. Ils se trouvaient ensemble quand la bombe a explosé.

— Alors pourquoi tous ces secrets sur l'identité de
cet homme ? m'exclamai-je. Ça ne rime à rien !

Il hésita de nouveau, plus longuement, cette fois-
ci, et l'espace d'un instant, ses yeux se remplirent de
compassion pour moi. Je crus qu'il allait pleurer.

— Ce n'était pas un homme, Kay. Mark se trouvait
avec une femme.

— Un autre agent, dis-je sans comprendre.

— Non.

— Qu'est-ce que tu veux dire ?

Je mis un moment à saisir parce que je m'y refusais, mais je sus, lorsqu'il demeura silencieux.

— Je ne voulais pas que tu le découvres. Tu n'avais
pas besoin de savoir qu'il se trouvait avec une autre
femme lorsqu'il a été tué. Ils sortaient du Grosvenor
Hotel quand la bombe a explosé. L'attentat n'avait
aucun rapport avec lui. Il était là, c'est tout.

A la fois soulagée et nauséeuse, je demandai :

— Qui était-ce ?

— Elle s'appelait Julie Mc Fee. C'était une avocate
londonienne de trente et un ans. Ils s'étaient rencon-

trés lors d'une affaire sur laquelle il travaillait, ou par l'intermédiaire d'un autre agent, je ne sais pas trop.

Je le regardai dans les yeux.

— Depuis combien de temps étais-tu au courant ?

— Un moment. Mark allait te le dire, et ce n'était pas à moi de le faire.

Il m'effleura la joue, et essuya mes larmes.

— Je suis désolé. Tu n'as pas idée de ce que je ressens. Tu as déjà bien assez souffert.

— Mais d'une certaine façon, cela facilite les choses.

Un adolescent piercé avec une coupe de cheveux à la mohican claqua la porte d'une consigne. Nous attendîmes qu'il s'éloigne avec nonchalance, accompagné de sa petite amie en cuir noir.

— Pour dire la vérité, c'était caractéristique de sa relation avec moi.

Je me relevai, épuisée, j'avais du mal à réfléchir.

— Il était incapable de s'engager, de prendre un risque. Il ne l'aurait jamais fait, pour personne. Il lui a manqué tellement de choses, c'est ça qui me rend le plus triste.

Dehors il faisait humide, un vent violent soufflait, et la queue des taxis s'étirait sans fin autour de la gare. La main dans la main, nous achetâmes des bouteilles de Hooper's Hooch. Des policiers montés sur des chevaux pommelés passaient au trot devant Buckingham Palace, et dans St James Park, une fanfare de gardes en bonnets à poil défilait, entourée de gens pointant des appareils photo. Les arbres se balançaient dans le vent, et les échos de la fanfare s'évanouirent, tandis que nous regagnions à pied l'Athenaeum Hotel sur Piccadilly.

— Merci, dis-je en l'enlaçant. Je t'aime, Benton.

Composition réalisée par JOUVE

Imprimé en France sur Presse Offset par

BRODARD & TAUPIN

GROUPE CPI

La Flèche (Sarthe).
N° d'imprimeur : 25975 – Dépôt légal Éditeur : 51830-10/2004
Édition 09
LIBRAIRIE GÉNÉRALE FRANÇAISE – 31, rue de Fleurus – 75278 Paris cedex 06.
ISBN : 2 - 253 - 17077 - 1